臺灣文化采風

黃叔璥及其
《臺海使槎錄》研究

林淑慧 ❖ 著

莊　序

　　臺灣是一個海島，數百年來，許多不同的族群及其文化，逐漸的在這個東亞大陸邊緣的固定空間中，經過融合、轉化，而產生特殊性格的臺灣文化。尤其近十餘年來，民主的曙光更照亮了臺灣文化前進的路向，然而在周遭的大環境中，仍瀰漫著以中國文化為中心價值的氛圍。因此，如何使臺灣大步的跨入建構中的臺灣主體性價值之中，而促使文化的版圖由量變而質變，以達成文化獨立的終極目標，那麼最重要的是須處理兩個問題：

　　其一是面對中國時空廣袤的學術與文獻，現有數量龐大的中國文史哲研究者，應循日本、朝鮮的先例，汰除與現代無涉的繁瑣學術領域，並改弦易轍的使之成為具有本土主體性的「漢學研究」。其次是將過去屬於中國學術領域中的臺灣部分，使之獨立成為一個以臺灣人民、土地為主軸的臺灣研究，以建立一個有主體性有榮譽性的「臺灣學」。

　　這兩個問題，事實已經成為臺灣社會發展中的趨勢，前者漢學的本土性，是一個漫長而巨大的工程，舉步維艱。但後者臺灣學的建立，則已經頗有成效的在逐步進展。臺灣從鄭氏王朝迄今，基本上是屬於一個漢字、儒教的文化圈，是非常適合學中（國）文的人去經營的學術園地。解嚴後不久，我在師大國文研究所所開的「中國學術思想研討」的課程中，開始在上學期講中國的，下學期講臺灣的。後來終於正式加開了「臺灣文化與思想」課程，嘗試開拓了一個新學

門，十餘年來也指導不少研究生寫有關臺灣的論文，中（國）文系的學生，長於古文、聲韻及文獻學，或亦能粗通文、史、哲學，但卻拙於文化人類學、臺灣史、社會學。偏偏我要我的學生林淑慧小姐寫《黃叔璥及其臺海使槎錄》的論文，正需要這些多方面的知識。黃叔璥是清代出自學術世家的文人，學術淵博，廣涉義理、史地、金石之學，1722年初，以首任的巡視臺灣御史抵達臺灣，兩年的見聞與資料的蒐集，完成了《臺海使槎錄》，成為十八世紀初臺灣社會的重要文獻，特別是其中的〈番俗六考〉，幾乎是後世研究早期平埔族的經典。

淑慧碩士班就學期間以留職停薪方式進修，最後完成論文階段猶回至小學教書，復為人妻，又為人母，然而她強烈的求知上進的企圖心，不畏艱苦的在學術之途，發表了比同儕更多的論文，令我激賞。我鼓勵她到臺大旁聽臺灣史、人類學，以開闊視野。在論文的寫作上，我不厭其煩的要求，她都不辭辛勞的尋找資料一再修改，以至完成，而博得口委的喝采。之後再考入博士班，她毅然決然的辭去金飯碗的教職，全心投入讀書、研究。我對她的未來，有無限的期許，眼看她從一個對臺灣幾乎一無所知的中文系的畢業生，七、八年間成為一位具有初步獨立工作能力的臺灣學研究者，堪為學中(國)文者轉向臺灣研究的啟示錄。使我對建構「臺灣學」的前景，深具信心。

本論文我推薦給萬卷樓，陳滿銘教授一翻，即加以肯定，欣然同意出版。感謝滿銘兄，也祝福淑慧。

莊萬壽　2004年4月14日凌晨

自 序

　　在撰寫博士論文而廣泛蒐羅資料的過程中，發現自己的碩士論文漸為學界所討論及引用。欣喜之餘，更因臺灣古典文學與文化的研究日益受到重視，而愈加自我惕勵。目前有關此領域的研究，仍有多處學術空白，例如清治時期古典文集的分析、詮釋、及批判，或與現代學術的對話，皆需研究者投注心力，方能積累可觀的成果。臺北中央研究院多年前已陸續將臺灣經濟研究室出版的【臺灣文獻叢刊】，全文建立於「漢籍電子資料庫」中，以利研究者進行資訊檢索，並藉由現代科技推動此領域的研究風潮。然而，正如莊萬壽老師所言，目前這些古典文獻的注解仍十分有限，且尚未有計畫的推展文獻普及的工作。我就在苦無垂手可得的臺灣古籍註解可供參考的情況下，走進了這個亟待耕耘的學術領域。至於臺灣古典文獻作者詳細的生平經歷、成書過程與時代背景的關係、或是作品基礎資料的掌握，正考驗著我的決心與耐力。若欲以臺灣文化為主體，將古典文本內部作進一步的解析，或詮釋文本與臺灣歷史文化關聯，對於初入門的研究者而言，必是個嚴峻的挑戰。

　　因《臺海使槎錄》為十八世紀臺灣重要的文獻之一，又此書作者黃叔璥於1722年(康熙六十一年)來臺，擔負首任「巡視臺灣監察御史」一職，其人其書皆頗具學術研究的價值。論文撰寫之初，計畫全面性的探討黃叔璥及其著作。所以逐一分析黃叔璥現存的《南征記程》、《臺海使槎錄》、

《南臺舊聞》、《中州金石考》、《廣字義》、《近思錄集朱》
等著作的特色，並詳據古今相關史料文獻，探究其生平經歷
及學術思想，以填補此學術論題研究上的空白。更進一步從
《臺海使槎錄》的版本、取材，及此書所反映當時漢移民、
平埔族社會的面貌，及多元文化特色，以呈現此書在學術文
獻史上的地位與價值。雖然這樣的研究方向有其困難度，但
慶幸的是，我在師友的肯定與鼓勵，家人的關懷與支持下，
激發了內在的潛能，終於順利完成了學位論文。

　　感謝指導教授莊萬壽老師，常於課堂上啟發多元思考方
向，且不吝傳遞多年來對臺灣文化研究的心得。而在論文寫
作的指導上，更時常抽空撥冗討論，鼓勵開拓研究視野，使
我在研究所的學習生涯中，欣見自己學術研究能力的成長。
感謝夫婿靖弘，每當我力不從心時，不僅是最佳的電腦顧
問；更在旁不斷激勵與鞭策，或帶我與孩子出遊，以紓解無
形的壓力。當我的數篇論文能於期刊上登載，或獲得評審青
睞，他亦樂於分享喜悅。就在夫婿、父母、婆婆及親友的長
期體諒與包容下，使我在成家後仍有值得珍惜的進修機緣，
並有信心在學術研究領域上踏實耕耘。

　　論文寫作期間也因得助於多位老師的熱心指引，使我逐
漸領悟到論述的核心。為了解此論文的相關主題，曾先後請
教過施懿琳老師、曹永和老師、邱德修老師、許俊雅老師、
崔伊蘭老師、邱阿塗先生、及黃美娥學姊、楊翠學姊等人。
當我思索尋覓論文題目時，幸獲老師的解惑；而在聆聽寶貴
意見後，更使我跨越迷津，許多靈感也孕育而生。又為了找
尋有關「首任巡臺御史」黃叔璥的著作資料，曾試以信函請
教福建師範大學歷史系林慶元教授，並由於北京圖書館善本

書室的協助，而取得黃叔璥晚年著作《近思錄集朱》手鈔孤本微捲的部分書影。論文口試時，亦獲張勝彥老師、林礽乾老師的殷切指正，不僅減少了若干謬誤，亦增添論述內容的深度。

猶記當初決定以「臺灣文化」為學位論文方向時，深刻體會到《莊子·逍遙遊》中所言：「水之積也不厚，則其負大舟也無力。」的意涵，於是時常至臺灣師大總圖書館瀏覽各類相關資料。在潛沉於臺灣古典文獻與現代學者論述中，使我對臺灣文化的研究，積累了入門的基礎。又為儲備論文寫作的實力，除了在莊萬壽老師學術思想史的課堂上，參與討論「臺灣方志及其相關主題研究」之外，更至臺灣大學歷史研究所旁聽中央研究院院士曹永和老師的臺灣史研究。學期中曾以「首任巡臺御史黃叔璥」作為上臺報告的主題。當天曹老師與臺大各系所同學熱烈提問辯難，並給予諸多建議，使我度過了一個永難忘懷的生日。又為了詮釋《臺海使槎錄》所蘊含的文化意涵，亦至臺灣大學人類學系旁聽崔伊蘭老師的「文化人類學概論」，課後並曾請教崔老師諸多相關問題，為論文中的文化議題探究開了幾扇窗。

有時憶及曾為蒐羅論文資料，而埋首各大圖書館的情景：臺師大總圖書館、國文系、國文所圖書室，中央研究院文哲所、民族所、史語所傅斯年圖書館，國家圖書館、中央圖書館臺灣分館，臺灣大學圖書館、政治大學圖書館，以及臺北故宮博物院圖書文獻館，皆有我駐足的身影。也懷念在國文所各科論文研討的磨練下，與同學在課堂上互相論辯、腦力激盪，使求學生涯不致孤陋寡聞的歷程。感謝國立中央圖書館臺灣分館「補助博碩士論文研究臺灣文獻」的獎勵，

使我能在臺灣文獻研究的路途中，幸運獲得審查委員的支持與肯定。而參加博士班入學口試時，多位擔任審查及口考老師所對此論文研究方向的讚許，亦激勵自己持續探究相關主題的信心。碩士班畢業後，曾得助於「臺北市七星田園文化基金會」對臺灣文化研究的贊助，在莊萬壽老師主持籌劃下，與同學共同完成「臺灣十七、十八世紀農業社會文化—以《裨海紀遊》、《臺海使槎錄》為中心」的研究報告書。亦有幸參與成功大學臺灣文學所主編的《臺灣文學辭典》，臺師大人文教育中心主編的《臺灣文化事典》詞條的撰寫工作。就讀臺師大博士班之際，除在國文所深化各門漢學研究的議題外，更常至臺師大「臺灣文化及語言文學研究所」旁聽，並參與諸多學術活動。「路漫漫其遙遠兮，吾將上下而求索」，與臺灣文學與文化研究結下不解之緣後，驀然發覺，關懷自己所成長的這片土地，將成為我未來研究的內化動力。

如今再回顧自己的碩士論文，雖做了小部分修正，依舊覺得此領域可開拓的空間甚為寬廣。本書末篇〈臺灣清治初期古典散文的書寫策略——以藍鼎元、黄叔璥的作品為例〉一文，是我發表於《臺灣文學評論》的修改稿，將此單篇論文置於「附錄一」，以呈現近來試圖探索臺灣古典散文與文化關聯的思考心得。本書得以順利出版，應感謝莊萬壽老師、陳滿銘老師及萬卷樓出版審查委員的推薦，及莊老師百忙中抽空題序並慨允封面題字。謹藉個人自序，向曾經指點及關心過本論文寫作的多位師長及親友，再致上誠摯的謝意。

林淑慧寫於2004年2月4日
臺灣師範大學圖書館研究室

目　錄

圖表目錄

臺海使槎錄卷一

北平黃叔璥　玉圃

原始

在泉州之東有島曰彭湖烟火相望水行五

一旁有毘舍耶　那

作　國語言不通袒裸耶雉始

喜鐵器臨敵用鏢鏢以繩十餘丈為操縱蓋

不忍棄文獻通考

按彭湖東南即今臺灣其情狀相似殆即毘舍耶

國也

臺灣於古無考惟明季莆田周嬰著遠游編載東番

書影一：清乾隆元年序傳刻本（中央圖書館臺灣分館藏）

臺海使槎錄

卷一　　　　　　　　　　　　　　　　常鎮揚通道黃叔璥撰

　赤嵌筆談

　原始

琉球國在泉州之東有島曰彭湖煙火相望水行五日
而至旁有毘舍耶那一作國語言不通袒裸盱睢殆非人
類喜鐵器臨敵用鏢鏢以繩十餘丈為操縱蓋愛其鐵

臺海吏差菜　　　　　　卷一

欽定四庫全書

臺海使槎錄卷一

　　　　　　　　常鎮揚通道黃叔璥撰

原始　(一)

琉球國在泉州之東有島曰彭湖烟火相望水行五日
而至旁有毘舍耶 (一作毗舍耶) 國語言不通袒裸盱睢殆非人
類喜鐵器臨敵用鏢鎗以繩十餘丈為操縱蓋愛其鐵
不忍棄 (見文獻通考)

欽定四庫全書　(卷一　臺海使槎錄)

按彭湖東南即今臺灣其情狀相似殆即毘舍耶國
也

臺灣於古無考惟明季莆田周嬰著遠游編載東番記
一篇稱臺灣為臺員蓋閩音也然以為古探國疑非是

臺灣隨筆

臺灣海中番島名山藏所謂乾坤東港華嚴婆娑洋世
界名為雞籠考其源則琉球之餘種自哈喇分支近通
日本遠接呂宋控南澳阻銅山以彭湖為外援明萬歷

書影三：清乾隆間文淵閣四庫全書本（臺灣商務圖書館影印）

臺海使槎錄卷一

大興黃叔璥撰

赤嵌筆談

原始

琉球國在泉州之東有島曰彭湖煙火相望水行五日而
至旁有毘舍耶那一作國語言不通袒裸盱睢殆非人類喜
鐵器臨敵用鏢鏢以繩十餘丈爲操縱蓋愛其鐵不忍棄
文獻通考

按彭湖東南卽今臺灣其情狀相似殆卽毘舍耶國也
臺灣於古無考惟明季莆田周嬰著遠游編載東番記一

二

書影四：光緒五年畿輔叢書謙德堂藏本
（中央研究院傅斯年圖書館藏）

臺海使槎錄卷一

赤嵌筆談　　　　　　　　　　　　　　　　　大興黃叔璥撰　畿輔叢書二編

原始

琉球國在泉州之東。有島曰彭湖。煙火相望。水行五日而至。旁有毘舍耶那一作國語言不通祖裸盱睢殆非人類喜鐵器。臨敵用鏢。鏢以繩十餘丈。為操縱。蓋愛其鐵不忍棄。文獻通考

按彭湖東南即今臺灣。其情狀相似。殆即毘舍耶國也。臺灣於古無考。惟明季莆田周嬰著遠游編載東番記一篇。稱臺灣為臺員。蓋閩音也。然以為古探國疑非是。隨筆臺灣臺灣海中番島名山藏所謂乾坤東港華嚴婆娑洋世界。名為雞籠。考其源則琉球之餘種。自哈喇分支。近通日本。

書影五：日治時期臺灣總督府圖書館傳刻本

（中央圖書館臺灣分館藏）

臺海使槎錄卷一

赤嵌筆談

原始

琉球國在泉州之東。有島曰彭湖。煙火相望。水行五日而至。旁有毘舍耶那(一作國)語言不通。袒裸盱睢。殆非人類。喜鐵器。酷嗜。啟用鏢。鏢以繩十餘丈為操縱。蓋愛其鐵不忍棄。

文獻
通考

鐵輔叢書二編

大興黃叔璥撰

書影六：日治時期伊能文庫鈔本（臺灣大學圖書館藏）

臺海使槎錄卷一

清　大與黃叔璥撰

赤嵌筆談

原始

琉球國在泉州之東有島曰彭湖煙火相望水行五日而至旁有毘舍耶那國一作文獻通考語言不通祖裸盰睢殆非人類喜鐵器臨敵用鏢鏢以繩十餘丈爲操縱蓋愛其鐵不忍棄．

按彭湖東南卽今臺灣其情狀相似殆卽毘舍耶國也．

臺灣於古無考惟明季莆田周嬰著遠游編載東番記一篇稱臺灣爲臺員蓋閩音也然以爲古探國疑非是耳．臺員卽臺灣

臺灣海中番島名山藏所謂乾坤東港華嚴婆娑洋世界名爲雞籠考其源則琉球之餘種自哈喇分支．

近通日本遠接呂宋控南澳阻銅山以彭湖爲外援明萬曆間海寇顏思齊踞有其地始稱臺灣思齊剽掠海上倚爲巢窟臺灣有中國民自思齊始紅夷乘其敝而取之菅草爲田民知樹藝順治辛丑鄭成功金陵挫敗厦門不守襲而有之迄康熙癸亥歸我一統其民五方雜處非伊掠之遺黎卽叛亡之

書影七：民國二十五年上海商務印書館標點本
　　　（臺灣師範大學圖書館藏）

臺海使槎錄卷一

大興黃叔璥撰

赤嵌筆談

原始

『琉球國在泉州之東,有島曰彭湖;煙火相望,水行五日而至。旁有毘舍耶(一作那)國,語言不通,袒裸盱睢,殆非人類。喜鐵器。臨敵用鏢,鏢以繩十餘丈為操縱,蓋愛其鐵不忍棄』(文獻通考)。按彭湖東南即今臺灣,其情狀相似,殆即毘舍耶國也。

『臺灣於古無考,惟明季莆田周嬰著遠游編載東番記一篇,稱臺灣為臺員,蓋閩音也。然以為古探國,疑非是』(臺灣隨筆)。

『臺灣,海中番島,名山藏所謂:「乾坤東港華嚴婆娑洋世界」;名為雞籠。考其源,則琉球之餘種,自哈喇分支,近通日本,遠接呂宋,控南澳,阻銅山,以彭湖為外援。明萬歷間,海寇顏思齊踞有其地,始稱臺灣』。『思齊剽掠海上,倚為巢窟;臺灣有中國民自思齊始。思齊死,紅夷乘其敝而取之;葺草為田,民知樹藝。順治辛丑,鄭成功金陵挫敗,廈門不守,襲而有之。迄康熙癸亥,歸我一統。其民五方雜處,非伊掠之遺

臺海使槎錄

一

書影八:民國四十六年臺灣銀行經濟研究室本
(臺灣師範大學圖書館藏)

第一章

緒　論

第一節　研究動機

一、問題緣起

　　近年來臺灣古典文獻的研究，漸受到學術界的重視。以文字記錄的文獻屬於歷史資料的一種，而書中特定歷史脈絡下的情境，實為可貴的研究素材。尤其清治時期的臺灣古典文獻，在產生新觀念和新方法後，如能經過不斷的利用、解釋和批判，或許更能顯出文獻生命的豐富內在意涵。綜觀目前臺灣文學的研究成果，於「日治時期」、「戰後迄今」的現代、當代文學有較豐碩的成果。至於在古典文學方面，則偏重古典詩歌研究；然對於鄭氏時期、清治時期眾多的古典文獻，卻較少見全面的探析。文學、史學、地理學、人類學各領域的學者研究相關議題時，多引用這些記錄清治時期臺灣社會文化的文獻，以作為論題的佐證。其實，若深入研讀這些具代表性的筆記文集，將可發現文集本身仍留有許多值得探索的空間。

　　舉例而言，當我遍覽清治時期各種臺灣文獻叢刊，及現代學者研究臺灣史、臺灣古典文學、及平埔族相關論述時，

常常發現《臺海使槎錄》為學者所多次提及與引用。這個現象激起我的好奇心：這本古典筆記文集為何能成為臺灣清治初期文獻的代表作之一？究竟此書具有何種特殊質性，至今仍受到學術界的重視與討論？而作者又具備何等學養與經歷，才能寫出這樣的傳世著作？待我再細細品讀相關資料後，更興起試著解答心中諸多問題的欲望：這位身為「首任巡臺御史」的作者，於其一生的著作中所透顯的思想，具有何種時代意義？而這部臺灣清治時期的古典文獻又反映出那些層面的社會面貌、及文化特色？以下將本論文問題意識歸納為：

(1)探究黃叔璥的家世、背景、經歷、及學術成就有何特色？其學術思想又具有何種時代意義？

(2)藉由分析黃叔璥巡視臺灣的經驗，及《臺海使槎錄》的成書過程，探索作者與此作品之間有何關聯？

(3)從詮釋《臺海使槎錄》所反映的臺灣社會面貌及文化特色等層面，藉以探討此筆記文集在臺灣文獻史上究竟有何地位與價值？

在臺灣文化研究漸趨蓬勃的今日，倘若能從此書與其他周邊資料加以爬梳整理，或許能對上述問題的解答有進一步的認識，或是更能對《臺海使槎錄》作一全面性的評價。

二、關懷臺灣歷史文化

坐落於今臺東縣長濱鄉八仙洞的文化遺址，是考古界迄今所知臺灣最古老的史前文化，這個舊石器時期的長濱文化，約距今五萬年前，一直持續到距今五千年前。之後的大

塋坑文化、芝山岩文化、圓山文化、卑南文化等新石器時期
的文化遺址陸續也被發現。[1]這些考古學上的研究，使世人
對臺灣早期文化有進一步的了解。至於長期居住在這塊美麗
之島的原住民與史前文化的關係，如北部地區十三行文化較
晚的舊社類型，是宜蘭平原噶瑪蘭族與北海岸凱達格蘭族的
祖先所留下的史前文化；而埤島橋類型是淡水地區的凱達格
蘭族所留下的史前文化。南部蔦松文化的後裔是西拉雅族；
東部靜浦文化是阿美族的祖先遺留。[2]考古學家透過文化內
涵、分佈區域、口傳資料及早期文獻等的類比，已逐步找出
臺灣史前文化與臺灣南島語系原住民的關係。

　　語言學家李壬癸曾將學者對平埔族各族的種類名稱，列
成一表。[3]（參見表一）至於臺灣原住民族及分布狀況，語
言學家土田滋教授曾繪製一圖（參見圖一），由圖上可以看
出高山族主要分布在中央山脈及東海岸一帶；平埔族的分
布，基本上從蘭陽平原開始，經臺北平原、西海岸平原、到
臺南、高雄、屏東一帶。平埔族各族之間都有關係，而且以
相鄰部族間的關係最為密切。從蘭陽平原開始，依次為噶瑪
蘭（Kavalan）、凱達格蘭（Ketagalan 、或Ketangalan），再過
來是道卡斯（Taokas）、巴布拉（Papora）、貓霧捒
（Babuza）、再來是洪雅（Hoanya），在內陸的是巴則海
（Pazeh），在靠洪雅下來有一塊很大的區域，是西拉雅
（Siraya），下分為三個亞族。[4]成書於臺灣清治初期的《臺海
使槎錄》反映了臺灣多元文化的特質，書中有關十八世紀平
埔族的記錄，更是研究平埔族的重要參考文獻。原本世居臺
灣的平埔族人，面對荷蘭、鄭氏、滿清政權接踵而至，在反

表一　平埔族群分類對照表

年代	研究者	族 名												
		Kavalan	Ketagalan	Kulon	Taokas	Vupuran/Papora	Poavosa/Babuza	Arikun	Lloa	Pazzehe	Sao	Siraiya	Makattao	族數
1904	伊能嘉矩	Kavarawan	Ketagalan	—	Taokas	Vupuran	Poavosa	Arikun	Lloa	Pazzehe	—	Siraiya	Makattao	十族
1930	移川子之藏	Kavarawan	Ketagalan	—	Taokas	Vupuran	Babuza	Hoanya		Pazeh	Sao	Siraya	Tao	十族
1935	小川尚義	Kavarawan	Ketagalan	—	Taokas	Vupuran	Babuza	Hoanya		Pazzehe	Sao	Siraiya		九族
1944	小川尚義	Kavalan	Ketagalan / Luilang	—	Taokas	Papora	Babuza	Hoanya		Pazeh	Sao	Siraiya		十族
1951	張耀錡	卡瓦蘭 Kavalan	凱達格蘭 Ketagalan	—	道卡斯 Taokas	拍瀑拉 Papora	巴布薩 Babuza	洪雅 Hoanya		拍宰海 Pazzehe Pazeh	—	西拉雅 Siraya	四社熟番 Taivoan	九族
1955	李亦園	噶瑪蘭 Kavalan	凱達格蘭 Ketagalan / 雷朗 Luilang	—	道卡斯 Taokas	巴布拉 Papora	貓霧捒 Babuza	和安雅 Hoanya		巴則海 Pazeh	水沙連 連	西拉雅 Siraya		十族
1970	台灣省通志卷八同冑志第一冊	卡瓦蘭 Kavalan	凱達格蘭 Ketagalan	龜崙 Kulon	道卡斯 Taokas	拍瀑拉 Papora Paposa	巴布薩 Babuza Poavosa	洪雅 Hoanya (Lloa Arikun)		拍宰海 Pazzehe Pazex	—	西拉雅 Siraya (西拉雅 馬卡道 四社熟番)		八族
1991	土田滋	Kavalan	Basai Basay / Ketagalan / Galan	Kulon	Taokas	Papora	Babuza	Hoanya		Pazeh	—	Sir.	Mak. Taiv.	十二族
1992	李壬癸	噶瑪蘭 Kavalan	巴賽 Basay / 哆囉美遠 Trob. / 雷朗 Luilang / 凱達格蘭 Ketagalan	—	道卡斯 Taokas	巴布蘭 Baburan / 巴布拉 Papora	貓霧捒 Babuza / 費佛朗 Favor	洪雅 Hoanya		巴則海 Pazeh	—	西拉雅 Siraya	Sir. Mak. Taiv.	八族 15支

圖一　臺灣南島語言分佈圖

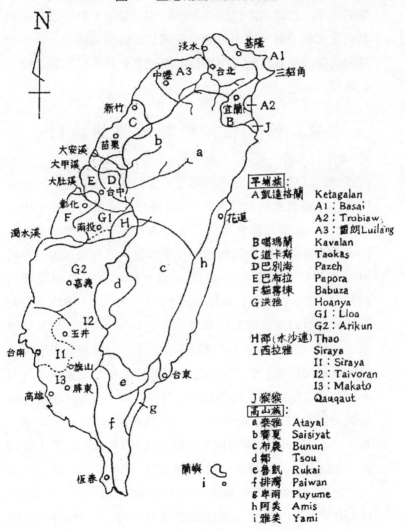

資料來源：李壬癸《臺灣平埔族的歷史與互動》，（臺北：常
　　　　民文化出版社，1997年），頁35。

抗中卻遭受更嚴酷的鎮壓，於武力的脅迫與各文化衝擊下所
處的困境，於此書中已透露不少端倪。是故，為增進對臺灣
歷史文化的了解，經由不斷地閱讀並思索相關議題，更激發
我關懷這塊生長土地上所累積的歷史文化，亦是本論文寫作
的動機。

第二節　相關研究成果的檢討

近人直接評介有關黃叔璥生平及著作的相關書目，計有
楊雲萍《臺灣歷史上的人物》，（臺北：成文出版社，1981
年初版），此書收錄臺灣史上重要人物的簡傳數篇，其中一
篇專論首任巡臺御史黃叔璥的生平經歷、及在臺事蹟，同時
對《臺海使槎錄》給予高度評價。葉石濤《臺灣文學史
綱》，（高雄：文學界雜誌社，1993年初版），亦肯定黃叔
璥及其《臺海使槎錄》在臺灣文學史上，所代表的意義及價
值。此外，方豪與楊雲萍曾於早期報紙《公論報》臺灣風土
版為《裨海紀遊》與《臺海使槎錄》的關係相互論辯。方豪
發表於《公論報》六版的文章，共有二篇：一為〈臺海使槎
錄與裨海紀遊〉（1954年3月7日，臺灣風土162期）；另一
為〈再談臺海使槎錄與裨海紀遊〉（1954年3月22日，臺灣
風土165期）。而楊雲萍亦於臺灣風土版回應兩篇，一為
〈關於臺海使槎錄與裨海紀遊〉（1954年3月15日，臺灣風土
164期）；另一則是〈為臺海使槎錄申辯〉（1954年3月28
日，臺灣風土166期）。以上四篇的焦點多集中討論引用的
問題。

　　在期刊論文方面，直接相關的有三篇：一為鍾華操於1976年《臺灣文獻》27卷2期，所發表的〈臺灣使槎錄與臺海使槎錄之辨〉，此篇分辨〈臺灣使槎錄〉與《臺海使槎錄》的差異處，為版本問題的比較探討。另一為許雪姬〈首任巡臺御史黃叔璥研究〉，發表於《臺北文獻》1978年直字44期。此篇參酌若干清人傳記資料，探討黃叔璥的家世背景、交遊情形，與為政經歷，並參考《大清畿輔書徵》以簡介黃叔璥的著作。文中針對主題提出不少論證，可說是近人對黃叔璥作全面探討的單篇論文。而中國大陸學者林慶元發表於1997年7月《亞洲研究》23期的〈《南征記程》、《臺海使槎錄》及其他—關於首任巡臺御史黃叔璥的幾個問題〉。此期刊為香港珠海書院亞洲研究中心出版，這篇文章中由黃叔璥另一部《南征記程》著作及家世資料，推論出黃叔璥的生卒年；並探討《臺海使槎錄》的成書年代，亦為多方探討黃叔璥及其著作的論文。

　　由上述可知，專論黃叔璥其人其書的著作極為有限，多是收錄於書中的單篇文章，以介紹的性質為主。早期的研究則偏重在對《臺海使槎錄》的版本問題作探討；而登載於期刊上的論文，又因受期刊篇幅所限，只能針對幾個問題作考據，未能對黃叔璥及其多種著述作進一步的探討，也未能多元詮釋其書中的內涵。所以本文將全面探討黃叔璥的生平經歷、學術著作，進而分析其學術思想，並將《臺海使槎錄》的內涵作多層次的探討，以呈現其人其書在學術史中的意義來。

　　所以本論文寫作的主要目的，為呈現清初《臺海使槎錄》

的文獻價值，並對作者黃叔璥的寫作背景、學術思潮，及臺灣當時的社會文化作一縱向與橫向的研究。本文研究目的可歸納為二大層面：

一、探究黃叔璥生平經歷及其學術思想

近年來，學術界對本土文化的研究方興未艾，而清治時期來臺官員的事蹟與著作，也漸受各領域人士的矚目。如有關清治初期首任巡臺御史黃叔璥的事蹟與經世思想，實為一值得研究的課題。本論文的研究目的，即對黃叔璥其人其書作全面性的探討。擬經由地毯式蒐羅各史籍中的記載，將有關黃叔璥家世的相關資料，一一加以爬梳、重綴；並配合黃叔璥本人史學、義理等學術著作，以呈現黃叔璥的生平經歷及其學術思想，進而探討其學術思想的時代意義。尤其著重研究黃叔璥在擔任「巡視臺灣監察御史」時期的臺灣經驗，從分析《臺海使槎錄》所透露的訊息，及相關史料中探索其人其書的密切關係。

二、分析《臺海使槎錄》的內涵價值

《四庫全書提要》曾提到《臺海使槎錄》得名的由來，所謂：「茲編乃康熙壬寅叔璥為御史時巡視臺灣所作，故以使槎為名。」[5]「槎」為木筏、竹筏的意思，《臺海使槎錄》為首任巡臺御史黃叔璥，通過「黑水溝」渡海來臺後，將所見、所聞分類記錄下來的筆記文集。這部有名的「巡臺記錄」，不但收錄於《四庫全書》中，也有多種刊刻版本，可說是流傳極廣的文獻。近年來，中央研究院的資料庫中，已

將臺灣方志、臺灣文獻、臺灣檔案建立資料庫，多以臺灣銀行經濟研究室本為底本，並將此資料庫開放給學術界利用。《臺海使槎錄》亦列於其中。此書不但是臺灣史上的重要文獻，更是清治初期平埔族歷史文獻的經典之作。[6]這本書所呈現的臺灣社會變遷，及多元文化面貌，在學術史上實具有不可忽視的影響。所以從各種角度來分析此書的內涵價值，亦為本文的研究目的。

第三節　研究材料

一、有關黃氏家族及個人的材料

黃叔璥家世資料大多見於《北學編》、《清史稿》、《碑傳集》、《清初黃崑圃先生叔琳年譜》等書。另外，從哈佛燕京學社《三十三種清代傳記綜合引得》所列的《清史列傳》、《國朝耆獻類徵初編》、《國朝先正事略》、《大清畿輔先哲傳》、《國朝學案小識》等傳記書籍中，亦可見黃叔璥的生平記載。[7]至於他擔任巡臺御史期間的事蹟，《臺海使槎錄》及臺灣各方志多有提及。此外，臺北故宮博物院出版的《宮中檔雍正朝奏摺》第二輯，雍正元年一月十六日，有一件巡視臺灣監察御史黃叔璥向雍正請安的奏摺[8]；而臺北故宮博物院善本書庫收藏的《清史館乾隆年間傳稿》6860（1）號、6892（1）號，及《成興齋傳稿》8040號（2）卷20等清代傳稿、傳包中，亦蒐羅有關黃叔璥的簡傳。

黃叔璥著作計有《南征記程》、《臺海使槎錄》、《南臺舊聞》、《廣字義》、《中州金石考》、《近思錄集朱》，及

《清代御史題名錄》、〈重修臺灣縣學碑記〉、〈《有涯文集》序〉等。而介紹評論黃叔璥著作的參考資料，除了紀昀主編的《四庫全書總目提要》外，《國朝學案小識》、《國朝漢學師承記》、《大清畿輔書徵》（第一冊）、《國朝耆獻類徵初編》、《學案小識》（清代傳記叢刊・學林類）等亦有相關的資料。此外，近人論及巡臺御史或旅臺文人時，亦常提到黃叔璥的生平事蹟。如莊金德〈清初旅臺學人著作的評介〉、〈巡臺御史的設立與廢止〉，方延豪〈試數巡臺御史〉，及唐一飛〈清代巡臺御史傳略及詩錄〉等期刊論文，亦為探討黃叔璥事蹟及著作的參考資料。

二、有關《臺海使槎錄》的資料

臺灣現存多種《臺海使槎錄》的版本，如乾隆元年傳刻本、南海孔氏嶽雪樓鈔本、文淵閣四庫全書本、畿輔叢書謙德堂藏本等；並有節鈔本《臺灣使槎錄》，及〈番俗六考〉的英譯本，這些都是研究有關《臺海使槎錄》版本的基本資料。清初臺灣所纂修的方志，官方的檔案，及一些個人觀察所得的記錄，亦可與《臺海使槎錄》中所引用的眾多書籍相互印證。藉此可探討康熙年間臺灣志書與《臺海使槎錄》的承襲與影響的關係，並與郁永河《裨海紀遊》、孫元衡《赤嵌集》及藍鼎元《平臺紀略》有關地理、史觀、政論、文化等筆記文集作比較。

近年來平埔族研究漸受學術界重視，中央研究院民族所1988年6月出版的《臺灣平埔族研究書目彙編》裡，不但蒐羅整理有關平埔族的早期史料，並列出各領域對平埔族的研

究成果，如李亦園〈從文獻資料看臺灣平埔族〉、〈臺灣南
部平埔族平臺屋的比較研究〉，張耀錡《平埔族社名對照
表》，李壬癸《臺灣平埔族的歷史與互動》等，都可與《臺
海使槎錄》中的〈番俗六考〉、〈番俗雜記〉互相對照。

三、其他的周邊資料

　　十七世紀海權時代，從各地來臺的航海家、傳教士及官
員曾留下一些歷史見證，如荷治時期官方及商家的檔案、遊
記，皆是珍貴的臺灣史料。臺北故宮博物院出版的清代宮中
檔，則主要是地方官奏摺或夾片，為清代歷朝君主親手所
批；中央研究院歷史語言研究所出版的《明清史料》和清代
歷朝的《實錄》，也都是探究《臺海使槎錄》時代背景時的
參考。日人伊能嘉矩《臺灣文化誌》、山中樵〈關於黃叔璥
的臺灣番社圖〉、及清水純〈臺灣平埔族の漢化〉等，及
C.E.S.《被遺誤之臺灣》（*Verwaarloosde Formosa*），Campbell
《荷蘭統治下的臺灣》（*Formosa under the Dutch*），Pickering
《發現老臺灣》（*Pioneering In Formosa*）等西文資料，都是研
究臺灣史的參考。

　　中央研究院臺灣史田野研究室出版《臺灣漢人移民史研
究書目》（1989 年）、《臺灣民間信仰研究書目》（1991
年），這些專科目錄蒐羅世界各地的文獻目錄及研究成果，
開啟多族群社會文化的觀點，也展現了臺灣文化研究的豐富
內涵。在歷史學、文化人類學、文學等各領域的文獻，也都
可作為詮釋《臺海使槎錄》內涵意義時的重要參考資料。

第四節　研究方法

一、蒐羅並分析傳記資料

　　將蒐羅來的傳記資料，依時間先後順序加以分類，作為建構黃叔璥年譜簡表的基礎，以呈現黃叔璥生平及其學術。而多位友朋寫給黃叔璥的書信、贈序、題跋，如方苞〈送黃玉圃巡按臺灣序〉、〈題黃玉圃夢歸圖〉、〈與黃玉圃同祭尹少宰文〉等，皆是考察其論學交遊及生平事蹟的重要材料。至於全面查詢黃叔璥現存著作，並閱覽國家圖書館、中央研究院中國大陸北京圖書館所藏的善本書、線裝書，或以微卷影印、或申請電腦掃描的方式取得書影，可作為分析其學術成就之用。中央研究院漢籍資料庫已建立的「臺灣方志」、「臺灣檔案」、「臺灣文獻」作檢索[9]，如輸入關鍵詞「黃叔璥」、「《臺海使槎錄》」、「巡臺御史」等檢索條件，即可蒐羅到黃叔璥於臺時期的相關資訊，及《臺海使槎錄》對各文獻的影響情形。

二、參酌相關學術領域的理念

　　現代學術研究常跨越單一學科的範疇，而朝科際整合的趨向發展。本論文亦應用圖書文獻學、歷史學、人類學、文學、語言學、哲學、以及社會學等各領域的成果和方法，以充實主題研究。如圖書文獻學中的專科目錄，即可大量蒐集到以主題為核心的相關書目，使研究內容能更廣泛；應用史

學中的傳記、傳稿、內閣檔案等資料，則可觀察歷史人物於時代背景上的地位。至於以社會學、人類學的觀念切入《臺海使槎錄》所記錄的文化主題，如各民族的「生命禮儀」所蘊含的意義，漢人與平埔各族對婚前男女交往的看法，訂婚的方式、結婚的禮儀及對婚姻的社會規範等，則更能顯現出各民族的社會制度及文化特質。

三、應用現代學者研究成果

今日網際網路能便捷的連接臺灣各大圖書館網站，除可獲知《臺海使槎錄》現存的版本種類外，亦可由書目、期刊、論文的蒐尋中，得知各種相關的研究成果。至於早期的報紙，如公論報「臺灣風土」版，亦可以微卷影印，皆有助於研究的進行。然而取得資料後，更需加以分析、歸納整理，並以現代觀念貫串子題，以突顯主題的價值。尤其目前臺灣史研究已從政治史轉移到經濟、社會、文化、思想、心理等各領域，各學科在科際整合的互動下，研究範圍也擴展到無文字的族群或史前時期。從羅列個別事實，到建立整體的、結構性的歷史，這種客觀的歷史探索可說是無止境的。

這種更細緻化、深入化，且往去除固定的思考方式，去除漢人為中心的史觀，以平等寬闊之心，對待各個不同族群的歷史文化的趨向。將臺灣史範疇延伸至平埔族、高山族，以及更古遠的史前時代。細緻化研究之後，會使問題意識更清楚、更能瞭解歷史的軌跡和特色。[10] 如有關文化的分類，人類學者李亦園主張可分成三大部分：一為物質文化或技術文化，因克服自然並藉以獲得生存所需而產生，包括衣食住

行所需之工具以至於現代科技。二為社群文化或倫理文化，
因為營社會生活而產生，包括道德倫理、社會規範、典章制
度、律法等。三為精神文化或表達文化，因克服自我心中之
「鬼」而產生，包括藝術、音樂、文學、戲劇以及宗教信仰
等。[11]倘若以文化人類學的方法將《臺海使槎錄》各章節，
加以重新詮釋，或許能顯出古典文獻具有現代意義的價值。

　　所以本論文將蒐羅並分析核心傳記資料、及其他周邊資
料，參酌相關學術領域的理念，並應用現代學者的研究成
果。將對黃叔璥其人及其《臺海使槎錄》的內涵意義，嘗試
於以下各章一一加以分析及詮釋。

注　釋

[1] 宋文薰等編《臺灣地區重要考古遺址初步評估第一階段研究報告》，
（臺北：行政院文化建設委員會，1992年6月），頁1～3；宋文薰
《史前時期的臺灣》，《歷史月刊》第21期，1989年10月，頁68～
80。

[2] 劉益昌《臺灣的考古遺址》，收錄於張炎憲等編《臺灣史論文精選》
上冊，（臺北：玉山社出版事業，1996年9月），頁42。按：「凱
達格蘭族」並非全為「巴賽族」，巴賽族僅是凱達格蘭族的亞族，可
參見表一「平埔族的種類及其相互關係」李壬癸的分類。

[3] 李壬癸於〈臺灣平埔族的種類及相互關係〉一文，曾對此「平埔族
分類對照表」補充表一所列土田滋於1991年將「凱達格蘭族」分為
Basai、Ketagalan、Galan。並且另立Kulon（龜崙族），因其語言近
似賽夏。參見李壬癸：《宜蘭縣南島民族語言》（宜蘭縣史系列語言
類1），（宜蘭：宜蘭縣政府，1996年10月），頁253～254；及頁

264。

4　圖一為土田滋教授等人於一九八二年結合日本和澳洲國立大學合作
　完成，並於一九八三年出版。參見李壬癸：《臺灣平埔族的歷史與
　互動》，（臺北：常民文化出版社，1997年），頁35。李壬癸經訪查
　猴猴社（今蘇澳鎮龍德里）後，曾補充對於蘇澳附近的Qauqaut（猴
　猴族），既不屬於已知的臺灣平埔族，也不屬於高山族的任何一種。
　據其具有東部大洋洲的語言特徵來推測，可能比各種高山族和平埔
　族都要晚遷移到臺灣來，推測遷移時間大約在近幾百年前。參見李
　壬癸：《宜蘭縣南島民族語言》（宜蘭縣史系列語言類1），（宜
　蘭：宜蘭縣政府，1996年10月），頁258～264。

5　《四庫全書・史部・地理類》592冊，收錄《臺海使槎錄》。並附有
　此書的〈提要〉，（臺北：商務印書館景印文淵閣四庫全書，1983
　年），頁861。

6　詹素娟〈從中文文獻資料談平埔族研究〉，收錄於《臺灣平埔族研究
　書目彙編》，（臺北：中央研究院民族學研究所，1988年6月），頁2。

7　房兆楹等編：《三十三種清代傳記綜合引得》（燕京大學圖書館編纂
　處出版，1932年）。

8　《宮中檔雍正朝奏摺》，（臺北：國立故宮博物院，1977年12月），
　第二輯，頁59。

9　臺北中央研究院歷史語言研究所目前已將「臺灣方志」、「臺灣檔
　案」、「臺灣文獻」，全文輸入於「漢籍資料庫」中。

10　張炎憲：〈對臺灣史研究的期待〉，《臺灣史田野研究通訊》十二
　期，（臺北：中央研究院，1989年12月），頁5。

11　李亦園：《田野圖像——我的人類學生涯》，（臺北：立緒文化，
　1999年10月），頁73。

第二章

黃叔璥生平及其學術

　　黃叔璥，字玉圃，晚號篤齋，生於順天府大興縣（今河北省大興縣）。[1]從黃叔璥現存的學術著作來看，可見其學兼歷史、地理、金石目錄及義理等領域。本章廣加蒐羅黃叔璥家世的相關資料，再加以爬梳、重綴，並一一探討作者的學術著作，藉以呈現黃叔璥生平及多方面學術成就。

第一節　家世背景與為學交遊

一、家世背景

　　黃叔璥的行事風格與為學態度的形成，除了個人天生的志趣外，亦受到家學淵源的影響。他的祖父程伯起，字瑞芝，徽州歙縣（安徽省新安縣）人。[2]祖父先娶柳氏為妻，生子華蕃（即黃叔璥的父親）；柳氏歿後，祖父續娶黃氏。程伯起曾任陝西鄌縣令，並於官務任期屆滿後回到京師。[3]回到京師後，又前往陝西索回一筆債款，不幸於回程經潼關過河時，遭船夫所害而亡。當時華蕃年僅九歲，而華蕃的繼母黃氏得知此惡耗後，不久也傷心去世。已逝繼母黃氏的兄長黃爾悟，當時任殿中宿衛，見到華蕃這位年幼的孤兒，便將他接於大興縣京城家中收養，並長期視如親生一般，華蕃

也從此改姓黃。

　　華蕃常於春秋之際獨自外出，旁人本不知其前往何處，後來才曉得他常俳徊於城東鐵山寺及魚藻池，在荒墟蔓草間欷歔掩涕，悼念葬於此地的母親柳氏。然因念及黃爾悟無子嗣，以及長期撫育的恩情，故即使黃爾悟於1700年（康熙三十九年）逝世後，仍終身不忍歸宗，故其子皆姓黃氏[4]，這也是黃叔璥兄弟全都改姓的緣由。華蕃原任學舍講學，於1685年（康熙二十四年）轉任大城（今河北省大城縣）縣學教諭，一生共任教職三十年。告歸家居十餘年後，於1705年（康熙四十四年）十月去世，享年六十有一，時當黃叔璥二十五歲。[5]而黃叔璥的母親吳麟龍，浙江仁和人，本為錢塘太學生。婚後盡心撫育子女，即使在晚年也不改其嚴謹教導子弟的理念。長子叔琳曾欲請調以終養母親，後因母親告誡應以職責為重，只好不違逆母意，繼續專守職位。[6]1739年（乾隆四年）母親吳麟龍於除夕時逝世於京城家中，享年九十二歲，時當黃叔璥五十九歲。

　　黃叔璥長兄黃叔琳（1672～1756），字崑圃，為清初著名學者。若從其兄黃叔琳就學的歷程，亦可約略得知黃氏兄弟求學的情形。黃叔琳因幼時適值黃爾悟退休回歸鄉里，於是從小就受到黃爾悟口授古籍的啟蒙，並於五歲即進入塾堂，陸續習讀《易》、《詩》、《書》、《左傳》、《禮記》等古籍。十一歲時曾至學舍，聆聽擔任教諭工作的父親的講論，十二歲入順天府學，之後並從多位先生探究名理及經世之學。十九歲通過順天鄉試，二十歲即中進士。黃叔琳一生轉任數個重要職務，除了曾督導山東學政，專司學政的奉天

府府承，以興賢育才為己任，亦曾任浙江道監察御史、內閣學士兼禮部侍郎等職。[7]黃叔琳為學涉獵廣泛，舉凡義理、歷史、文學、古籍的整理註釋等領域皆有著作，如《硯北易鈔》十二卷、《詩統說》三十二卷、《周禮節訓》六卷、《夏小正傳註》一卷、《史通訓故補》二十卷、《文心雕龍輯註》十卷、《硯北雜錄》、《硯北叢鈔》、《宋元春秋解提要》、《宋元易解提要》及《養素齋詩文集》等書[8]，可見他勤於讀書著述的情形。

黃叔璥在家排行第四為學以立誠為本，晚號篤齋。常以「篤敬」來自我勗勉，顯現出其嚴厲自持的性情。[9]他自幼承襲家風，好學不倦，並於二十歲時通過順天鄉試。二兄叔琬、三兄叔琪、及庶母弟叔瑄，也分別於1702年（康熙四十一年）、1705年（康熙四十四年）、及1713年（康熙五十二年）通過此鄉試，使得黃家兄弟都成為舉人。[10]叔琬並曾任太僕寺少卿、叔琪曾任江南寧國府事、叔瑄則任河北唐縣教諭，可知他們都奮勉向學而得任公職。黃叔璥於少時所立下為學及處世的根基，應與淵源於手足間互相砥礪的家風有關。

1729年（雍正七年），時叔璥五十歲。長兄叔琳曾託人寄詩句於叔璥，其中數句為：「晨昏結夢惟萱草，榮悴關心祇棣華，聚首庭前應悵望，闔廬城畔是天涯。」[11]當年叔琳於蘇州任職，羈旅愁懷，頗關心母親與弟弟的生活情形。所以黃叔璥於1731年（雍正九年）春正月時節，年五十二歲時至蘇州問視叔琳，以抒兄弟久別之情。1734年（雍正十二年），時當黃叔璥五十四歲，叔琳、叔琬、叔琪，庶母弟

叔瑄皆齊集於北京，叔琳兄以為一家難得團聚，於是有感而言：「骨肉久離，宦途如海，今得懽聚一堂，皆吾母之庇也。雖貧無握粟，而樂事有餘矣。」[12]道出黃家兄弟多離家任官，聚少離多的景況。

　　1740年（乾隆五年）正月，黃叔璥六十歲時，曾回京城老家為母親守孝三年。1743年（乾隆八年），黃叔璥六十三歲，曾作〈夢歸圖〉以表思親及歸鄉心切之情。關於此〈夢歸圖〉產生的緣由，方苞〈題黃玉圃夢歸圖〉一文提到：「玉圃終其身常依二親，適守官在外，而不得視太夫人含殮。」[13]文中記載叔璥憶及當年由於任官在外，難以及時回鄉，未得視母親入斂，內心始終耿耿於懷。此圖表現出叔璥守孝三年後復職期間，即是在任蘇州常鎮道職務時，回首為官與事親的兩難，於是將夢中思歸的心意形諸於圖的情形。夢境反映了他的真性情，也可看出他剛毅性格下藏有一顆細膩的心。

二、從政經歷

　　黃叔璥從二十九歲中進士後，先擔任太常博士的職位，職掌繕寫文牘，考查祝文禮節及祀賦等事，隨後又任戶部雲南司主事。[14]戶部為管理全國戶口、財賦的中央行政機關，清代設有浙江、江南等十四司，雲南司掌核錢糧及各廳的稅課，並管漕政事務。因雲南地區有白族、傣族、傈僳族、怒族等原住民族[15]，可知他於掌管地方行政時，或已有與各少數民族接觸的經驗。隨後又調吏部文選司，任稽勳員外郎，掌理勳級、名籍、喪養等事。明、清的吏部分文選、驗封、

稽勳、考功四司，文官的詮選是吏部最主要的工作。之後又經薦擢而成為湖廣道御史，湖廣道為清代都察院所屬諸道之一，監察御史負責稽核湖廣刑名并稽察通政使司、國子監等事務。[16] 湖廣地區有苗族、侗族、壯族、瑤族等不同種族散居各處[17]，這使黃叔璥抵臺巡察各地原住民時，能特別注意到各族風土民情的特色。至於他任御史期間巡視東城時的事蹟，最為人所稱道。《清史館乾隆年間傳稿》第6892（1）號曾記載此事。（參見圖二）《學案小識》亦詳細提到：

> 巡視東城，時王公貴人以追私捕，相屬甚夥，皆曰：「務親治。」先生正告同列曰：「御史非王府官，何瑣瑣若是！」下所司理之，有銜邸命至公署者，昂然坐滿御史上，先生詰以何時奉差視事，嘿不能對，則立使徹坐，將疏劾之。其人悚惕謝罪，久乃釋去，自是無敢以私干者。[18]

由黃叔璥擔任御史不懼權貴勢力，就事論事、客觀彈劾的為政作風，可知其耿介剛直的個性。不少欲尋私的人也聞之卻步，使得干擾辦案的情形得以改善。1718 年（康熙五十七年）叔璥三十八歲，時任浙江道監察御史，長兄黃叔琳為都察院左僉都御史，依慣例應予迴避。然因黃叔琳不久即將陞調，故兩人未被遷調，時人稱此為難得的特例。

1721 年（康熙六十年），叔璥四十一歲，當時臺灣發生朱一貴事件，閩浙總督覺羅滿保奏請在臺添兵。清廷認為臺灣汛防官兵已經足夠，而在訊息的掌握上出現較大問題，經

圖二　黃叔璥傳記史料（《清史館乾隆年間傳稿》第6892(1)號）

提要宋元易解提要諸書養素齋詩文集叔琳自五

歲入塾至大臺之年凡二萬九千日中蓋無日不學

也可謂純篤君子矣弟叔琬進士官太僕卿叔琪舉

入官甯國知府皆有賢聲而叔璥暨子登賢尤著

叔璥字玉圃康熙四十八年進士由太常博士遷戶

部主事晉吏部員外郎以薦擢御史巡視東城時王

公貴人多以追私通相屬且曰務親治之叔敬正告

同列曰御史非王府官屬何瑣瑣為下所司理之有

清史館

資料來源：臺北：故宮博物院善本書庫藏。

內閣研議後，決定新設巡臺御史一職。1722年（康熙六十一年）開始，每年由都察院請旨派遣滿、漢御史各一員前往臺灣巡察，並駐在臺灣府城，擬一年期滿後更替。當初設立「滿漢監察御史巡察臺灣」的動機，是清廷企圖調整制度，以加強治理臺灣的一項新政策[19]。其用意在藉御史的往來臺灣，一方面轉達朝廷旨意，一方面直接奏聞臺灣民情。黃叔璥與吳達禮獲選為首任巡視臺灣御史，於1722年（康熙六十一年）六月初二抵達臺灣任職，兩人並於一年任期屆滿後，又多留任一年。在《宮中檔雍正朝奏摺》第二輯，1723年（雍正元年）一月十六日，有一件巡視臺灣監察御史黃叔璥向雍正請安的奏摺，批文提到「爾等在海疆實心效力，上甚屬可嘉，今已另派人來更換，爾等候新任到來，可將爾等數年經歷民情土俗一切地方事務，皆備細令新任知曉。」[20]又據清史館所編纂的乾隆年間黃叔璥傳稿載：「雍正元年任滿，特旨留一年，命以所行事告代者，叔璥為列〈海疆十要〉。」[21]惜這篇〈海疆十要〉今已不得見，而未能與《臺海使槎錄》中的巡臺觀察所得作一對照。

　　1724年（雍正二年）黃叔璥任期屆滿回京途中，與其兄叔琳同時被彈劾而罷官。《清史列傳》記載此事因有人奏告叔琳於赴湖廣平鹽價時，受鹽商吳雨山賄賂關說，派充吳為總商。又徇庇姻親海寧陳氏，將賀懋芳杖斃。而叔璥亦被誣告於巡臺御史任滿後，路過杭州時，所帶的家僕與鋪戶爭鬥，叔琳怪罪鋪戶並拘責至死；此事致使叔琳就任浙江巡撫時，傳說杭州城因而罷市三次。雍正帝獲知此案，先敕令叔琳、叔璥罷官，靜待調查。《清世宗實錄選輯》於此年八月

十二日記載：「陳氏僕人、黃叔璥兩案情由，著將軍安泰、佟吉圖審理；吳雨山一案，著李周望、塞楞額、噶爾泰審理。」[22] 經多位官員的調查，再加上吏部侍郎魏定國及錢塘令的仗義直言，漸使此事件告一段落。1725 年（雍正三年）黃叔璥在浙江的事終於結案。《清史稿》記載此事的審理結果：

> 上命解叔琳任，遣侍郎李周望與將軍安泰分案按治。安泰等奏叔琳以陳氏僕與商爭毆，逮商杖斃，事實；無與叔璥事，亦未嘗罷市。周望等奏叔琳貸金鹽商，非行賄。[23]

1736 年（乾隆元年），叔璥五十六歲。時任河南開歸道，又調督糧道。《大清畿輔先哲傳·名臣傳》提到：

> 乾隆初，叔璥補河南開歸道，調督糧道。豫大水，撫卹災民甚周。至濬永城河口，開儀封引河，築虞城堤岸，惠民良多。[24]

當時河南發生大水災，叔璥盡力撫卹災民，救濟受難百姓；並於濬永城河口指導疏通河流，築虞城堤防等措施，這些都是為當地民眾服務的具體表現。[25]

1740 年（乾隆五年）正月，黃叔璥六十歲時，在河南任職四年後，因母親吳太夫人逝，故回京城老家為母親守孝三年。三年後始復職，並派任江南常鎮道。1746 年（乾隆

十一年），時黃叔璥六十六歲，因在任內生了一場病而暫解
職務回鄉，病癒後始再度復職。《北學編》提到：

> 在豫四年，以母憂歸。服除，補江南常鎮揚道，遇疾
> 暫解位。疾已，復原官，又三年致仕，家居七年卒。
> 年七十有七。[26]

至於他何時離任？尹會一於1746年（乾隆十一年）任
江蘇學政，1747年（乾隆十二年）六月主試鎮江府，此期
間尹會一曾訪見病中的叔璥。[27]又據1748年（乾隆十三年）
方苞所作〈與黃玉圃同祭尹少宰文〉的記載：「茲孟秋望
後，吾友玉圃將以監司入覲，約泛舟北湖。前期二日薄暮來
告，茲游宜罷，博野遽殂。」[28]可見叔璥於1748年（乾隆十
三年）八月間以道員身份去京覲見，可見已病癒復官。另一
個更直接的證據是「內閣大庫檔案」，於乾隆十三年八月二
十四日檔案中，載有題報委令常鎮道黃叔璥接管揚州關稅
務。[29]並按《北學編》所載叔璥復官三年後始返回家鄉，家
居七年逝世。則推算應於1748年（乾隆十三年）六十九歲
時復官，又於1750年（乾隆十五年）七十一歲時離職。而
從1751年（乾隆十六年）起家居七年，則知約於1757年
（乾隆二十二年）去世，享年七十七歲。

三、遊歷與交友

黃叔璥自幼接受傳統漢學教育，並時與手足互相切磋學
藝，奠定了日後學術研究的基礎。而與同好的論學交遊更拓

展了他的見聞，激盪出研究的興趣來。由文獻中得知叔璥的
朋友中，方苞與尹會一為其論學的知交。方苞，字靈皋，號
望溪，生於1668年（康熙七年），卒於1750年（乾隆十四
年），更是黃氏兄弟的好友。[30]方苞於1721年（康熙六十年）
叔璥巡臺前寫了〈送黃玉圃巡按臺灣序〉，在序文中提到因
與黃叔璥同於1699年（康熙三十八年）中地方鄉試，所以
自稱與他為「同年友」。文中談到黃叔璥來臺的緣由，及其
因「廉靜有才識」而被薦舉為首任巡臺御史[31]。1743年（乾
隆八年）叔璥曾請他為〈夢歸圖〉題字，1744年（乾隆九
年）孟秋，方苞寫了〈題黃玉圃夢歸圖〉，其中一段描述為
官離家的心情，表達身為人子與為官的兩難，文中抒發深厚
的感懷：

> 若余則弱冠饑驅幾十年，難後蒙恩供奉內廷，每歲首
> 下辭老母，出寒迫冬始歸。玉圃之夢，乃余旬月中數
> 見，而不可以數計者也。……故書之以志余恨，而弛
> 玉圃之悲。[32]

方苞並曾於1723年（雍正元年）為黃叔璥的父親題一
墓表，更在三兄黃叔琪的墓誌銘上言：「余與君兄弟皆久故
……而君（叔琪）竟長逝矣！以銘請余，豈忍辭？」黃、方
兩家由此交情可見。1743年（乾隆八年），黃叔璥六十四
歲，曾作〈夢歸圖〉以表思親及歸鄉心切之情。方苞為此圖
所題的序，細膩地表現出叔璥反映在夢境中的潛在意識，及
其夢中所浮現思歸意念產生的緣由。從題序中，可知他能體

會黃叔璥這位知交，難以兼顧從政與事親的矛盾心情。

另一位與黃叔璥時有交往的是尹會一。尹會一，字元孚，號健餘，生於1691年（康熙三十年），卒於1748年（乾隆十三年）。尹嘉銓提到其父尹會一於1738年（乾隆三年）任河南巡撫時，叔璥為該省糧道，他觀察叔璥處事有原則的剛毅性格，又深覺其待人平和卻不與小人同流的表現，正是君子的風範。[33] 呂熾編《尹健餘先生年譜》也提到此年四月尹會一曾與叔璥論政，當他言及服官任事方圓的義理，叔璥深以為然。[34]1739年（乾隆四年）尹會一又曾於黃叔璥的著作《廣字義》一書題序言：「余與先生共事久，中心藏之，其行已靜以廉，其待人恭以恕，其政事簡以清。」[35]尹會一因與黃叔璥長期共事，所以有機會觀察到叔璥廉靜的德行，及待人恭恕的態度、辦理政事簡要清明的風範。《學案小識》將叔璥與尹會一在同一學案中；尹會一所編《北學編》更將叔琳、叔璥兩人傳記列入書中。當尹會一逝世時，方苞與黃叔璥於1748年（乾隆十三年）以祭文同祭尹會一，在〈與黃玉圃同祭尹少宰文〉中記載：「玉圃南移，子適視學三吳，會其以疾在告，就視臥榻，握手踟躕。」[36]可知尹會一於黃叔璥守母孝復職的臥病期間，曾前往探視。而此文也提到當尹會一逝世時，方苞因衰老並有病在身，故請叔璥代為前往弔唁這位好友。

黃叔璥《南征記程》一書中，亦記載其與另一位好友王素臣的會晤。王素臣，名之麟，遼陽人，1699年（康熙三十八年）由興泉調任福建分巡臺灣廈門道，叔璥前往臺灣的途中曾訪謁王素臣，王素臣於1722年（康熙六十一年）三

月二十六日將「臺灣、鳳山、諸羅三圖」贈予黃叔璥：

> 二十六日，飯後往晤兩司王臬素臣，向爲臺廈道，話
> 海外事甚悉，並贈府志及所繪臺灣、鳳山、諸羅三
> 圖。[37]

所謂「話海外事甚悉。」指談論臺灣的事蹟。可見黃叔
璥赴臺前已著手蒐羅有關臺灣的資料，尤其得之於好友的臺
灣三縣地圖，更使他對臺灣地理形勢有一整體的概念。

《南征記程》也記載另一位於抵臺前所會晤的好友。當
叔璥於1722年（康熙六十一年）四月十八日訪福州鰲峰書
院時，故交蔡世遠於叔璥臨行時，作了一篇〈送黃侍御巡按
臺灣序〉，序中提及：「由吏部陞臺中，能直己行道，不矯
激沽名，為聖主所倚信。……茲將出波濤、航大海，奉天子
命，以綏輯群黎。神志肅定，忠慎恢廓；古所謂大丈夫者，
君其人矣。」[38]黃叔璥本擬約請蔡世遠至臺任教，然蔡氏已
被呂中丞聘為鰲峰書院的講師，故不能同行，黃叔璥曾為此
事興起悵然若失的心情。[39]

黃叔璥來臺後，極重視流寓文士藍鼎元對臺灣各層面深
入觀察的言論。藍鼎元在〈臺灣近詠上黃巡使〉組詩序中提
到：

> 東征逾載，整棹言歸，巡使黃玉圃先生索臺灣近詠，
> 知其留心海國，志在經綸，非徒廣覽土風娛詞翰而已
> 也，賦此奉教。[40]

　　黃叔璥曾費心蒐羅有關經世詩歌，此舉不但保存臺灣這塊土地的史詩，也作為知識份子參與政事的見證。此外，在黃叔璥回北京老家後，曾將在臺灣巡視各社所觀察到的風俗及特殊植物，命人繪成「番社圖」、「花果圖」等，與北京的數位友人共賞，並有多首題詩錄於《臺海使槎錄》中。

　　茲將黃叔璥交遊的情形，整理於表二：

表二　黃叔璥交遊舉隅

友朋姓名	與黃叔璥有關的行事	與黃叔璥有關的文獻及文獻寫作時間	資料來源
方　苞	於1699年（康熙38年）中地方鄉試，故自稱與黃叔璥為「同年友」。時與黃氏兄弟論學。	1722年（康熙六十年）〈送黃玉圃巡按臺灣序〉、1744年（乾隆九年）孟秋〈題黃玉圃夢歸圖〉、1748年（乾隆十三年）〈與黃玉圃同祭尹少宰文〉	《方望溪先生全集題跋》頁74、〈贈序〉頁103～104、〈祭文〉頁233～234
尹會一	曾任河南巡撫，時黃叔璥為該省糧道，始為知交。	1738年（乾隆三年）《《廣字義》序》	《廣字義》頁103、《北學編》頁114。
吳達禮	與黃叔璥由北京起程前往臺灣。1722年～1723年為首任巡臺御史。	1721年（康熙六十年）奏請增設彰化縣疏	《南征記程》頁553
王素臣	曾任福建分巡臺灣廈門道。在黃叔璥抵臺前，與其論談臺灣。	1721年（康熙六十年）3月26日贈府志及所繪臺灣、鳳山、諸羅三圖於叔璥。	《南征記程》頁559
蔡世遠	叔璥本擬約蔡世遠至臺任教，然蔡氏已被呂中丞聘為鰲峰書院的講師，遂不能同行。	1722年（康熙六十一年）4月18日〈送黃侍御巡按臺灣序〉	《南征記程》頁562《續修臺灣縣志》，頁775～776

藍鼎元	朱一貴事件時隨兄藍廷珍來臺，熟悉臺灣地理形勢。叔璥曾參酌《平臺紀略》等政論文。	1722年（康熙六十一年）〈臺灣近詠上黃巡使〉組詩	《臺海使槎錄》頁175、《東征集序》頁1、《重修臺灣縣志》頁516～518
呂謙恒	雍正初年黃叔璥回北京後，將命人所繪〈番社圖〉與友人共賞	〈題同年黃玉圃番社圖〉	《臺海使槎錄》頁175
陸榮柜	黃叔璥於北京故居的友人	〈題黃侍御番社圖〉	《臺海使槎錄》頁175
吳王坦	曾任太史，於京為花果圖題詩	〈題黃玉圃巡使臺陽花果圖〉	范咸《重修臺灣府志》頁761～762
柏　謙	曾任太史，為黃叔璥北京故居的友人	〈曇花圖〉	《臺海使槎錄》頁77

第二節　黃叔璥學術著作述評

　　從黃叔璥現存於世的學術著作來看，或記錄親身見聞，或廣為輯錄資料，可見其兼涉歷史、地理、義理、金石目錄學、文學等。本節先將黃叔璥現存的學術著作，依完成時間的先後列一簡表如下。（見表三）

　　中央研究院傅斯年圖書館善本書室，藏有黃叔璥為徐任師《有涯文集》所題的序。此篇序末注明「雍正貳年甲辰六月上浣」，可見題序的時間為六月上旬。（參見圖三）黃叔璥序言前段提到：

表三　黃叔璥現存著作一覽表

名　　稱	卷數	完成時間	附　　註
《國朝御史題名錄》	五卷	1722年以前（康熙末年）	現存「京畿道刊本」為黃叔璥原編、蘇樹蕃續補、瑞霖再補
《南征記程》	一卷	1722年（康熙六十一年）	《四庫全書總目》編為史部傳記類
〈重修臺灣縣學碑記〉	單篇	1724年（雍正二年）	收錄於范咸《重修臺灣府志・藝文志》，頁689～690
〈《有涯文集》序〉	單篇	1724年（雍正二年）六月	收錄於《有涯文集》卷首
《臺海使槎錄》	八卷	1724年（雍正二年）	《四庫全書總目》編為史部地理類
《南臺舊聞》	十六卷	1739（乾隆四年）	《四庫全書總目》編為史部職官類
《廣字義》	二卷	1739（乾隆四年）	《四庫全書總目》編為子部儒家類
《中州金石考》	八卷	1741年（乾隆六年）三月	《四庫全書總目》編為史部目錄類
《近思錄集朱》	十四卷	1755年（乾隆十九年）	現藏於北京圖書館善本書室

　　古所稱豪傑卓絕之才，而為天之所廢者何限？然天之所廢者，不過有涯之身；而其必不能廢，則周游六虛而相際于無涯。何則？人為天地之心，則心之存乎人者，乃天地英靈之所聚，苟其刮垢磨光，惺惺常在。縱使窮愁坎懍，以終其身，涵幽光而見諸文章，吾知其不朽也，嘗怪賢拓之士，假文之發揮，乃竊他人之心以為心，……文章大業，豈可以聲音笑貌為耶！[41]

圖三　徐任師《有涯文集》黃叔璥題序

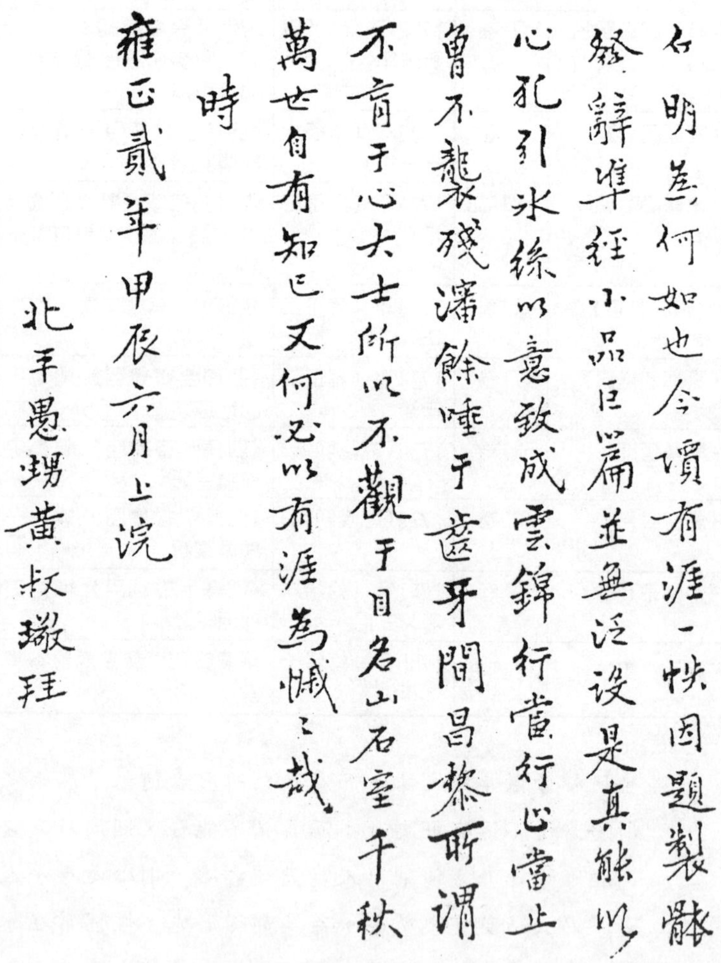

石明蓋何如也今頃有涯一快因題製骸

發辭雖經小品巨篇並無泛設是真能以

心孔引冰絲以意致成雲錦行當行止當止

曾不襲殘瀋餘唾于盤牙間昌黎所謂

不盲于心大士所以不觀于目名山石室千秋

萬世自有知已又何必以有涯為憾ㄚ哉

時

雍正貳年甲辰六月上浣

北平愚甥黃叔璥拜

資料來源：中央研究院歷史語言研究所傅斯年圖書館善本書室藏書

《有涯文集》作者徐任師因眼疾而盲，然仍奮力創作，
《有涯文集》即包括賦、詩、序、說、論等多篇抒情記敘的
文章、及史評議論的作品。而書前黃叔璥的題序則肯定創作
的價值，文中強調即使生命有涯，而文章卻可長存不朽的文
學觀。

此外，《大清畿輔書徵》除載有《南征記程》、《臺海
使槎錄》、《廣字義》、《中州金石考》、《近思錄集朱》五
書的提要之外，又錄有《慎終約編》、《既倦錄》二書的存
目，然未見提要或評介。這兩本可能是有關黃叔璥筆記文
集，或可作為探究黃叔璥生平及思想的參考，如今亡佚，實
為可惜！本文僅以目前已見的著作，並將以歸類整理，分項
探討叔璥的學術。其中收錄於《四庫全書》中的只有《臺海
使槎錄》，因其記載臺灣的歷史文化，為其著作中最具特
色，尤其平埔族文化的部分，更成為早期臺灣文獻的經典之
作。故本文將《臺海使槎錄》另立專章討論，此章先就黃叔
璥其他現存著作加以整合歸類，分項評述如下：

一、記錄遊宦見聞

㈠《南征記程》

1722 年（康熙六十一年）一月二十一日，黃叔璥獲任
命為首任巡臺御史，是年二月到六月起程赴臺期間，曾逐日
一一記載每日的行程、及遊歷見聞，並流露出個人對親友故
交的情感。《南征記程》的內容特色可分幾項加以說明：

　　1.關於首任巡臺御史的史料

臺灣的方志及檔案多只記載黃叔璥與吳達禮為首任巡臺

御史，但對於遴選官員的經過卻未詳細交待。《南征記程》則提供了當時的訊息：「大學士會同都察院舉滿御史殷達里、莫爾洪、漢御史柴謙及叔璥四人列名上請」[42]。都察院所推薦的名單中，滿御史殷達里、與莫爾洪皆未入選，最後康熙所派任的滿御史吳達禮原不在名單上。而漢御史部分，柴謙落選，黃叔璥入選，顯現出康熙對曾有御史經驗黃叔璥的重視。另外，此書也透露出黃叔璥對親人的情感，及與友朋交遊的情形。

　2.交通史的價值

1722年（康熙六十一年）二月二十一日與吳達禮等人奉命前往臺灣，來臺途中曾逐日記載所經路程。從北京到福州這段驛站，清代官商常走的道路，又稱為「福州官路」。依據《南征記程》所載，黃叔璥乘船由運河南下，過長江再由富春江至清湖，捨舟從陸，登仙霞嶺入福建。到四月二十七日到廈門，共歷六十六天，書中記載所經過的地名，比《欽定大清會典事例》還詳實、具體。[43]

　3.蒐集臺灣資料的情形

關於黃叔璥來臺前蒐羅文獻的精神，亦可從所著《南征記程》約略窺見。在這段從京師來臺路途中，曾留心收集與臺灣有關的古籍，如1684年（康熙二十三年）任諸羅知縣季麒光的著作，及臺灣、鳳山、諸羅三圖，為日後《臺海使槎錄》提供許多參考資料。

　4.記錄渡海驚險的實況

從廈門經澎湖到鹿耳門這條渡海路線，波濤洶湧、暗潮激鬥，充滿不可預知的危機。渡海前祭拜媽祖的習俗信仰，

正反映了祈求海神庇佑的心理需求。《南征記程》記載了當
時祭品除了羊、豬之外，還以麥麵作成大龜的形狀來祭祀。
並描繪俗稱「黑水溝」瞬息萬狀的天候，也記載了一行人在
渡海時的驚險經過。如：「（五月）二十二日，晴。過黑水
溝，色如墨，一名黑洋。二鼓時，東南風大發，驟雨疾至，
驚濤鼎沸。二十三日，風行三日矣。不見山巘，約過澎湖東
流，漫瀾無可停泊，轉棹放回。晚值暴風怪雨，舟中人瀕
危，幾無生氣矣。」[44]可看出這是身歷其境所寫出形象逼真
的景象。

㈡《臺海使槎錄》

　　《臺海使槎錄》主要記載黃叔璥從北京抵達臺灣後，任
職巡臺御史兩年間的見聞，在臺灣古典文獻中極具代表性。
本論文將逐章分析此書內容，此處僅就體例部份，與《南征
記程》作一比較分析。黃叔璥《臺海使槎錄》記載巡臺所
見、所聞，從初抵鹿耳門所見的特殊地理形勢，到巡視臺灣
各地所見的風土民情，可說是一部自然與人文的調查報告。
如在自然地理方面，黃叔璥描寫鹿耳門附近，為沙崗組成的
天險門戶：

　　　　臺郡無形勝可據，四圍皆海，水底鐵板沙線，橫空布
　　　　列，無異金湯。鹿耳門港路紆迴，舟觸沙線立碎。南
　　　　礁樹白旗，北礁樹黑旗，名曰盪纓，亦曰標子，以便
　　　　出入。潮長水深丈四、五尺，潮退不及一丈，入門必
　　　　懸起後舵乃進。[45]

此段表現出當時船稍有不慎，極易誤觸沙線，而舟底立碎沉沒的情況，正可與《南征記程》六月二日的記載相呼應：「（六月）初二日，晴。午進鹿耳門。沙線暗伏，左右縈紆，中可行舟，兩旁插標，名曰盪纓。兼有小舟前導，進口淺處，易杉板哨船進岸。」[46] 當時的安平城旁的小島都是由沙崗組成。鐵板沙性重，遇水則堅硬如石。港口僅容小船出入，兩旁多峰稜的巨石。於是在港道迂迴的地方，駕舟的人須探視潮水深淺而後曲折行進，因為沙水相互激盪，深淺常有變化，所以必須插竹標來識別，稱為「盪纓」。不但將具有「臺灣咽喉」稱號的鹿耳門的天險形勢，以簡練的文字描繪出來；並流露出居民因應自然環境的生活智慧。

《臺海使槎錄》內容除描寫地理形勢及物產的狀況外，也包含風俗習慣、宗教信仰與歷史事件的記錄；而〈番俗六考〉、〈番俗雜記〉更是為記錄平埔族歷史文化的重要典籍。至於〈番社雜詠〉二十四首，除了與采風文化有關，亦受到重視名物的考證學風所影響。黃叔璥又曾以實際數據比較臺灣與內地納稅情形，具體說明當時臺灣人民負稅過重的事實。並以為臺地肥沃，平日收成頗多，但若遇及颶風等天然災害，則嚴重影響收成，故提出「均田減賦」的主張。[47] 正因他身為巡臺御史的職責所在，所以常留心一般民眾的生活狀況，所著《臺海使槎錄》為清治初期的代表作之一。

二、整理史料文獻

㈠《南臺舊聞》

黃叔璥重視史料典故的蒐羅，並於著作中展露對史學的

喜好，如所著《南臺舊聞》即為專門的典章制度史。此書輯錄御史稱名、職責的沿革、及相關典故由來，並列舉歷代御史任內的行事風格。除了《南臺舊聞》外，黃叔璥先於康熙末年間整理清初御史官員的名冊，編成《國朝御史題名錄》一書。今所見《國朝御史題名錄》為清人蘇樹蕃續編、及瑞霖再續的合刊本，所載御史姓名從1644年（順治元年）任浙江御史曹溶等十九位始，延至1898年（光緒二十四年）為止。黃叔璥原序提到清代各官署多有題名錄，而御史一職卻未見題名登載，於是依照年代順序，列舉康熙年間各地的御史姓名及簡歷。並以為此書可當作「戶牖之箴、盤盂之銘」，可見他以為這些御史的行事已成為歷史殷鑑，可供後人思齊內省。

由《南臺舊聞‧自序》中得知此書初稿成於1722年（康熙六十一年）初秋，黃叔璥六月抵臺，此書寫於剛任職巡臺御史期間，他當時對自己獲選為首任「巡視臺灣監察御史」應是有一番自我期許的。〈自序〉提到：

> 余以非材，濫與茲選，又奉簡命，巡視臺灣。大懼隕越，每覽篇籍，凡事關職任、前賢風節，可爲後世表儀；及枉道私垢污，在人齒頰者，輒默識焉以自鏡。[48]

受命擔負起首任巡臺御史的機緣，促使他產生強烈的寫作動機與教化的實用目的，於是他參酌典籍中有關御史的典章制度，編成《南臺舊聞》這一部御史的典制史。

黃叔璥認為自唐代至明代有關御史臺的相關書籍，雖有

數十家之多，不過這些書多因時代久遠漸趨凋零磨滅，有時雖存於世，但難以蒐羅購索而得。雖然清初許多學人及任御史職位的官員，也曾抄錄有關御史的事蹟，有為數不少的書籍傳誦海內。然而黃叔璥瀏覽這些書後，認為闕漏甚多，於是參酌各代史書所記載，附上自己訪聞所得，分為十三類再重新加以編排敘述。全書共分十六卷，前八卷多為歷代設立各種御史職官的源流，後八卷大體為歷史上御史官員的行事軌跡。[49]《四庫全書總目》指出《南臺舊聞》的編輯特色為每條皆注明從那本書所輯錄出來的，使讀者獲知這些典故的出處及源流。[50]引用的文獻包括《通典》、《唐六典》、《文獻通考》、《續文獻通考》等典章制度的史籍，及《史記》、《前漢書》、《後漢書》、《北史》、《隋書》、《舊唐書》、《新唐書》、《五代史》、《宋史》、《金史》、《元史》、《明史》等史書，及《宋實錄》、《明宣宗實錄》、《明世宗實錄》、《明憲宗實錄》等史料，亦有《崑山縣志》、《鎮江府志》等方志，另有《熙朝奏議》、《宋名臣言行錄》及《日知錄》等文獻。

《南臺舊聞》具有「詳而不蕪，體要兼該」的特色[51]，從此書「凡例」所記載的體例及編纂進程即可看出。以下分述其編纂特色：

1.首列「憲署」、「建置」以遍舉各代有關御史的稱名及機構，附事蹟卓著的御史於各提綱之後，以為後世表率。如唐代監察御史在巡按地方時，不僅視察官員的行政措施，也關心民生問題，其目的在避免地方官吏、豪強等危及地方。

2.次列「官儀」，黃叔璥以為監察御史應注意威儀，以為百官的模範。至於「職任」一目則言御史職責的演變。如：御史中丞在先秦原為皇帝左右的柱下使，職務為掌圖籍秘書，包括政府檔案、法令、各地上報奏章等。而後又因御史深諳法律的變革，所以近侍御史權力逐漸加重[52]，唐代御史所掌管的職務繁雜，除了與大臣商議國家政事外，也負責糾察百官、彈劾公卿、治理大獄等工作。

3.再其次則具體指出御史的行事，如「讜論」一卷，曾實際舉例以作說明。如隋·李諤批判當時偏好駢儷文風，過於注重雕琢文辭的不當。[53]李諤針砭這種浮詞華豔的文風對朝政的影響，即顯現出他的實用文學觀立場。「彈劾」一卷則敘述唐代名臣狄仁傑，在擔任侍御史時也曾彈劾官員，使文武百官心生警惕。[54]

4.在「按錄」一節中，提到中唐倡導新樂府運動的靈魂人物之一元稹，不但於詩作中流露關懷民情的內涵，也曾於監察御史任內，在劍南劾奏東川節度使嚴礪，糾舉其私自徵賦數百萬，並侵占塗山甫等八十八戶田產奴婢等事。[55]黃叔璥從史書上摘錄元稹彈劾嚴礪等不法官員的事件，實表達見賢思齊的深意。「風節」一節則是黃叔璥遍閱歷代史書、典籍，從中旁蒐博採，以標舉御史的風骨。

此書與「制度史」相似之處，在於從中可看出御史制度的連續性、及演變發展。御史若具有彈劾官吏、反映民生的道德勇氣，即是個人實踐經世濟民的理念。在傳統的官僚體系，御史也和其他官吏一樣，他的遷調並沒有法律上的特別保障，但歷代君主有時顧忌惹起殺戮言官的清議，有些御史

就靠這種效力薄弱的保障，來盡他們的職責。[56] 黃叔璥寫作
此書不僅可自我觀覽省察外，更可作為與二、三位同好，交
相砥礪、彼此互勉的參考資料。

㈡《中州金石考》

金石資料包含「金」與「石」兩部分，「金」指的是鐘
鼎、禮器、兵器、錢幣等銅器，「石」指的是碑碣、墓誌、
摩崖、造像等石刻。《中州金石考》為黃叔璥蒐羅中州石刻
史料的著作。此書廣加選取金石史料，在時間的範圍上，包
括從商周蒐羅至明代；空間區域則限定在「中州」，包括開
封府、陳州府、許州府、歸德府、彰德府、衛輝府、懷慶
府、河南府、南陽府、汝寧府等十府，及陝州、光州、汝州
三州，約為今河南及其附近一帶。黃叔璥曾於1736年（乾
隆一年）五十六歲時擔任河南開歸道一職，一方面因此地為
當時任公職的所在，方便於此地理範圍作深入的蒐羅；另一
方面，也由於歷代常在河南一帶建都的緣故，有不少的古蹟
及碑銘留存，所以黃叔璥選擇這個範圍來蒐羅金石史料。這
本書完成於1741年（乾隆六年），《中州金石考·自序》提
到：

> 中州自商以後為都會地，聖君賢相名世大儒，以及騷
> 人逸士，僊蹤梵跡，凡被諸貞珉，見於載籍者，惟茲
> 土為最夥。……今就目擊者，標識本末，餘所未見而
> 耳聞者亦錄，以俟後之同志。[57]

中州金石藏量豐碩，不過，流傳的時間一久，或因為兵

火戰亂，或因為洪流淹沒，漢代以前的金石極少。[58]金石是可流傳久遠的史料，此書附載歷代學者對這些金石碑文的考證，並訂正傳聞的訛誤。其目的並非以鑑賞文字藝術為主，亦非滿足收藏家的癖好，而是為學術的研究留下珍貴的金石資料。

《中州金石考》所收錄的資料除「嘯堂集古銅盤銘」、「汝帖銅盤銘」等少數銅器外，其餘多以石刻目錄為主。書中列舉碑碣、誌銘、刻經等各種石刻種類，如「二體石經易書殘碑」、「范文正公墓銘」、「金剛般若波羅蜜經」等。歷代的各種碑刻，為當時人留下來的原始資料，不僅可以補史傳記載的不足或訂正謬誤，並對研究相關人物的生平事蹟、歷史事件、建物沿革等都有助益。[59]若從石刻目錄用大量的比較觀察法，求得總括的概象，而推尋此現象背後的原因，如：從佛教石刻一項數量的分佈情形，可概想當時社會信仰的狀況，此即是將石刻資料應用於歷史的研究上。[60]若要考察墓銘所敘的歷史上人物的事蹟時，則應注意碑誌是否多溢美的辭句，並多方考察，才能對史料作出公允的判斷。

清初學者在治史方法上重視廣泛蒐集史料，如顧炎武、黃宗羲皆喜鈔書，平時除國史、官書外，家錄野紀、金石碑傳均在網羅之列。[61]黃叔璥不但從金石舊書、郡縣諸志中，整理出銅器、石碑上的文字資料，也曾寫書札到各郡縣，請官吏協助田野調查，〈自序〉中提到：「爰於休沐之暇，劄致郡縣，廣事訪葺。奈好古者鮮，非其性之所近，則視為不急而置之，或委諸下吏，足跡未踰城闉，輒以無存，走復甚且。長吏虞摹搨費，多晦其跡，而反加讕茂焉。其以無存告

者，安之不尚苔封於道左，草掩於土中，誰得而究其有無耶？」[62] 然而有的碑文是從古籍中摘錄，非黃叔璥或部署親身採訪所得，所以有些石刻早已不存，卻未於此書中注明。《四庫全書總目提要》曾評此書缺失：

> 所錄中州金石自商周以至元明，蒐采頗富。然既以十
> 府三州分目，則疆域井然，不容牽混，而郟縣蘇軾蜀
> 岡詩石刻第八卷內，乃兩收，此類未免失檢。[63]

《中州金石考》於蒐羅時的分類未嚴謹，時有自破體例的情形出現，顯現出此書的缺失。書中所蒐羅的各地碑石為一種原始歷史材料，可供為研究時的重要參考資料；若能加以考證其真偽，檢視其存佚情形，以發揮考究文物制度與辨章學術源流，則更能顯現出其文獻價值。

三、編纂理學典籍

㈠《廣字義》

《廣字義》是黃叔璥以理學關鍵字彙為首，廣輯解釋這些字義的書籍，逐條編纂而成。黃叔璥於〈自序〉中提到此書寫作受到清初孫承澤增訂宋・陳晉（石堂）《字義》的啟發，當他欣見這種以深入淺出詮釋理學要義的方式時，便手不釋卷地仔細抄讀，並參閱歷代儒家學者的典籍，引起了研究理學中常見字義的動機。後來又得見南宋陳淳（北溪）《北溪字義》及程若庸（達原）《字訓》二書，於是與陳晉《字義》作一對照，並隨時增補字詞的解釋。[64]《廣字義》

的編次大抵依陳普《字義》原來的順序，而有所增修刪補。
首列「天」、「太極」、「無極」、「道」、「理」等哲學術
語，並討論「乾」、「坤」、「陽」、「陰」、「剛」、「柔」
等《周易》中的重要觀念；而後半部則偏重處理日常生活的
工夫修養問題，如「孝」、「弟」、「忠」、「恕」、「敬」、
「克己」、「改過」等正心、修身的綱目。可看出作者不但著
重哲學義理抽象原則，也強調這些落實於日常生活中實踐的
編排理念。

　　《廣字義》編成於1739年（乾隆四年），共輯錄儒學常
見的一四四個關鍵字彙的釋義，黃叔璥編纂的目的即因此書
能成為理學入門之階梯。他於〈自序〉提到：

> 立誠則在修學，處事主敬則在直內方外，存心則在嚴
> 恭，寅畏立志則當明邪正二路，守一則在整齊嚴肅，
> 正心則在分別善惡、識廉恥等語，其喫緊著力處，似
> 於字外多所捃摭，實於字中了其義蘊。[65]

　　儒家肯定人的德性是本來已有的，但不免為物慾所蔽，
所以要時時在這方面用工夫，並且平日對修學亦不可輕忽，
否則不免流於空疏。這也是《大學》、《中庸》以來一直強
調的，如同「博」與「約」，或者「聞見之知」和「德性之
知」，或者「居敬」與「窮理」，不能將其割裂開來看。[66]黃
叔璥所強調「立誠則在修學」，即深覺為學者若能確實掌握
理學詞彙的義蘊，不僅可對理學菁華學說有初步了解外，更
能啟發對德目實踐的持久動力。《廣字義》即呈現黃叔璥著

重「修學」的功夫，並表現在廣泛的閱覽及萃取學說菁華上。《廣字義》以近二三〇個條文解釋二十五個字彙，為輯錄朱子門人陳淳《北溪字義》的菁華。而其中「經權」、「信」即為陳普《字義》未錄的條目，則是黃叔璥參考《北溪字義》而有所增補的。另外，從引用北宋理學家程顥與程頤，南宋的朱熹、呂祖謙，以及明代的曹端、劉蕺山等多位學者的著作來看，可知黃叔璥涉獵理學著作的廣度。

　　任河南巡撫的尹會一在與黃叔璥共事期間，曾為《廣字義》寫序時提到：

> 蓋於茲編，匪惟知之，且允蹈之。所得抑何遽與有志於學者。於此百數十字，講明其義，可以窮經就中，喫緊數字，深加體認，慎厥修舉而措之，可以守約，亦可以施博，毋徒視作文字而涉獵為功。訖於囷獲以大負先生闡發正學，嘉惠吾徒之苦心哉。[67]

　　黃叔璥所謂修身之說，不只深究其中義理，且親身實踐映證所言。而黃叔璥著作此書的目的，即是要從這簡捷的字詞中講明義理，以達到「守約」與「施博」的效果；而讀者可從文字的內在義蘊中深察他闡發理學、嘉惠後學的苦心。[68]《廣字義》所增加的條目，如「量」、「廉」、「恥」、「慎」、「忽」等，正是黃叔璥認為「修身」中重要綱目。理學家所謂「修身」不但是人格的培養，也是體現天道的樞紐。在宋明儒者心中，經世而不修身，落入申韓法家，固然是他們避免的；修身而不經世，落入佛老二氏也是他們所反

對的。因此，宋明儒學的復興既然以闢佛老為前題，必然是
會重視經世這一觀念。[69]此書的中心思想是闡述宋代理學概
念，但綜觀全書，多抄錄前人對理學的重要思想，再加以簡
要的解說，而黃叔璥本人對理學推衍發揮的地方較有限，所
以可說是引導學子從關鍵字彙認識理學的入門書。

(二)《近思錄集朱》

《近思錄》為朱熹根據他的思想體系，會同好友呂祖謙
合編的理學精選集，全書摘錄周敦頤、程顥、程頤、張載北
宋四人的言論共六百二十二則。清代註解《近思錄》較著名
的書籍，如1710年（康熙四十九年）刊行的張伯行《近思
錄集解》，以詮釋義理為主；而茅星來《近思錄集註》則校
對南宋葉采所註的多處訛誤，並重新考證名物掌故，薈粹眾
說而加以箋釋；至於江永的《近思錄集註》，以《朱子語類》
所訂的次序為逐篇綱目，並引朱熹的言論來闡釋《近思錄》
的思想。[70]黃叔璥所編《近思錄集朱》則按照《近思錄》原
來的次序，每卷以周敦頤、二程、張載所言作先後的編排。
這本廣輯朱子詮釋《近思錄》的選錄書籍，亦以周敦頤《太
極圖說》為首，由太極而陰陽而五行，以至於萬物化生與聖
人立人極，不但展現了北宋理學的大綱，亦勾勒出朱熹哲學
的輪廓。

《近思錄集朱》今有一手抄孤本，藏於北京圖書館善本
書室中。（參見圖四黃叔璥《近思錄集朱》書影）

黃叔璥於此書〈自序〉提到：

朱子錄近思，所謂制生人之道，為天下後世利用也。

圖四　黃叔璥《近思錄集朱》手抄孤本書影

舊萃受於各條下件繫於左珠還合浦通體光呈較

葉本所載者不啻數倍羅整卷先生曰理精潔微妙

至為難言苟毫髮失真雖欲免於窒礙而不可得今

集朱子之言間補以儒先成語傚章句圈外注意不

惟四子之真昭然岩揭而朱子淵源有自其真益著

學者由其言體認心理之同於以修己治人而制生

人之道為天下後世利用則集朱一書可不謂近思

錄之階梯哉

乾隆歲在甲戌仲春後學黃叔璥謹識

資料來源：中國大陸北京圖書館善本書室

生人之道，不外於理。聖賢之言，一理也；古今之人
一心也。……今集朱子之言，間補以儒先成語，倣章
句圈外注，意不惟四子之真昭然若揭，而朱子淵源有
自。其真益著學者由其言體認心理之同，於以修己治
人而制生人之道，爲天下後世利用，則《集朱》一
書，可不謂近思錄之階梯哉！[71]

從〈自序〉及全書的體例中可看出《近思錄集朱》一書
的特色：

1.匯萃朱熹理學言論菁華

黃叔璥於書中主要引用朱熹的言論，並補充註解，附於
《近思錄》每條語錄的後面，以引導讀者認識北宋四子的學
說，更顯現出個人對朱熹理學言論菁華的認識。他並將朱熹
散見於《或問》、《語類大全》、《文集》等書，與《近思錄》
所闡釋的義理等相關言論，依類編輯薈萃而成書。《近思錄
集朱》不僅廣輯朱子的語錄，亦選摘若干儒者的言論，所以
在篇幅上比起南宋葉采的《近思錄集解》多出數倍。[72]

2.引導學者認識《近思錄》的內涵

朱熹認為周敦頤為理學的開端，二程為理學的成立，張
載為理學的補充，所以選定北宋四子，將其加以去取、消
化、甚至轉化，構成一個融合的整體思想，這樣有機匯整而
成的一部書，正顯現了《近思錄》於思想史上的價值。[73]而
《近思錄集朱》則於依周敦頤、程顥、程頤、張載的次序，
逐條加以註解；並參考葉采及張伯行《近思錄集解》於一到
十四卷附加上標題綱目，及綱目提要，引導讀者更容易掌握

主題。

3. 以學作聖賢爲終極目標

《近思錄》的分類系統是以格物、致知、正心、誠意、修身、齊家、治國、平天下等〈大學〉八條目爲基本間架，然後再於首卷加上本原性、總論性的綱目，並於書末加上闢除佛教言空的「異端」，以及揭示成爲「聖賢」的終極目標所構成的。[74] 朱熹曾說到：「《近思錄》一書，無不切人身、救人病者。」[75] 這種從日常生活中的道德體驗出發，是基於對抗佛教的時代背景關切而來。

《近思錄》有關治體、治法、政事等綱目，呈現理學家以道德轉化政事、學問的主張。他們雖然知道「法制」的重要性，卻又認爲治亂的關鍵在於人心風俗。這種把複雜的政治社會問題，化約爲道德問題的泛道德主義心態，正是傳統德化政治的翻版。[76] 雖然黃叔璥所編《近思錄集朱》對卷一「道體」道德形上學等不易會通之處，未全面提出詮釋析辨，但此書仍可說是了解《近思錄》的入門階梯。清初康熙時提倡理學，表章程朱，士人學子多以講求涵養在主敬，及篤行實踐的程朱之學作爲學習的對象。從宋代的《朱子語類》、明代的《性理大全》、與清代的《朱子全書》、《性理精義》，均依此書的次序爲次序，可看出《近思錄》對後代理學語錄體選集的影響，歷來更有許多註解這一部理學代表著作出現。[77] 黃叔璥在此學術風潮下，也在晚年編纂《近思錄集朱》八卷，這部著作也是爲了提供後學實踐履行的參考。

第三節　黃叔璥學術思想特色

一、崇實黜虛

　　從《臺海使槎錄》一書中，可見黃叔璥在「寫景狀物」
及「考察風土民情」方面，受到清初大量鼓勵修方志的風
氣，及崇實黜虛的學術思潮所影響。清初為了熟諳各地特殊
的山川形勢、風土民情，也為增進中央與地方的聯繫與統
治，即規定各地必須按時編纂方志。在這時代背景下，促使
當時來臺的文士也以詩、文的形式，將觀察臺灣風土所得記
錄下來，以備修志的參考。這些作品除承繼文學抒寫情志的
傳統外，更著重表現出寫實功能。尤其在流寓人士中，漢籍
巡臺御史為一相當特殊的階層，除了御史所肩負的任務外，
又因其來自翰林，經由翰林院通儒的為學歷程，以及身處翰
林院豐富藏書的耳濡目染所影響，因而御史的文學或學術修
養，常較一般行政官員來得穩固及深厚。[78] 所以《臺海使槎
錄》可說是多方描繪清初臺灣各地的山川景色，及有關政治
得失、地方風俗的代表作。

　　至於《臺海使槎錄》所流露出黃叔璥對觀察物產的態
度，可從魯曾煜為《臺海使槎錄》序言中窺知要旨：

　　　凡禽魚草木之細，必驗其形焉，別其色焉，辨其族
　　焉，察其性焉；詢之耆老、詰之醫師，豪釐之疑，靡
　　所不躍，而後即安。[79]

可知他編書的原則是先觀察動植物的特性，辨別其形狀、顏色、類別；如遇及不太明瞭的地方，也詢問耆老、醫師等人協助解決疑問。這與許多古文獻未親歷臺灣，而多臆測的情形相比，可見此書受到客觀考察學風的影響。而先前一部記錄黃叔璥遊宦見聞的《南征記程》，則詳細記載從北平到臺灣所經的路徑及日期，更是每日具體寫實的觀察所得。

至於在《中州金石考》一書中，黃叔璥主張金石是可流傳久遠的史料，故附載歷代學者對這些金石碑文的考證，並訂正傳聞的訛誤。其目的並非鑑賞，而是為保存金石史料。他不但將從金石舊書、郡縣諸志，銅器、石碑上的文字資料作一番整理，也曾寫書札到各郡縣，委請官吏協助田野調查，這些作為多顯現出他崇實黜虛的精神。黃叔璥曾於《廣字義》中提到：

> 太極不必過求外索，當反之吾身日用人事之切處。一動一靜蓋莫非太極流行之實，非大著下學工夫，從千條萬緒中串過來等為虛談，終非實見。[80]

黃叔璥主張為學的人需潛沉於紛雜的萬物中，尋得貫通之理，如此方能上達天理，否則只是無根的虛談。可見他將實務置於玄談之上，傾向於從日常體驗中尋得道理，將宋明理學家所談的宇宙論問題，轉向於自身日用人事，著重下學的功夫。

二、經世濟民

　　「經世」就字面意義而言，「經」是「治」、「理」，經世即「治世」、「理世」、「治理天下」的意思。[81] 儒家的「經世」精神，反映在從個人的修身成德，到實際參與政治活動、領導社會的過程中，經由改善現實世界以實現其理想。黃叔璥崇尚篤實學風，亦強調實行的重要性，《清史列傳・儒林傳》提到他的為學態度：

> 叔璥記聞博洽，晚歲尤究心先儒書。其學以『立誠』為本，要其功於『篤敬』，故自號『篤齋』。嘗語人曰：「道學，即正學也。親正人、聞正言，行正事，斯為實學。不然，空談性命，何補乎？」[82]

　　黃叔璥處於清初經世思潮中，不空談性命，而是實地身體力行，以修身為經世的基礎。在從政的表現上，則對吏治典章制度，人民疾苦的因由詳加考究，洞悉原委。他以儒家積極參政的觀念為基礎，而以振衰起敝，拯救生民為己任，期望對當時的官僚體制有所整頓。並將在巡臺御史期間對臺灣政經教化各層面的觀察，及吏治缺失、各種弊政的建言，集結成《臺海使槎錄》，呈現多層面的觀察結果。

　　從傳統儒家所力倡「下學上達」的理念，可見理學與經世並非矛盾或對立的。清初理學直接推動了清代經世思想的發展，從「體用兼備」或「明體達用」的觀點，說明了事功與內在道德修養的貫通關係。宋明理學長期以來逐漸由抽象

轉入具體，清初理學家重視實際的傾向益為強烈，又從「體用兼備」或「明體達用」的觀點說明事功與內在道德修養的貫通關係。這使理學精神「外轉」，開創出一條通往經世的道路，清代具有理學淵源的經世學者如陸世儀、顧炎武、黃宗羲、孫奇逢等人都可以從這個角度加以理解。[83]理學家在經世思想方面，除了以德化政治的觀念作為根本原則外，也涉及「治法」客觀制度的問題，《近思錄》收錄不少有關論學與論治的言論。如卷二「為學」載有《近思錄》一則原文：「論學便要明理，論治便須識體」。張伯行《近思錄集解》以為：「此明道先生示人以內聖外王之要。」[84]並對此句多加詮釋；可見在體例上，與黃叔璥《近思錄集朱》廣輯朱子言論為主的方式不同。以下舉黃叔璥《近思錄集朱》所錄朱子之言為例作說明：

> 只是講明義理，以淑人心，使世間識義理之人多，則何患政治之不舉耶？……問論治便當識體，如作州縣便合治告訐、除盜賊、勸農桑、抑末作，如立朝廷，便須開言路、通下情、消朋黨；如為大吏，便須求賢才、去贓吏、除暴歛、均力役，這都是定格局合如此做。……為學與為治只是一統事，他日之所用，不外乎今日之所存。學仕是兩事，然卻有互相發處。[85]

程朱之學關注人心振靡，與政治清濁等現實問題，與空談玄理者不同。一方面重道德修養、講明義理；另一方面也重經世之學，這也是黃叔璥長期以來所關切的主題。明、清

之交的經世思想，一方面抨擊太強調「心性」而忽略外在實踐的風潮，另一方面也未否認「心性」的體認或涵養於人生中的重要性。對「理學」而言，實質上只是一種扭轉，一種新的詮釋，這種新詮釋雖未能脫離過去的範疇，皆是自傳統原有的精神翻新而出，有所取捨，有所融攝；同時也造就了不同的學風，展現了新的精神與風貌，這是明、清之交經世思想在思想史上的意義所在。[86] 黃叔璥在維護傳統道學的立場下，既重道德的修養，亦將關懷的層面拓展於政事吏治、經濟民生、歷史發展、禮儀風俗等的觀察與改善，可說與清初經世思潮有密切關聯。

三、著重教化

在整理史料文獻方面，黃叔璥所編寫《國朝御史題名錄》一書，雖以列舉清初御史官員的簡歷為主，然從此書〈自序〉中可見他著書的內在深意：

> 睹茲編不惟可以取法，並可以示儆，若者賢、若者否，彰彰在人耳目間。[87]

這些御史的行事可作為歷史殷鑑，供後代官員思齊內省，作為取法或示儆的參考。這種重視教化的史觀，在《南臺舊聞》一書中表現更為明顯。他不僅藉由遍覽史籍暸解歷代御史相關事物，以客觀考察御史制度源流，及此制度所具的功能外，更可看出作者寄寓褒善貶惡於敘事中。黃叔璥強調由操守廉潔的歷代御史所表現出來的公正風範，可作為後

世學習效法的對象，並藉此書以增強自己對御史職務的使命感。書中遍舉歷代一些御史貪枉徇私的事實，則是具有自我督促警惕的功能。綜觀黃叔璥貫穿於史學著作中的筆削之意，透顯出其重視教化的思想特色。

　　黃叔璥重視教化功能的觀念，也表現在他任巡視臺灣監察御史時，對臺灣各原住民族的教化政策上。《臺海使槎錄·番俗六考》的前言提到：

> 近者，社中間有讀四子書、習一經者，鼓舞化導，不可變狂榛而文教耶？……於以識我朝重熙累洽，光天之下，至於海隅蒼生；守土者懍遵謨訓，殫心拊循，毋謂異類而莫之恤。修教齊政，以昭中外同風之盛，實有厚望焉！[88]

　　華夏民族同化各族群的有效工具就是用儒學，使之學習典章禮樂、尊君親上，視臺灣原住民為「異類」，顯現對人類未有相同的價值觀，可見黃叔璥仍像傳統士大夫一樣，未脫離儒者「修教齊政」的思想。明代王陽明（1472～1529）可說是與中國南方各少數民族接觸最多的思想家，然而他卻從未思考良知若是天理而人皆有之，那這些千百年來世世代代居住在千山萬壑的民族，亦足以致良知存天理，為何要臣服他族的統治與教化？王陽明思考模式全是繞在內在道德主體的實踐，而不會去思考民族、政治、社會、生產諸結構與現象。[89] 黃叔璥尊崇朱子的認知心態，與表現在《臺海使槎錄》關懷臺灣平埔族處境的態度，雖與王陽明多有不同；然

兩者多是立於統治者的角度，積極肯定教化對原住民所發揮
的效用。

注 釋

1 李元度：《清朝先正事略・名臣》，（臺北：明文書局，1985年），
　頁381～383。

2 陳兆崙：〈黃公叔琳墓誌銘〉提到黃叔琳、黃叔璥等兄弟原為程氏
　後裔，然因其父華蕃為黃爾悟收養，後黃氏兄弟皆於大興縣出生，
　並改姓黃。收錄於李垣：《國朝耆獻類徵初編》（臺北：文海書局，
　1966年），頁3654～3656。

3 顧鎮編：《清初黃崑圃先生叔琳年譜》，（臺北：臺灣商務印書館影
　印清光緒王灝輯刊畿輔叢書本，1978年5月），頁2、18。

4 方苞：〈贈通奉大夫刑部侍郎黃公墓表〉，收錄於《方望溪先生全集》
　（臺北：臺灣商務印書館影印四部叢刊正編，1965年），頁181。

5 黃叔璥家族的相關事蹟，又可參見顧鎮：《清初黃崑圃先生叔琳年
　譜》，頁1～6，76～77；徐世昌：《大清畿輔先哲傳・名臣傳》
　（臺北：大通書局，1968年），頁291。

6 一七三六年（乾隆一年），叔璥五十七歲，母親曾告誡長兄叔琳言：
　「爾兄弟並邀恩遇，拔擢於廢棄之中，何可私戀庭闈，以為息肩之
　地？」顧鎮：《清初黃崑圃先生叔琳年譜》，頁62。

7 《清初黃崑圃先生叔琳年譜》，頁3～10。此外，黃叔琳也曾任內閣
　學士兼禮部侍郎、兵部侍郎、山東按察司使及布政使等職務。見李
　元度：《清朝先正事略・名臣》，收錄於《清代傳記叢刊》（臺北：
　明文書局，1985年）192冊，頁381～382。

8 徐世昌：《大清畿輔書徵》，（臺北：廣文書局，1969年2月），第

一冊，頁109～119。

9 尹健餘編：《北學編》，收錄於《續修四庫全書‧史部‧傳記類》，
（上海：上海古籍出版社，1997年），頁113。

10 《明清歷科進士題名碑錄》載錄叔璥與二兄叔琬，兩人於一七〇九
年（康熙四十八年）同登進士。朱保炯、謝沛霖編：《明清進士題
名碑錄索引》（臺北：文海出版社，1981年2月），康熙己丑（四十
八年）榜，頁2679；顧鎮：《清初黃崑圃先生年譜》，頁14、16、
18、28。

11 顧鎮：《清初黃崑圃先生叔琳年譜》，頁53～55。

12 顧鎮：《清初黃崑圃先生叔琳年譜》，頁60。

13 「玉圃家京師，仕不離親，其復起也，觀察河南，故思歸之切，形
於夢志以圖。」可知此圖作於黃叔璥守孝復官之後，任蘇州常鎮道
期間。方苞：《方望溪先生全集》，（臺北：臺灣商務印書館影印
四部叢刊正編，1695年），頁74。

14 秦、漢以後設有太常博士，專掌學術，北齊以後太常寺博士四人掌
禮制。

15 居住於雲南地區的民族種類繁多，除上述各族外，尚有哈尼族、佤
族、拉祜族、納西族、景頗族、布朗族等少數民族分居各地。參閱
樊開印：《中國境內各民族細說》，對各民族人口發展的統計表，
（臺北：唐山出版社，1993年1月），頁589～591。

16 魏一鰲輯、尹會一等續補：《北學編》，收錄於《續修四庫全書‧
史部‧傳記類》（上海：上海古籍出版社，1997年）515冊，頁
113。又可參見周家楣、繆荃孫編纂：《光緒順天府志》，收錄於
《續修四庫全書‧史部‧職官類》（上海：上海古籍出版社，1997年）
751冊，頁316。

17 樊開印：《中國境內各民族細說》，（臺北：唐山出版社，1993年1月），頁591～593。

18 唐鑑：《學案小識》，收錄於周駿富輯：《清代傳記叢刊》第二冊，（臺北：明文書局，1985年），頁604。

19 楊熙：《清代臺灣：政策與社會變遷》（臺北：天工書局，1983年），頁83。

20 《宮中檔雍正朝奏摺》，（臺北：國立故宮博物院，1977年12月），第二輯，頁59。

21 《清史館乾隆年間傳稿》，6860(1)號、6892(1)號，及《成興齋傳稿》8040號(2)卷20，皆有記載。

22 《清世宗實錄選輯》載有：「浙江巡撫黃叔琳徇庇鄉紳世侃，杖斃民人賀懋芳，又從前審理湖廣鹽務收受商人吳雨山賄賂；又伊弟巡視臺灣御史黃叔璥回京時路過浙江，縱僕騷擾地方。」（臺北：大通書局，1987年），頁7。

23 《清史稿》，趙爾巽等編，第十三冊，（臺北：鼎文書局，1981年），頁1026。

24 徐世昌：《大清畿輔先哲傳·名臣傳㈠》，（臺北：大通，1968年），頁296。

25 李元度：《國朝先正事略》，頁383。

26 魏一鰲輯、尹會一等續補：《北學編》，收錄於《續修四庫全書·史部·傳記類》，（上海：上海古籍出版社，1997年），頁113～114。

27 有關考證黃叔璥生卒年的資料，可參見林慶元：〈《南征記程》、《臺海使槎錄》及其他——關於首任巡臺御史黃叔璥的幾個問題〉，《亞洲研究》23期，（香港：珠海書院亞洲研究中心，1997年7

月），頁73～74。

28 方苞：〈與黃玉圃同祭尹少宰文〉，《方望溪先生全集》，（臺北：
臺灣商務印書館影印四部叢刊，1965年），頁234。

29 乾隆十三年八月二十四日，任兩廣總督署理江蘇巡撫的策楞所發的
公文檔。今藏於中央研究院歷史語言研究所「內閣大庫檔案」。

30 戈載〈黃崑圃先生傳〉曾記載方苞與黃叔琳問學的情形：「方望溪
為諸生時來謁，一見稱莫逆交。望溪所著周禮春秋之學，皆與先生
往復指畫無少閒。」收錄於錢儀吉：《碑傳集》（臺北：大化書
局，1984年），正編110冊，頁41。

31 方苞：〈送黃玉圃巡按臺灣序〉，《方望溪先生全集》，頁104。

32 方苞：《方望溪先生全集》，頁74。

33 尹會一敘及叔璥行事時曾言：「每見先生必執後進禮，稱為立不易
方，和而不流，君子人也。」尹會一續補：《北學編》，頁114。

34 「公每執後進之禮，從容言及服官任事。方則易滯，圓則易流，故
乘時赴功，方不如圓之敏幹；居安守正，圓不如方之堅貞，非根柢
素深，學識兼裕，中有主，而應不窮者孰能與於方圓之義，玉圃深
然之。」呂熾編：《尹健餘先生年譜》，（臺北：藝文印書館影印
畿輔叢書，1985年），卷中，頁6～7。

35 黃叔璥：《廣字義》（臺南：莊嚴出版社影印清華大學圖書館藏清
乾隆四年黃氏刻本，1996年），收錄於《四庫全書存目叢書》子部
27冊，頁103。

36 方苞《方望溪先生全集》，頁234。

37 黃叔璥：《南征記程》（臺南：莊嚴出版社，影印清華大學圖書館
藏清乾隆刻本，1996年）。收錄於《四庫全書存目叢書》，史部傳
記類128冊，頁559。

38 此文收錄於范咸:《重修臺灣府志》第五冊,(臺北:臺灣銀行經
濟研究室,1961 年 11 月),頁 666～668。

39 蔡世遠與黃叔璥同為一七〇九年(康熙四十八年)中進士,兩人為
長期知交。

40 藍鼎元:《東征集》,(臺北:臺灣銀行經濟研究室,1951 年),
序言,頁 1。

41 徐任師:《有涯文集》黃叔璥序言。此手寫本今藏於中央研究院歷
史語言研究所傅斯年圖書館善本書室中。經筆者申請光碟掃描後,
取得黃叔璥為此書所題序的複印資料。

42 黃叔璥:《南征記程》,(臺南:莊嚴出版社影印清華大學圖書館
藏清乾隆刻本,1996 年),收錄於《四庫全書存目叢書》史部傳記
類第 128 冊,頁 553。

43 林慶元:〈《南征記程》、《臺海使槎錄》及其他——關於首任巡臺
御史黃叔璥的幾個問題〉,《亞洲研究》23 期,(香港:珠海書院
亞洲研究中心,1997 年 7 月),頁 67～68。

44 黃叔璥:《南征記程》(臺南:莊嚴出版社影印清華大學圖書館藏
清乾隆刻本,1996 年),收錄於《四庫全書存目叢書》史部傳記類
第 128 冊,頁 564～565。

45 黃叔璥:《臺海使槎錄》,(臺北:臺灣銀行經濟研究室,1957
年),臺灣文獻叢刊第四種,頁 6。以下本論文所引《臺海使槎錄》
原文,所標註頁數皆出自此版本。

46 黃叔璥:《南征記程》,收錄於《四庫全書存目叢書》史部傳記類
第 128 冊,頁 565。

47 黃叔璥:《臺海使槎錄》,頁 20。

48 黃叔璥:《南臺舊聞》(臺南:莊嚴出版社影印清華大學圖書館藏

清乾隆刻本，1996年），收錄於《四庫全書存目叢書》史部職官類第261冊，頁2。

49 黃叔璥：《南臺舊聞·陳序》，收錄於《四庫全書存目叢書》，史部傳記類261冊，頁1～2。

50 《南臺舊聞提要》，收錄於《四庫全書總目·史部·職官類存目》第二冊，頁674。

51 黃叔璥：《南臺舊聞·陳序》，收錄於《四庫全書存目叢書》，史部傳記類261冊，頁1～2。

52 傅榮珂：〈秦司法官吏之探索〉，《中國學術年刊》十九期，（臺北：臺灣師範大學，1998年3月），頁121～123。

53 黃叔璥：《南臺舊聞·讞論》，頁79。

54 黃叔璥：《南臺舊聞·彈劾》，頁114。

55 黃叔璥：《南臺舊聞·按錄》，頁130。

56 清初監察御史即京畿、河南等十五道，各道名額一至四名。專掌風憲，以整紀綱為職，並糾察有關政事得失，或國計民生的事務。高一涵：《中國御史制度的沿革》，（上海：商務印書館，1930年10月），頁31～63。

57 黃叔璥：《中州金石考》，（臺南：莊嚴出版社影印清乾隆六年刻本，1996年），收錄於《四庫全書存目叢書》，史部目錄類278冊，頁662。

58 陸和九：《中國金石學》，（臺北：明文書局，1981年3月），頁300。

59 《中州金石考》中登錄有「歐陽文忠公墓銘」可作為研究歐陽修生平時的資料；「嵩陽書院賜額」則可作為探究書院與當時學風的參考；而「元重修廟學記」詳載建物的沿革，亦具有史料的價值。參

見《中州金石考》，頁678、682～683、及718。

60 梁啟超：《中國歷史研究法》，（臺北：臺灣商務印書館，1966年11月），頁85～86。

61 詹海雲：《清初學術論文集》，（臺北：文津出版社，1992年3月），頁36～37。

62 黃叔璥：《中州金石考·自序》，收錄於《四庫全書存目叢書》，史部目錄類存目278冊，頁662。

63 黃叔璥：《中州金石考》，頁738。

64 黃叔璥：《廣字義·自序》，（臺南：莊嚴出版社，1996年影印清乾隆四年黃氏刻本），收錄於《四庫全書存目叢書》，子部儒家類存目27冊，頁103。程若庸《字訓》一書又名《增廣性理字訓》，本為補舊題朱子後學程蒙齋《性理字訓》之書，並重新分成造化、情性、學力、善惡、成德、治道等六門。

65 黃叔璥《廣字義·自序》，收錄於《四庫全書存目叢書》子部27冊，頁103。

66 余英時：〈清代思想史的一個新解釋〉，《中華文化復興月刊》第九卷第一期（1976年1月），頁17。

67 1739年（乾隆四年）尹會一《廣字義》題序所言，收錄於《四庫全書存目叢書》子部27冊，頁103。

68 黃叔璥：《廣字義·自序》，頁103。

69 張灝：〈宋明以來儒家經世思想試釋〉，《近世中國經世思想研討會論文集》，（臺北：中央研究院近代史研究所編，1984年4月），頁7。

70 從朱子門人陳埴、與再傳弟子葉采，至（宋）戴亨、（元）柳貫、（明）周公恕、（清）張伯行、茅星來、江永等人對《近思錄》註

解、集解至少有十八種之多。陳榮捷：《朱學論集》，（臺北：學生書局，1982年4月），頁163～167。

71 《北京圖書館古籍善本書目》「子部類」第一六七七頁登錄有：「《近思錄集朱》十四卷，清·黃叔璥輯，稿本四冊，九行。」承蒙福建師範大學歷史系教授林慶元先生，協助聯繫北京圖書館善本書室，取得此書微卷之部分複製影本，使本節研究得以順利進行，謹此致上謝意。

72 （宋）葉采曾學於朱子門人陳淳，所著《近思錄集解》成於1248年（淳祐八年），為現存註解《近思錄》最古的，書中採摘朱子言論極簡略。陳榮捷：《朱學論集》，（臺北：學生書局，1982年4月），頁163。

73 劉又銘：〈《近思錄》的編纂〉，《中華學苑》43期，（臺北：政治大學，1993年3月），頁149～150。

74 《近思錄》原編逐篇的綱目：㈠道體，㈡為學大要，㈢格物窮理，㈣存養，㈤改過遷善、克己復禮，㈥齊家之道，㈦出處、進退、辭受之義，㈧治國、平天下之道，㈨制度，㈩君子處事之方，㈩一教學之道，㈩二改過及人心疵病，㈩三異端之學，㈩四聖賢氣象。

75 （宋）黎靖德編：《朱子語類》（臺北：文津出版社，1986年12月），第七冊，卷一〇五，頁2629。

76 陸寶千：《清代思想史》，（臺北：廣文書局，1983年9月）三版，頁142。

77 從朱子門人陳埴、與再傳弟子葉采，至宋末戴亨、元柳貫、明周公恕、清張伯行、茅星來、江永等人對《近思錄》註解、集解至少有十八種之多。陳榮捷：《朱學論集》，（臺北：學生書局，1982年4月），頁163～167。

[78] 唐一明：〈清代巡臺御史傳略及詩錄〉，《史聯雜誌》十三期，（臺灣史蹟研究中心，1988年12月），頁60～61。

[79] 魯曾煜為《臺海使槎錄》所作的序中引黃叔璥所言。參見《臺海使槎錄·魯序》，頁1。

[80] 黃叔璥：《廣字義》，頁107。

[81] 王爾敏：〈經世思想之義界問題〉，收錄於《近代中國經世思想研討會論文集》，（臺北：中央研究院近代史研究所編，1984年4月），頁31；張灝：〈宋明以來儒家經世思想試釋〉，《近世中國經世思想研討會論文集》，頁5。

[82] 《清史列傳選》（臺北：大通書局，1987年），頁170～171。

[83] 黃克武：〈理學與經世──清初「切問齋文鈔」學術立場之分析〉，《中央研究院近代史研究所集刊》16期，（臺北：中央研究院近代史研究所，1987年6月），頁63。

[84] 張伯行：《近思錄集解》，（臺北：臺灣商務印書館，1967年5月），頁50。

[85] 黃叔璥：《近思錄集朱》卷二「為學」。

[86] 林保淳：〈舊命題的全新架構──明清之際的經世思想〉，《幼獅學誌》十九卷四期，1987年10月，頁179。

[87] 黃叔璥原編、蘇樹蕃續編、瑞霖再續：《國朝御史題名錄·黃叔璥自序》，京畿道刊本，第一冊，藏於中央研究院傅斯年圖書館線裝書室。

[88] 《臺海使槎錄》頁94。

[89] 王陽明學說多是在領兵攻打南方各少數民族的時空中建構的。他不留心觀察客觀的知識，而在追求道德自覺，與道德實踐的合一，此即為「知行合一」。其思想從未比附於曾接觸過的原住民族，從其

著作中更未呈現有關民族、族群的觀念；也未曾對封建王朝統治結構、制度加以懷疑和批判。與其後的呂坤、黃宗羲、唐甄對統治制度強烈的抨擊的主張有別。參見莊萬壽：〈明代華夏民族主義與王陽明〉，《國文學報》25期，1996年6月，頁88～100。

第三章

黃叔璥經世思想
及其對臺灣政經教化的觀察

　　黃叔璥於巡臺御史期間，將他的親身見聞，及整理相關文獻所得，記錄於《臺海使槎錄》中，此書透顯他對臺灣經濟、政治、軍事、社會、及文教等各層面的觀察。藉由學術思想史的角度分析《臺海使槎錄》的經世思想，正可呈現黃叔璥的學術思想在時代思潮中的文化意義。

第一節　時代思潮與黃叔璥的臺灣經驗

一、清初經世思潮的盛行

　　傳統儒家哲學實質上是一種政治倫理哲學，極關注現實社會生活，強調「實用」、「實際」和「實行」。宋代理學家所指的倫理實用之學，是以哲理思維去考辨人生與社會，將解決現實的社會與人生問題作為從事學術的終極目的，把「內聖外王」作為最高理想境界。南宋朱熹將「正心」、「修身」作為經世的先決條件，重視在自己身上切實用功，這是對當時佛教的「空理」論，以及脫離實際的章句之學而提出的。[1]所謂「己欲立而立人，己欲達而達人」，也唯有「致用」

於外，才算是體用兼備人格的完成。至於明清經世思想則是針對理學末流空疏的弊病有所反省的產物。不僅強調個人應體認到在整個社會中的地位，並且主張在自覺要求下，賦予個人對社會的使命感。經世思潮表現在關懷社會民生上，則是士人揭露並批判社會各種弊病，也提出對拯救時弊方案的構思與實施。而與清初經世學風有密切關聯的明末東林學派，主要人物顧憲成與高攀龍都曾出任過政府的重要官職，且因黨爭而時進時退，所以對於當時的政治弊害具有較深刻的瞭解。他們於東林講學，並在聚會中評論人物、訾議國政，欲藉清議的力量，對於官僚及士大夫的行徑有所針砭，成為澄清吏治改善民生的憑藉。期望發揮輿論的影響力，使執政者在風聞後能有所警惕，有所畏忌，而這種重節義、尚實踐的學風，更影響到清初經世學風。[2]

清初經世派的主要代表人物有顏元、黃宗羲、顧炎武、王夫之、萬斯同等人。顏元（1635～1704）許多論述亦是在與宋明理學的論辯中闡發的，他曾說到：「著《存學》一編，申明堯舜周孔三事，六府、六德、六行、六藝之道，大旨明道不在詩書章句，學不在穎悟誦讀，而期如孔門博文約禮，身實學之，身實習之，終身不懈者。」[3]可知他寫作《存學編》的目的為提倡「習行」工夫，並以為藉此可達到經世致用的效果。清初三大儒黃宗羲（1610～1695）的《明夷待訪錄》、顧炎武（1613～1682）的《日知錄》、王夫之（1619～1692）的《讀通鑑論》、《宋論》等著作，更透顯了他們留意歷史經驗與典籍的啟發，以便作為解決現實問題的借鑑。清初的經世學者在田制、賦稅、鹽法、兵制、邊

防、吏治、科舉等方面都提出了改革時弊的各種經世方案，顯現出「經國濟世」的胸懷與社會責任感。

清初學術是由宋明理學轉向乾嘉漢學不可或缺的中間環節。經世思潮表現出由玄虛冥想而趨於廣博實際，治學也力求實際而不尚空談。注重史實，鑑別真偽，以訓詁、辨偽、聲韻、金石、校勘、輿地等為主要內容的漢學，糾正了宋學許多的牽強附會、篡改原書以就己說的作法。此外，「崇實黜虛」的時代精神，受到西方科學知識大量輸入的影響，落實到探索自然上，不論在思想與方法上都獨樹一幟。在天文、曆法、數學、音律，及醫學、地理、農業、水利、生物等學術領域都有實際的貢獻。

清代學術思潮有兩大特徵：一是傾向於客觀的考察，另一是提倡實踐的學風。所謂客觀的考察以自然現象與社會文獻方面為主，這種趨向客觀的學風，其心智的活動是由內向性的心性問題，轉到外向性的知識問題；而所謂實踐性，是指外王事功或經世致用。[4]在重視知識方面，清初學者的治學領域廣泛，有時他們藉由到各地遊歷，以親身考察的方式來充實自我學問；有時則自經史中鉤稽，從歷史的成敗教訓中擬定方策。如顧炎武大力提倡『修己治人之實學』，並批判『明心見性』空言的時代學風，他指出明代有些王學末流以孔孟為名，而多講明心見性的空言，「不習六藝之文，不考百王之典，不綜當代之務」，如此束書不觀、空談心性的結果，根本得不到儒家的精義，更導致社稷宗廟的淪亡。[5]顧炎武對於有關民生的事務，常窮源溯本，討論其所以然；遇有疑義，也常反覆查考，以探究其意涵。從《日知錄》、

《天下郡國利病書》所涉及到的義理、史學、地理、吏治、
財賦、典禮與藝文等範疇,可見關懷面的廣闊,也展現他將
平日觀察的實際記錄做一番整理,再加以評論的具體成果。
以道德實踐(行己有恥)為體,其「用」便是放在「博學於
文」所考究的六藝之文、百王之典、當世之務上,並影響到
清代學者多從經史之學講名物制度的風氣。清代思想史的中
心意義即在於儒家智識主義的興起和發展,由「尊德性」漸
轉入「道問學」的階段。從清初學者重視經驗知識,並匯聚
成一股思潮,其透露出客觀考察的意義是值得肯定的。

二、清代巡臺御史的產生

因黃叔璥來臺時間點正是朱一貴事件發生後,所以了解
此事件的背景經過,可對其來臺的緣由有進一步的認識。朱
一貴事件是清治時期臺灣民間起事的一大案件,而其導火線
是因1720年(康熙五十九年)臺灣知府王珍攝理鳳山縣
事,將政事委任於次子,其子監禁人民,勒索無度,多次騷
擾民間,致使民心盡失。[6]朱一貴原為漳州長泰人,於1713
年(康熙五十二年)來臺,以養鴨為業。來臺後廣交朋友,
而後友朋藉明朝朱姓後裔的名義,公推朱一貴為領袖,並利
用臺灣結盟的習俗,招集千餘民眾,於1721年(康熙六十
年)五月十八日(陰曆四月二十三日)在阿公店(今高雄縣
岡山)一帶起事。當時南路下淡水(今屏東平原一帶)的杜
君英,被告濫伐林木而受通緝,立刻在下淡水檳榔林(今屏
東縣內埔鄉義亭村),招集粵東種地傭工客民聯合響應。在
臺總兵歐陽凱令右營游擊周應龍率四百兵員,以及新港、目

加溜灣、蕭壠、麻豆四社社民前往征討。當時周應龍傳諭：
「殺賊一名賞銀三兩，殺賊目一名賞銀五兩。」在重賞的誘
導下，枉殺平民百姓四人，又縱火燒民居，使八人無辜死
亡，而導致更多人投入抗爭行列。[7]

　　朱一貴佔領臺灣府城後，在五月二十九日（陰曆五月四
日）自稱為「義王」，建號「永和」，以道署為王府，並大封
諸將。佔領府治不久後，因杜君英日益擾民的行為，並欲立
其子為王，使得兩人產生決裂。六月四日下淡水南岸的粵莊
居民擁杜君英，而與朱一貴軍相抗。清廷聽聞閩粵對峙的局
面，於是由閩浙總督覺羅滿保坐鎮廈門，七月初先派一千七
百名兵丁前往淡水，令南澳總兵藍廷珍、水師提督施世驃率
軍一萬八千名前往臺灣。七月十日官軍逼入鹿耳門，舟進港
時，西風大作、海水乍漲，於是得以登岸。[8]十四日，清軍
分南北兩路對府城展開包圍鎮壓，十六日（陰曆六月二十二
日）攻陷府城，數日後朱一貴等人所率的軍隊多遭瓦解俘
獲。

　　朱一貴事件使臺灣當時吏治的缺失浮現出來，如那些平
時孳孳以為利藪，欺壓百姓；有事則推諉逃避，缺乏擔當負
責等的官僚作為。又如部份文、武職人員，一聞官兵敗訊，
即登舟逃往澎湖，所以起事民眾能迅即攻陷府城，佔領各
地。[9]至於在臺兵員多是倉皇招募市井無賴，內地抽撥者，
又因大半都有換名頂替的現象，也一直未得到澈底的解決，
所以使得兵員管理問題層出不窮[10]。可見此事件並非偶發，
而是反映康熙末年以來長期累積的臺灣吏政問題。那時隨兄
長來臺平定此事件的藍鼎元也認為：朱一貴與杜君英，利用

知府王珍父子苛徵糧稅為導火線，得以鼓動民氣，聚集同黨起事。他並分析造成「全郡陷沒」的主要原因為：「太平日久，文恬武嬉，兵有名而無人，民逸居而無教，官吏孳孳以為利藪，沉湎樗蒲，連宵達曙。本實先撥，賊未至而眾心已離，雖欲無敗，弗可得已。」[11]當時軍紀未加以整頓管理，再加上官員的無理措施，都是引起民怨的潛在危機，也是造成此一事件擴大的原因。

　　至於在天然災害方面：1714（康熙五十三年）秋大旱，1715、1716、1717年皆有地震，尤其在1720年冬十月，地大震，房屋傾倒，居民死傷無數，及1721年颱風及水災的肆虐，山崩川溢，田園沙壓；漁船盡碎，兵民溺死甚多。[12]如此連續重大的天災，再加上原有的田賦較內地加重，雜稅亦多於鄭氏時期，住民的生活當更困苦。此外，游民結盟及家室隔絕，及對平埔族的過度需索，與各族群的衝突等[13]，皆是清初統治臺灣所遭遇到的問題，也是造成朱一貴事件的複雜動機。

　　1722年（康熙六十一年）朱一貴事件後，閩浙總督滿保等人曾議請增添兵員，康熙卻以為「福建總督、巡撫、提督俱奏請臺灣添兵，朕意添兵無用也。」並在此十月五日諭旨中明令：「每年自京城出御史一員，前往臺灣巡查。此御史往來行走，彼處一切信息可得速聞。凡有應條奏事宜亦可條奏，而彼處之人皆知畏懼。至地方事務，御史不必管理也。」[14]自關於如何監督官員處理事務、民間疾苦如何探悉、及各地事務如何迅速稟報，及防汛兵員的增添與佈防等，都是當時急需解決的問題，所以才有首任巡臺御史的設

立。1722 年（康熙六十一年）清廷始設巡臺御史，迄至
1788 年（乾隆五十三年），正式停派監察御史赴臺止，其間
長達六十六年，共派了六十五位滿、漢籍之巡臺御史。關於
巡臺御史任命的方式，最初於每年四月，由都察院在各部科
道官員（給事中）中遴選滿、漢籍各一名，請清帝核派。[15]
巡臺御史的職責本以監督行政、探訪民情為主，並有隨時條
奏的權利。[16]一方面既要負則稽察官吏，監督朝廷政令的推
行；另一方面，又需安撫百姓，反應地方輿情。巡臺御史設
立之初，由於滿漢巡察長年駐臺，加上清帝的信任倚重，朝
廷較可直接、迅速掌握臺灣動態。藍鼎元曾提到：「朝廷以
臺疆僻處天外，民間疾苦，無由上達，特命滿漢御史各一
員，歲奉差到臺巡視」[17]，可見初期巡臺御史的設立，不僅
具有對臺民心穩定的作用，亦增強中央對臺灣訊息的掌握。

　　第一任巡臺御史共有四人列入推薦名單中，而後黃叔璥
與滿人吳達禮獲選為首任巡臺御史，於1722 年（康熙六十
一年）元月自北平出發，六月二日抵達臺灣鹿耳門。[18]清政
府對其樞要官職，多採取滿漢並任之制，此為一種箝制政
策，目的為防止漢族獨占權勢的弊病。滿漢御史的兩立，並
非出於實際設施上所需要，只不過沿襲制度上的慣行而已。
而當時朱一貴之亂的發生，駐臺官員有些不當措施為引起民
怨的主要原因，故需嚴加督導。巡視臺灣監察御史是清朝十
五道監察御史的一個部門，其地位獨立於督、撫節制以外，
在道員之上，監督文武各官，且有不經由總督而行直奏之
權，可見其權力頗大。[19]黃叔璥與吳達禮於一年任期滿後，
因實務的需要，兩人又多留任一年。[20]

三、黃叔璥的臺灣經驗

巡臺御史設立之初，以探視民間疾苦，觀察各地風俗及巡察吏治為主要職務，舉凡有關臺灣行政上重要事件的辦理、或興革、糾舉等，均須向清廷傳報信息。朱一貴事件後，清廷仍心有餘悸，藍廷珍即派兵於羅漢門附近，「遇巢燒毀，焚山烈澤，窮極幽深。」[21]於深山進行大規模的搜捕並焚毀根據地。此事件閩浙總督覺羅滿保共動用閩、浙、粵三省兵力，才使事件告一段落。當年十月，黃叔璥與吳達禮奉命至閩，與覺羅滿保商討臺灣的善後問題。會後，覺羅滿保下令當時駐臺統帥藍廷珍，內開「臺灣經理事宜」十二條。其中數條敘述關於朱一貴起事的處所，如羅漢門、黃殿莊等地應將房屋盡行燒毀，人民盡行驅逐，不許往來耕種。阿猴林、檳榔林及瑯甲等地易藏匿的處所，亦應作相同的處置。[22]覺羅滿保這種趨逐臺灣、鳳山、諸羅三縣山中居民的觀點，忽略當時可能使居民陷於遷徙流離之苦。後經官員的力言，才避免這傷及無辜百姓的不當措施。[23]

朱一貴被擒的一年後，同黨王忠等人逃至內山潛藏並發生殺害塘兵事件。黃叔璥先於1722年七月提出〈請勒緝餘孽、寬免株連疏〉，奏請限期緝拿，如仍未擒獲王忠等人，則從重處分；而文武官員如能設法擒服的，則從優獎勵。至於受到牽連的無辜民眾，曾被迫割辮以為記認，黃叔璥則認為應讓他們免於恐懼，所以提出寬免誅連的主張：

朱一貴作亂時，令民割辮以為記認，其中或被奸匪倡

誘，或被抑勒脅從。……自首惡既誅，緝獲餘孽解赴
省城審訊，陸續供扳之人，不時拿解，牽連不已，人
心時懷驚懼！

　　可見此項提議是為了安撫民心，於是奏請「將拿獲真犯
審明正法，其餘免其株連。」如此措施，可說是傾聽民眾心
聲而來。[24]反觀歷史上時可見統治者時為懲戒民眾，常採取
株連的措施，表現蔑視人性尊嚴的舉動；至於像覺羅滿保為
治理方便，而欲將許多居民的生活環境全面摧毀，則是忽略
民眾的生活福祉的作為。至於在朱一貴事件的後續處理方
面：原任中營千總何勉，在1723年（雍正元年）四月十五
日於鳳山林擒獲王忠，黃叔璥再奏摺中詳記擒獲日期，並奏
請擢拔千總何勉擔任北路營參將。[25]

　　　黃叔璥為減低族群衝突，曾於1722年（康熙六十一
年）提出「豎石立界」的主張：「如業主管事輩利在開墾，
不論生番、熟番，越界侵佔，不奪不饜；復勾引夥黨，入山
搭寮，見番弋取鹿麂，往往竊為己有，以故都遭殺戮。又或
小民深入內山，抽藤鋸板，為其所害者亦有之。康熙六十一
年，官斯土者，議凡逼近生番處所相去數十里或十餘里，豎
石以限之，越入者有禁。」[26]這裡所謂的「生番」、「熟番」
在法制上，應以居民是否納餉為標準。當時自南而北，共立
了五十四處界石。黃叔璥看出爭端的源由為「啟釁多由漢
人」。此種阻止民眾隨意出入的隔離措施，其目的多為減少
族群衝突，以方便管理，此亦為清初的分治政策。

　　黃叔璥從鹿耳門（今臺南安平附近）抵臺後，曾親自巡

視臺灣，在巡行期間曾作數首詩記錄沿途所見。如1722年
（康熙六十一年）仲冬過斗六門時，曾寫下「牆陰蕉葉依然
綠，壟畔桃花自在紅。冬仲何殊春候暖，蠻孃嬉笑竹圍
東。」[27]的詩句，描寫位於雲林斗六附近，時序雖已是十一
月，臺地植物在和煦溫暖的氣候下，仍旺盛生長的情景。[28]
至半線時（今彰化市附近）則另寫一詩記景，並描寫屬貓霧
揀（Babuza）族的半線社，女子盛裝赤足跳舞、齊聲歡唱；
而男子則在鼓聲中，進行奪旗賽跑的場面。及至位於今臺中
沙鹿附近的沙轆社後，將此地加一新名稱為「迴馬社」，以
記他與吳達禮北巡至此而迴。[29]並漫記六首詩，描繪巴布拉
（Papora）族的演出。分析此書所提供的線索，得知當時巡
臺的主要路徑為：先至朱一貴起事地點羅漢門（今高雄內門）
一帶巡視。而北路的主要路線為：從臺南經笨港社（今雲林
北港），至斗六門社（位於雲林斗六）、貓兒干社（今雲林崙
背），過濁水溪後，到東螺社（今彰化埤頭），又到半線社
（今彰化市附近），最後到達沙轆社（臺中沙鹿）後，才打道
回臺南府城。而水沙連社在深山中，黃叔璥雖有題詩，然未
明言至此巡視，故暫保留。至於南路則主要巡視武洛社、搭
樓社（兩社約處今屏東里港），上澹水社、下澹水社（兩社
約處今屏東萬丹），放絲社（屏東林邊）等地。從文獻得知
黃叔璥一行人多在臺灣西部平原一帶巡視。至於巡行路徑
中，必仍包括沿途經過的其他地點及附近的聚落，然因未於
《臺海使槎錄》記錄於其地的見聞，故此處未將所經路線的
細目列出。此簡圖僅先標出巡臺主要路線的地名。（參見圖
五）

圖五　黃叔璥巡臺主要路線推測圖

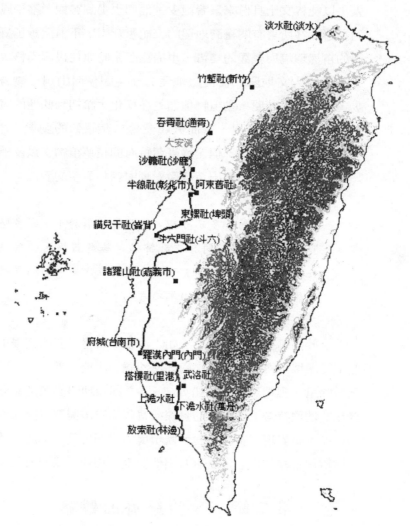

圖片出處：此圖以中央研究院台灣史研究所「台灣歷史文化地圖系統」
（Taiwan History and Culture in Time and Space。系統網址：
http://thcts.ascc.net）所提供的底圖，再加以編製而成。

清治初期來臺的宦游文士，多通過科舉且帶有官職的
人，以純粹文士身份來臺者絕少。他們也受到客觀考察學風
的影響，在所著有關臺灣地理的筆記書籍中，不但記錄了臺
灣的自然環境與景觀的變遷，也描寫了當時原住民與漢移民
所建構的人文地理。在自然地理方面：因臺灣山川奇峻秀
拔，沿海波濤壯麗，動植物種類的多樣化，讓初到此地的宦
遊文士可以開拓眼界，進而興起記錄自然景觀的動機。[30]
〈赤嵌筆談〉「物產」不但記錄臺灣特有的花草植物，以及種
類繁多的動物，也透露出黃叔璥對臺灣森林資產的看法：

> 內山林木叢雜，多不可辨，樵子採伐鬻於市，每多堅
> 質；紫色寵煙，間有香氣拂拂。若為器物，必係精
> 良，徒供爨下之用，實可惜！儻得匠氏區別，則異材
> 不致終老無聞，斯亦山木之幸也。[31]

　　至於描述臺灣的地理形，如：「東倚層巒，西迫巨浸；
北至雞籠城，與福州對峙；南則河沙磯，小琉球近焉。周表
三千餘里，孤嶼環瀛，相錯如繡。」[32]則勾勒出臺灣及澎湖
群島的地理特徵。由親身的實際觀察所描寫出凝聚時間深度
的作品，也表現了黃叔璥對所處環境的空間感受。至於從黃
叔璥辨別物種的用心，更可看出他對臺灣物種記錄的成果。

第二節　政治經濟的觀察

　　經世思想有賴外在政權的獲得，理論才能實行。對於黃

叔璥在巡臺御史任內的貢獻，范咸曾加以評論：「安集哀
鴻，措置時務，多得留。」[33] 其治理原則以儒者民本精神為
根，極為重視民生，一切行事準則以安定民生為主。《臺海
使槎錄》不但對臺灣的自然地理、形勢多有描述，對人文地
理多有探討外，更顯現黃叔璥對臺灣政治與經濟層面的觀
察，以下即分項加以探討。

一、檢討賦稅政策

　　《臺海使槎錄》曾詳引1715年（康熙五十四年）周鍾瑄
〈上滿總制書〉，具體指出官吏取之於社商，社商、通事再轉
嫁到貧困的平埔族，並在這過程中汲取私利的情形[34]。當時
諸羅社餉未曾減輕，從前因土地多為平埔居民所有，猶可支
付；然而後來居民世守之業竟存甚少，再加上諸多陋弊，使
居民生活更加困苦。周鍾瑄曾言：「每年維正之供七千八百
餘金，花紅八千餘金，官令採買麻石又四千餘金，放行社鹽
又二千餘金，總計一歲所出共兩萬餘金；中間通事、頭家假
公濟私，何啻數倍。土番膏血有幾，雖欲不窮得乎？」[35] 由
當時實際數據看來，花紅更可具體呈現居民經濟生活的沉重
負擔。黃叔璥也觀察到這些弊端，並發現以往雖有禁絕額外
的雜費的收取，然而執行的效果卻不澈底，以致問題更加嚴
重。至於「社餉」一項，鳳山下淡水八社米糧，在鄭氏原數
五千九百三十三石八斗，酌減為四千六百四十五石三斗；諸
羅社餉共七千七百零八兩，未裁減。從前平埔居民猶可勉強
繳付，因為土地多為原住民所有。而當大量移民聚集，覬覦
這些有限的土地；再加上賦稅的重擔，以前為平埔居民的鹿

場或耕地，有些逐漸已經改由業戶請墾，或為流寓佔耕，平埔族世代相傳的土地所有權，有一大部分竟然也因此而轉移到漢移民的手上。

至於在漢移民的徵稅上，也比中國大陸內地所徵的田地稅高出許多。黃叔璥提出有關田地計算單位的不同，而造成賦稅增加的程度：

> 內地上則田一畝，各縣輸法不一，約徵折色自五、六分至一錢一、二分而止；一甲為地十一畝三分零，不過徵至一兩三錢零。今上則徵八石八斗，即穀最賤每石三錢，已至二兩六錢四分零，況又有貴於者；而民不以為病。地力有餘，上者無虞不足，中者截長補短，猶可借漏戶以支應；若履畝勘丈，便難仍舊貫矣。

所以黃叔璥寫了一份「均田減賦」的奏疏，陳述臺灣當時實際情形。當時甚至因賦稅過重，農民對自己的土地以多報少，才繳納得起過高的田稅。藍鼎元〈臺灣近詠呈巡使黃玉圃先生〉曾描寫當時的情形：

> 土狹賦獨重，民困曷以紓？臺灣甲一田，內地十畝餘。甲租八、九石，畝銀一錢輸；將銀來比粟，相去竟何如。……鳳、諸雖厚斂，什百臺版圖；墾多或報少，以羨補不敷。臺土瘠無曠，衝壓且偏枯。安得相均勻，丈輕三邑俱？徵收同內地，含哺樂只且。[36]

「將銀來比粟，相去竟何如」即是以擬樂府的表現方式，來刻劃百姓境遇的寫實手法。

清代「雜賦」又稱「雜餉」，分陸餉及水餉兩種。前者包括厝餉、磨餉、蔗車、菜園等目；後者包括漁船、渡船、魚塭餉、港滬餉、大小網、捕採烏魚給旗餉等項，名義繁多，致使百弊叢生。包括鄭氏時期，臺灣始有「厝餉」、「磨餉」這兩項徵稅，然歷經數十年的時代變遷，有的房屋早已片瓦不存，有的或因子孫零落、或因孤寡不能自已保有這些財產的，卻仍必須按冊拘追；而大井頭一帶行店碁布，終歲竟不出分文，顯現出不甚合理的賦稅制度。1723年（雍正元年）五月，所司查驗府房店，將已破壞殆盡的瓦厝、草厝皆排除在徵稅名單外。經過這次大規模的普查統計所得：凡得大瓦厝七千零七十四間、小瓦厝一千七百零三間；小者每間折半計算，共七千九百二十五間。半額餉勻攤每間一錢五分一釐九毫，每戶給以餉單。如建物倒壞不存的話，則允許執單繳驗註銷，另查新屋頂補。而磨坊亦依照是否已廢棄不用，即視當時實際開業的情形，重新加以評估其徵稅標準。[37]這些實際的觀察與具體措施的施行，使賦稅政策能作一全面性的檢討與改善。

二、調節民生供需

黃叔璥觀察到因澎湖的地質、氣候特殊，耕種較不易，尤其遇到天災，主糧更加不足，故以臺灣、諸羅二縣支援當地的居民日常所需，及兵糧的發放。《臺海使槎錄》記載：

> 澎湖居民，以海爲田，以魚爲糧，稻穀升斗必仰給臺
> 郡。以地盡沙磧，海風甚厲，艱於播種，惟植高梁、
> 麻豆，亦不足用；一遇凶歉，便致絕粒。陳觀察大佐
> 詳請臺、諸二縣各運粟五千石赴澎，巡檢、營弁公同
> 監收；遇凶歉或風颶舟楫不通，以便糶賑，兵糧亦可
> 如期支放。[38]

　　藍鼎元於1724年（雍正二年）〈吳觀察論治臺灣事宜書〉中亦提到澎湖無田地，仰賴臺灣米糧接濟的情形。如果遇及颱風連綿來襲，兩個月米船不至，則有斷糧的可能，所以必須於澎湖建倉積穀，或就臺、鳳、諸三縣倉粟估定價值，撥載萬餘石，積乃澎倉。當米船因天候而接應不暇時，副將、巡檢便可加以運用調節。[39]《臺海使槎錄·赤嵌筆談》言：「安平七鯤身，環郡治左臂；東風起波浪衝擊，聲如雷殷。諺云：『鯤身響、米價漲』；謂海湧米船難於進港。」[40]可知當時如因大風浪，則船無法前行，一旦臺米來源中斷，隨即影響全閩的米價。

> 壬寅六月，臺邑存倉稻穀無幾，每日減糶數百石，不
> 敷民食，暫借鳳山倉穀支放。自東港運至臺邑，進大
> 港，不由鹿耳門，每石船價八分；陸運每牛車止五、
> 六石，溪漲難行，腳價數倍水運。雍正癸卯，浙江
> 饑，運米一萬石，甲辰補運四萬石；每商船載米五百
> 石，運費每石二錢，未去之船尚有貼費。[41]

　　清初臺灣即因地利的優厚，表現出產米的潛力。通常在
未遇到天災的情形下，幾乎年年豐收而有餘。故在政府的禁
令下，民間私運仍不斷發生，更何況福建內地，尤以泉、漳
兩府，確實糧食不夠，向賴臺米為接濟。此外，臺地存倉舊
糧的充裕，累年積貯，若不想法出售，恐將遭到霉爛。而一
般出售的方式，係經由來臺的福、興、漳、泉內地四府的商
人，在當地販賣後，運回內地糶賣。一方面所賣的價格，可
比在臺地賣時略高，同時亦解決了內地的缺糧問題。[42] 為了
杜絕海盜的接濟，黃叔璥提出禁止臺灣米糧出口的主張：

> 雍正元年，巡撫黃叔璥以臺灣之米出口日多，恐其接
> 濟洋盜；或以市價騰貴，慮生事端，奏請禁止。從
> 之。於是漳、泉之民仰食臺米者，大形困苦。[43]

　　黃叔璥以為若任臺灣米氾濫糶運，可能致使米價高漲，
而且採買米穀之商船，如果將米糧接濟海盜，那對臺灣的安
危影響更大。所以嚴禁臺米大量出口，除饑歲不得已時才特
許運米補給。儒家治術的基本要求是以保民養民為施政目
的，尤其當時因朱一貴事件後，為確保民食的來源穩定，如
任意讓臺米無限制移出搬賣將影響臺灣米價，這可說是當時
一種權宜之計。

　　清初臺灣社會救濟措施，包括倉儲制度的建立及實際救
濟等。如災害救濟，除消極地減免錢糧，以減輕人民的負擔
外，更及時採取救助措施，尤其以風災的救助次數最多，此
因臺灣自然環境與人為因素所致。至於震災及水旱災的救

助,亦視情況來補助民眾的損失。[44]一七二一年（康熙六十年）八月十三日發生嚴重颱風,導致臺灣、鳳山、及諸羅三縣的居民遭到莫大損失。這次颱風造成農作物受到相當大的損害,導致糧食的供應不足,因此必須由政府來發放儲糧,以賑災民,及所謂的「發賑」。黃叔璥於《臺海使槎錄》載有此次風災、水災賑恤的內容及詳細數目。其中「賑穀」的目的是官方為使居民免於饑餓,於是對災民發放大口給粟二斗,小口給粟一斗。臺灣縣民五千零五十八口,共賑粟九百三十七石五斗;鳳山縣民八千八百六十七口,共賑粟一千四百八十七石六斗;諸羅縣民八千五百六十六口,共賑一千三百六十五石三斗。[45]房屋倒塌的則一間發放銀一兩,如因屋倒而造成傷亡則大口一口賑銀二兩,小口一口賑銀七錢五分;壓死兵丁照出兵病故,官兵每名賞銀五兩。對於壓斃人口則給予葬銀,倒厝則給與修費銀。這種以銀錢賑恤災民,是最通行的救災措施。[46]以下列出此次颱災救濟的情形:

表四　1721年（康熙六十年）颱災救濟情形一覽表

地域／項目	倒厝	壓斃人口	受賑災民	賑銀
臺灣縣	5881間	38人	5058人	5944.5兩
鳳山縣	3365間	29人	8867人	3419.25兩
諸羅縣	1442間	8人	8566人	1456.75兩
各營兵丁	-	120人	-	600兩
計	10688間	195人	22491人	11420.5兩

資料來源：黃叔璥：《臺海使槎錄》,（臺灣銀行經濟研究室,1957年）,頁89～90

　　由上表看壓斃人口共七十五名，各營兵丁一二〇名，與
倒屋之多相比較，人數似偏少。《平臺紀略》的記載，則
「壓溺死者數千人，浮屍蔽江」，因撰者藍鼎元當時於臺目睹
其事，所記應較切實。又《臺海使槎錄·赤嵌筆談》引《諸
羅縣誌》纂修者陳夢林〈詠鹿耳門即事〉八首，其中「刀劫
火輪萬象凋，黑風紅雨又漂搖」即是描寫此次風災的情形，
並自註云：「八月十三夜，颶風發屋拔木，大雨如注……民
居倒塌無數，營帳船隻十無一存，死傷者千有餘人」[47]。故
上表所列係受賑恤之名額，人民兵丁的實際遭難者，當不止
此數。因傳統地方政府的統計調查技術落後，對於災害的規
模和損害程度的評估仍不精確，因此實際災情顯然應比這些
報告數據來的大。

三、整頓吏治管理

　　由福建抽撥到臺灣的班兵，除了作戰外，平時還須兼差
役、防汛和巡防等任務。[48]有的因遭遇天災而喪命，有的因
水土不服而亡，有的以為一被派往臺灣，即難以回鄉，所以
往往找人替代冒名，也使得在臺兵員時有缺額。兵丁出缺必
須立刻停薪，而將此款充作公費，然而不法的官吏往往不申
報，有的則以居於臺灣的百姓頂補，可省補班的盤費。[49]而
在臺武官為了於發放糧餉時，強加扣留這些故兵的軍餉，以
飽個人私囊，故不即時申報，所以黃叔璥探討兵虛的原因主
要由於「臺地招兵，換名頂替」。[50]並言當時武官即使有召
募遞補新兵的舉動，然應募的多半為市井無賴之徒，有的甚
至只是空名掛籍，含混欺蒙，以為這實為主帥大府的過錯。

黃叔璥於是提出建議：督責總兵要時常清釐兵員，依照編制補足兵員，才得發以糧餉；不得隨意招募未具備兵籍的人，也禁止以頂替虛報隊伍中的士兵，如此虛冒的弊端才可望革除。

　　隊伍中的兵員充足後，接著要注意的是加以整頓訓練的問題。黃叔璥以為應以層層負責為原則，澈底清查器械加以補足，不精良的則加以淘汰，並按期操演。各營將應逐月彙報培訓情形，使士兵與將領互相熟悉，兵器的操作也應要求逐漸熟練。臺灣需守備的地方遼闊，防兵駐紮的汛地，大的駐兵一、二百名或數十名；當時官員未常留在防兵駐紮之處，故發生兵眾聚賭的實情，可說徒有汛防之名，而無守望之實，如此再多的汛地亦難以發揮防衛的功效。[51]

　　半縣添設新縣之議，最先始於《諸羅縣志》總纂陳夢林，他在此書〈兵防志〉總論敘述控制北路的方策云：「宜割半線以上別為一縣，聽民開墾自如，而半線即今安營之地，周原肥美，居中扼要。宜改置為縣治，張官吏，立學校，以聲明文物之盛，徐化鄙陋頑梗之習；嚴保甲之法，以驅雞鳴狗盜之徒。」[52]清廷對臺灣的行政劃分，原沿襲鄭氏時期的一府三縣；然而，不斷湧入的移民，使行政區無法和開拓地並行發展。藍鼎元也以地方治安的維持為理由，建議若將虎尾溪以上至淡水、大雞籠，山後七八百里歸新縣管轄，則北路不致於造成因地方廣闊，而兵卻單薄空虛的情況。[53]這些提議受到黃叔璥與吳達禮的採納，[54]於1723年（雍正元年）諸羅縣半線（今彰化市）分設知縣一員、典史一員，並因淡水為海岸要口，形勢遼闊，故奏請增設捕盜同

知一員。經兵部議覆，將新設縣定名為彰化，南至虎尾，北
至大甲。[55]經奏請清廷而獲准增設。此舉可說將臺灣的行政
區劃分作了一次大幅度的調整，新設彰化縣及淡水廳，另將
澎湖也升格為廳。

　　黃叔璥形容當時的淡水：「在諸羅極北，中有崇山大
川，深林曠野；南連南嵌，北接雞籠，西通大海，東今倚層
巒。計一隅可二百餘里，洵扼要險區也。」[56]其範圍約包括
今日臺北盆地及周圍淺山地區，至於淡水以南的林口臺地和
桃園臺地西北部即稱為南崁，北部沿海地區則稱為雞籠。南
嵌社離港二十里、澹水社則直臨大海、與附近的雞籠社皆分
別設有通事，並向官方繳納社餉。[57]淡水設防的原始動機是
防止淡水成為海盜淵藪，但是因緣際會卻吸引了大批拓墾者
北上。[58]為日後臺北平原拓墾奠定了基礎。陳夢林在《諸羅
縣志‧兵防志》：「今半線以至淡水，水泉沃衍，諸港四
達，猶玉之在璞也。流移開墾，舟楫往來，亦既知其為玉
矣。而雞籠為全臺北門之鎖鑰，淡水為雞籠以南之咽喉，大
甲、後壟、竹塹，水陸皆有險可據，乃狃目前之便安，不規
久遠之至計，增置縣邑防戍，委千里之邊境於一營九百四十
之官兵，一知縣典史巡檢之耳目，使山海之險弛而無備，將
必俟羊亡而始補牢乎？」[59]雍正元年新設彰化一縣及淡水一
廳，彰化縣東以南北投大山麓為限，南以虎尾溪與諸羅縣分
界，北以大甲溪與淡水廳分界；而淡水廳則南自彰化縣界，
北至雞籠（今基隆）。[60]

　　黃叔璥以為高山族與漢人的爭端，「啟釁多由漢人」。
並舉例進一步說明：一為「業主管事輩利在開墾，不論生

番、熟番,越界侵佔,不奪不饜」。拓墾者為求更廣闊的土地,常利用各種方法侵佔;其次為「勾引夥黨,入山搭寮,見番弋取鹿麑,往往竊為己有,以故多遭殺戮。」;再其次「或小民深入內山,抽藤鋸板,為其所害者亦有之。」所以他於1722年(康熙六十一年)提出「凡逼近生番處所相去數十里或十餘里,豎石以限之,越入者有禁。」[61]主張立界絕居民出入,以解決衝突。《臺灣中部碑文集成》提到此碑年代久遠,原碑今已失,在〈未錄碑文存目表〉中列有昔日界碑與今地名的對照:牛相觸山(彰化縣二水鄉)、大武郡山(彰化縣社頭鄉)、內莊山(彰化縣芬園鄉)、張鎮莊(臺中市南屯區)、南日山(臺中縣大甲鎮),俱立石為界。[62]土牛界的畫定為隔離政策的實行,在清初時期,平埔族與漢人雜居於界內,且皆向官納餉。然而漢人仍不斷潛入界內,清廷所預設的界線未能發揮功能。

四、改善沿海防備

黃叔璥以為必須於海上往來查看是否有危害治安的人,才能維護基本的沿海安全,所以水師特別加強巡哨海口;其次為熟悉沙線港澳的形勢,所以也必須從巡海的過程中學習適應臺灣海岸環境,及氣象的變化。所以他提出各分汛調度訓練斟酌變通的辦法:

> 防汛分作幾處,勻作幾班,統以該汛弁目,於本汛鄉莊、市鎮、山口、港隘,分地劃界,巡哨偵探,有事則飛報本營,酌量調遣追捕,無事則遠者一月一換,

近者半月一換，歇班之兵歸營操練；更番戍守，人無
偏勞，聲息可以時通，庶賣汛舊弊，自此絕矣。巡哨
海口，責之水師。遠近島嶼，必明港澳險易叢雜交錯
之區；上下風濤，必察灣泊向背取水風候之所。[63]

　　可知而為了培養武備能力故黃叔璥主張更番戍守，以改
舊弊；並游巡往來，整練於平時，以資備禦。從此觀點看
來，可見黃叔璥著重在平時確實執行訓練的原則。陳璸為臺
廈道時，察覺了臺灣的特殊情況，認為要防海賊，並須剷除
海寇以沿海島嶼、或無人注意的海岸為基地的現象。若由水
師提標和臺澎水師定期會哨，以交旗為驗，則可以消滅賊寇
的老巢，大本營既燬自不能在海上肆虐。[64]陳璸的提議，兵
部立刻准行，即由水師提督五營、澎協二營、臺協三營分駕
兵船，船書本營旗號，每月會哨一次，以交旗為驗。如由西
路去，提標哨到澎湖交旗，澎湖哨至廈門交旗，送交督撫查
驗。[65]

　　《重修臺灣縣志》:康熙六十年兵部奏准:澎湖係臺灣咽
喉，緊要適中之地，移臺灣總兵駐澎湖，陸路改設副將，金
門總兵黃英奏言:『澎湖為臺灣之門戶，今將臺灣總兵移改
澎湖，臺灣設立副將，與水師彼此接應，遙度形勢，盡善之
謀，無大於此。』黃叔璥則反對這樣的作法，他在奏摺上提
到:

臣閱地勢輕重，澎湖雖稱三十六島，居於臺廈之中，
究皆一坏之土，錯落彈丸，除媽宮、八罩略有人煙，

餘悉冷落荒嶼。原設副將，儘堪防守。茲臺灣南北延
袤二千餘里，村莊番社，閭井戶口，不下百餘萬，叢
山深林，最易藏奸，非總兵不足以資彈壓；況安平水
師及南北路副參各員，與臺灣副將職位不相上下，有
事勢必懷各己見，非如總兵可行調度。今若將總兵設
在澎湖，與臺灣懸隔，往來船隻，俱候風時，臺澎水
陸各營，倘有緊急事機，不能朝發夕至。是澎湖固臺
灣之門戶，而臺灣實澎湖之腹心，形勢重於澎湖，關
係沿海各省要害，請將總兵仍設臺灣，庶得居重馭輕
之道，以造海宇無疆之福。[66]

　　黃叔璥在此奏摺中，就臺灣與澎湖的地理形勢，與居民
分佈情形，指出臺灣軍事地位的重要。而臺灣總兵若改以
水、陸副將，則與南北參將官階相當，無法發揮從前總兵指
揮調度的功效。若將總兵移置澎湖，則遇有緊急情況，礙於
颱風等天候因素，常難以立即處理。當時藍鼎元亦代藍廷珍
草擬〈論臺鎮不可移澎書〉，再加上當時提督姚堂亦為陳請
[67]，所以清廷仍照舊制駐劄，未將總兵調離臺灣。

　　清初對大陸來臺灣的人有許多限制，然而人民私渡的情
形頻繁。《臺海使槎錄・赤嵌筆談》中提到當時偷渡來臺，
以廈門為其總路。黃叔璥在「清臺地莫若先嚴海口」疏中，
主張由文武員嚴查海口，各海邊營汛發揮功能，切實執行臺
灣沿海巡察任務。[68]至於近海港口可供哨船出入的有鹿耳
門、南路有大打狗港、北路蚊港、笨港、澹水港、小雞籠、
八尺門。其餘如鳳山大港等可通杉板船，臺灣州仔港等只容

吭仔小船、而枋寮等港口已淤塞，只有小魚船往來。而沿海
暗沙險礁，哨船龍骨難以駕駛，如果改製質輕底平的杉板
舺仔，則因質輕底平，隨波上下，易於巡防，隨處可以收
泊，在內港及外洋皆為適當的運輸工具。[69]這資料同時也顯
現出北起雞籠八尺門（即今基隆港），南迄琅嶠後灣仔（即
今恆春南灣），及東海岸蛤仔蘭（即今宜蘭一帶），都是人民
私渡的地方。

第三節　習俗教化的觀察

一、陋習惡風的觀察

臺灣土壤肥沃，氣候溫和，物產豐饒，使得漢移民生活
富庶。《裨海紀遊》載：「近者海內恆苦貧，斗米百錢，民
多饑色；賈人責負聲，日沸閭閻。臺郡獨似富庶，市中百物
價倍，購者無吝色，貿易之肆，期約不愆；傭人計日百錢，
趑趄不應召；屠兒牧豎，腰纏常數十金，每遇樗蒲，浪棄一
擲間，意不甚惜。」[70]《臺海使槎錄》也引《諸羅雜識》
言：

> 臺地民非土著，逋逃之淵藪，五方所雜處。泉之人行
> 乎泉，漳之人行乎漳，江浙兩粵之人行乎江浙兩粵，
> 未盡同風而異俗。且洋販之利歸於臺灣，故尚奢侈，
> 競綺羅、重珍旨，彼此相倣，即傭夫、販豎不安其
> 常，由來久矣。[71]

《諸羅縣志》亦提到當時社會上男多於女，女好逸樂，不喜紡績。又由於物產多，上下生活侈靡，每月宴會，往往傾家蕩產；即使牧童亦必衣疊綺羅，村姑也粧盈珠翠，社會充滿靡華的風氣。漢族在各村莊都有神廟，為首者稱為頭家。廟即使小，亦須佈置華采，稍有毀壞，即整修。每有慶宴，定擺歡飲，常花費數十緡；在神誕辰日，更須演戲慶祝。二月二日、八月中秋，以慶祝土地神為盛；秋收成後，須設宴演戲，稱之「壓醮尾」。陳設均須華美，時有花費百萬緡的情形。家有喜事，鄉有年會，都有演戲。[72]至於平埔族各社除演戲之外，尚有酣歌、跳舞等聚會活動。

　　《諸羅雜識》曾載當時社會上一些陋習，如：「賭博，惡業也；父不禁其子，兄不戒其弟，挾資登場，叫號爭鬨，始則出於典鬻，繼則流於偷竊，實長奸之囮也。」[73]《臺海使槎錄‧赤嵌筆談》提到：「士夫健卒喜賭博，永夜謹呶呼盧之外，或壓銅前射寶字以賭勝，名曰壓寶。」[74]描繪當時士大夫或各行業的人好賭的情形。〈赤嵌筆談〉也記載臺灣的鴉片館常有群眾聚集，許多人吸一、二次後便上癮。所謂：「暖氣直注丹田，可竟夜不眠。土人服此為導淫具；肢體萎縮，臟腑潰出，不殺身不止。官弁每為嚴禁。常有身被逮繫，猶求緩須臾，再吸一箸者。」[75]生動描繪了吸鴉片煙的慘痛後果，以作為世人的警戒。

二、教化推行的觀察

　　在推動學校教育方面：黃叔璥《重修臺灣縣學碑記》提到初來臺灣巡視之時，正值朱一貴事件後，又遇到大饑荒，

官員眼見學宮在颶風中飄搖，卻無能為力。後周鍾瑄重修臺
灣縣學，並請叔璥題記。文中有關對學校教育宗旨的見解，
錄之於下：

> 璥維學校之設，所以長育人材，一道德、同風俗，教
> 孝、教忠也。學者於此，不能窮其指歸而得其要領，
> 身體而力行之，故父教其子、師勉其弟沉溺於詞章，
> 龐雜於功利、權謀、術數；所謂人材，不可問矣！道
> 德奚自而一、風俗奚自而同？今臺當更化之後，學者
> 蒸蒸然思復於古，知聖賢之所以教人者，其指歸、要
> 領，不過欲人盡力於君臣、父子、夫婦、昆弟、朋友
> 之間。父教其子、師勉其弟，日引日上，庶成篤學力
> 行之君無從以詞章為梯弋科名之具，無或以功利、權
> 謀、術數以流入於不肖之歸，則道德一、風俗同，庶
> 不負國家養士之隆，與賢司牧師旅饑饉之餘拮拮經營
> 之意，實有厚望焉。[76]

從上文分析黃叔璥對教育的看法如下：

㈠黃叔璥認為學校的功能以培養人才為主，他在受儒家
傳統道德教育的影響下，強調學、行並重。講究人倫日用、
綱常關係，期望透過倫理道德的教育，教化百姓、移風易
俗。清代的地方官學，雖受科舉制度的影響，只重制藝試
帖，而於治國人才的培育無甚助益，但對地方的教化，卻仍
具有重要影響。原因即在於府、縣學是士子進身的機構，由
學校培育出來的生員，是地方上的知識分子。生員這一階層

可說是教化地方百姓的媒介，同時也可作為平民的「參照團體」，也就是說一般平民可以依據生員這個團體的行為、準則來發展其個人行為。

　　㈡叔璥批評過於注重詞章的雕琢、沉溺於時文的學風，並抨擊功利、權謀、術數等弊病。他認為五倫之教才是最重要價值觀，尤其學校灌輸「忠」、「孝」的價值觀，即是要透過正式的教育這一途徑，促使個人「社會化」（Socialization）。在《臺海使槎錄》中，黃叔璥也曾提到設立學校的宗旨為「建學明倫，所以正人心、厚風俗。」[77]他強調在學校教育當中，應重視「明人倫」的觀念，便是希望能夠深入人心，成為內化的價值規範，進而有助於人倫關係的穩定，與社會風俗的良善，這就是所謂的「明人倫以善風俗」的旨意。[78]這種重視綱常的倫理觀，實蘊含有「尊卑」的差序關係，易使統治者利用來作為鞏固政權的穩定性，以達到強化尊君的政治目的。

　　臺灣縣、鳳山縣、諸羅縣及彰化縣皆有社學。為使教化能落實，亦於平埔各社建立「社學」，而教材多以儒家經典為主。明清之際的實學教育思潮，亦對理學家空談心性進行猛烈批判，在此基礎上建立了「經世」之學，從「經世致用」的角度審察道德教育問題。這是理論重心的轉移，故稱「實學思潮」或經世之學。他們意識到理學思想之痼疾在於脫離社會現實，脫離活生生的「當代之務」，所學非所用，所用非所學，崇尚清談，不事實學。[79]清初來臺官員多抱持著重「實學」的理念，然而面對世居臺灣的南島語系的居民，卻以「生番」、「熟番」來稱呼，仍不離以教化來安撫異族的

文化觀。

　　清廷在平埔族聚居地所普遍設立的社學，使得當時在臺
的官吏或文士，都可感受到琅琅的讀書聲。如〈番俗雜詠〉
第二十四首「漢塾」，透露黃叔璥的文化優越感：「紅毛舊
習篆成蝸，漢塾今聞近社皆；謾說飛鴉難可化，泮林已見好
音懷。」[80] 至於平埔族在荷治時期，曾自荷蘭傳教士學得以
羅馬音來標注的「新港文書」，這種以削鵝毛管沾墨橫向書
寫，字形與古蝸篆相彷，至清治時期仍於民間流傳著。而由
於荷蘭已失去政治勢力，其文化影響力又為漢文化所取代，
平埔族自十七世紀以來所面臨文化適應的頻繁可想而知。

注 釋

[1] 二程注重「人事」，提倡「務實行」的思想，還體現在他作官任職的
　實際行為中，如程顥在做官時對水利建設等民生事務，總是身體力
　行，盡心去興辦。葛榮晉：〈實學是什麼〉，《國文天地》第6卷5
　期，1990年10月，頁79．；余光貴：〈二程與明清之際的實學思
　想〉，《中州學刊》1988年第6期，1988年11月，頁62～65。

[2] 古清美：〈清初經世之學與東林學派的關係〉，《孔孟月刊》24卷3
　期，1985年11月，頁44～51。

[3] 顏元：《存學編》，（上海：上海商務印書館，1936年），（叢書集
　成初編112），卷一，頁8。顏元既重實務，則工農水利，禮樂兵
　防，可因時制宜，以求應用，所以顏學本身，即當具有變通趨時的
　精神存在；然顏元以「六府」、「三事」、「三物」等上古之事，取
　為號召，回歸舊典，以古為師，透露出其理論的基本限制。參考胡
　楚生：《清代學術史研究》，（臺北：臺灣學生書局，1988年2

月），頁122。

4 梁啟超：《中國近三百年學術史》（臺北：里仁書局，1995年2月），頁1～2。

5 顧炎武：《原鈔本日知錄》，卷九〈夫子之言性與天道〉（臺北：明倫出版社，1970年10月）三版，頁196。

6 中央研究院歷史語言研究所（1972）：明清史料（戊編，第一本），頁21。

7 藍鼎元：《平臺紀略》，（臺北：臺灣銀行經濟研究室，1951年），臺灣文獻叢刊14種，頁1～8。

8 《臺海使槎錄·赤嵌筆談》，引《平臺異同》，頁87～88。《平臺異同》原書疑佚，參見本論文第四章第二節所論。

9 藍鼎元：《平臺紀略》，頁5。

10 《臺海使槎錄·赤嵌筆談》，頁37～38。

11 藍鼎元：《東征集》，（臺北：臺灣銀行經濟研究室，1951年），臺灣文獻叢刊12種，頁6；《平臺紀略》，頁29。

12 王必昌：《重修臺灣縣志》，（臺北：臺灣銀行經濟研究室，1961年），頁546～547。

13 張明雄：〈康熙年間清廷治臺政策及其檢討〉，《臺北文獻》直字第74期，1969年，頁68～77。

14 《清聖祖實錄選輯》，康熙六十年十月初五條，（臺北：大通書局，1987年），頁175。

15 莊金德：〈巡臺御史的設立與廢止〉，《臺灣文獻》16卷1期，1965年3月，頁53～54。

16 清監察御史的職掌本具有：「巡省風俗，釐察行弊，考覈稽違，凡地方興革事宜，及吏治民情，皆以實採訪而入。」的功能，參見

《清朝通典》，（臺北：華文書局，1963年），頁2178。

17 藍鼎元：《平臺紀略》，（臺北：臺灣銀行經濟研究室，1951年），
頁26。

18 《南征記程》康熙六十一年正月二十一日記載：殷達里、莫爾洪、
柴謙、叔璥四名列入巡臺御史考慮名單中，錄於《四庫全書存目叢
書》，頁528。

19 莊金德：〈巡臺御史的設立與廢止〉，《臺灣文獻》16卷1期，
1965年3月，頁53～54。又巡臺御史依其權任和派遣方式，可分為
康熙六十年到雍正初年「初設巡察」時期、雍正五年以後「兼理學
政」期，巡察御史此時又兼主歲、科兩試，前兩期可說是權大位重
時期。而自乾隆十七年後的「三年一巡」期、改成「三年一蒞，半
歲則回」，且以批閱公牘、查盤倉庫、閱視軍伍，周巡南北疆圍為
主，巡臺御史已漸淪為例行性巡差，難以深入發掘問題。乾隆三十
年再改為「因時酌遣」，更無法發揮往昔功能。何孟興：《清初巡
臺御史制度之研究》，（臺中：東海大學歷史語言研究所碩士論
文，1989年5月），頁207～208。

20 劉良璧：《重修臺灣府志》，1961年，頁350。

21 藍鼎元：《東征集》，《臺灣文獻叢刊第12種》，（臺北：臺灣銀行
經濟研究室，1951年2月）頁19。

22 藍鼎元：《東征集》，卷三，頁33。

23 藍鼎元：《東征集》，頁33～34。

24 《臺海使槎錄》，頁92。

25 《重修福建臺灣府志》卷十九〈雜記・祥異〉頁476，《重修臺灣
府志》卷十九〈雜記・災祥〉頁558，《續修臺灣府志》卷十九
〈雜記・災祥〉頁660。

26 《臺海使槎錄》，頁167。

27 《臺海使槎錄》，頁110。

28 《臺海使槎錄》，頁53。

29 《臺海使槎錄》，頁129。

30 連橫：《臺灣通史》，（臺北：眾文圖書公司，1978年2月），頁694。

31 《臺海使槎錄·赤嵌筆談》，頁62。

32 《臺海使槎錄·赤嵌筆談》，頁3。

33 范咸：《重修臺灣府志》，（臺北：臺灣銀行經濟研究室，1961年11月），頁140。

34 《諸羅縣志》亦提到：「舊例歲一給牌，通事以社之大小為多寡自百金而倍蓰之，曰花紅。不者，則易其人。」周鍾瑄：《諸羅縣志》，（臺北：臺灣銀行經濟研究室，1962），頁140。

35 《臺海使槎錄》，頁165。

36 范咸：《重修臺灣府志》，（臺北：臺灣銀行經濟研究室，1961年11月），第五冊，頁760。

37 《臺海使槎錄》，頁21～22。

38 《臺海使槎錄》，頁23。

39 藍鼎元：《平臺紀略》，（臺北：大通書局影印臺灣文獻叢刊14種，1987年），頁55。

40 《臺海使槎錄》，頁7。

41 《臺海使槎錄》，頁23。

42 《宮中檔》康熙朝奏摺第九輯，（國立故宮博物院，1977年），頁303～306。

43 連橫：《臺灣通史》卷二十七，〈農業志〉，頁649。

44 黃秀政：《清初臺灣的社會救濟措施》，《臺北文獻》33 期，1975
年9月，頁143～154。

45 黃叔璥：《臺海使槎錄》，頁89～90。

46 曹永和：《臺灣早期歷史研究》，（臺北：聯經出版社，1997年10
月初版6刷），頁413～414，442～443。

47 黃叔璥：《臺海使槎錄》，頁89～90。

48 許雪姬：《清代臺灣武備制度的研究——臺灣的綠營》，（臺灣大
學歷史學研究所博士論文，1982年），頁317～320。

49 許雪姬：《清代臺灣武備制度的研究》，頁342。

50 《臺海使槎錄》頁37。

51 《臺海使槎錄》頁37～38。

52 周鍾瑄：《諸羅縣志·兵防志·總論》，（臺北：臺灣銀行經濟研
究室，1962），頁112。

53 藍鼎元：《東征集》，頁84。

54 「雍正元年，巡察吳達禮，黃叔璥摺奏：割諸羅虎尾溪以北增設縣
一；奉旨應允，賜名曰彰化。」劉良璧：《重修福建臺灣府志》，
（臺灣銀行經濟研究室，1961年3月），頁40。

55 《清實錄——臺灣史資料專輯》，（福建人民出版社，1993年），
頁96。

56 《臺海使槎錄》，頁8。

57 〈番俗六考〉，頁134～135。

58 尹章義：《臺灣開發史研究》，（臺北：聯經出版公司，1989年12
月），頁48。

59 周鍾瑄：《諸羅縣志·兵防志·總論》，（臺北：臺灣銀行經濟研
究室，1962），頁114。

60 伊能嘉矩：《臺灣文化志》上冊，頁193～194。

61 以上各段引文出自《臺海使槎錄》，頁167。此段文字亦見於余文儀《續修臺灣府志‧風俗（四）》，（臺文叢62種，1962年4月），頁579～580；王瑛曾《重修鳳山縣志‧風土志》（臺銀本，1962年12月），頁63。

62 《臺灣中部碑文集成》，（臺灣銀行經濟研究室，1962年）附錄「未錄碑文存目表」，頁165。

63 《臺海使槎錄》頁38。

64 趙爾巽等編：《清史稿‧列傳》，卷六十四，有關陳璸的記載，頁10092。

65 崑岡：《欽定大清會典事例》，卷六三二，〈綠營處分例‧外海巡防〉，（臺北：啟文出版社，1953年1月），頁13396。

66 《臺海使槎錄》，頁30～31。周元文：《重修福建臺灣府志》，（臺灣銀行經濟研究室，1960年），卷十「兵制」，頁315。

67 藍鼎元：《東征集》，《臺灣文獻叢刊第12種》，（臺北：臺灣銀行經濟研究室，1951年2月）卷四，頁46～47。

68 《臺海使槎錄》，頁33。

69 《臺海使槎錄》，頁34。

70 郁永河：《裨海紀遊》，頁30。成書於康熙三十五年的高拱乾《臺灣府志‧風土志》描述當時臺灣民風漸趨奢華侈靡的現象：「間或侈靡成風，如居山不以鹿豕為禮，居海不以魚為禮，家無餘貯而衣服麗都，女鮮擇婿而婚姻論財。人情之厭常喜新，交誼之有出鮮終，與夫信鬼神或浮屠，好喜劇、競賭博，為世道人心之玷。」高拱乾：《臺灣府志》，（臺北：臺灣銀行經濟研究室，1960年2月），頁186～187。

71 《臺海使槎錄・赤嵌筆談》所引《諸羅雜識》，頁43。《諸羅雜識》
原書疑佚，參見本論文第四章第二節所論。

72 周鍾瑄：《諸羅縣志》，頁146。

73 《臺海使槎錄》所引《諸羅雜識》，頁39。

74 《臺海使槎錄》，頁43。

75 《臺海使槎錄》，頁43。

76 《重修福建臺灣府志》錄有黃叔璥《重修臺灣縣學碑記》，明載寫
於雍正二年，當是成於八月前回京過杭州之時。此文收錄於《重修
福建臺灣府志》，頁555～556。

77 《臺海使槎錄》頁44。

78 林孟輝：〈清代臺灣「儒學」的教育宗旨析論〉，《孔孟月刊》37
卷8期，1999年4月，頁12～13。

79 黃書光：〈論明末清初實學思想家對理學教育思想的批判與改造〉
（上），《鵝湖月刊》第一九卷第一二期（1994年6月），頁19。

80 《臺海使槎錄》，頁177。

第四章

《臺海使槎錄》
成書始末及取材來源

第一節 《臺海使槎錄》成書過程

　　《臺海使槎錄》呈現出黃叔璥對臺灣多元文化的觀察，從《臺海使槎錄》成書過程逐層分析，正可說明這本書成為臺灣重要文獻的內在緣由。

一、廣泛蒐羅清治初期臺灣文獻

　　黃叔璥對歷史文獻的蒐羅極為重視，當他獲知即將就任巡臺御史一職時，即對散見在地理類等典籍中有關臺灣的記載，隨時加以蒐羅採擇。他在《臺海使槎錄・自序》中提到：

> 臺灣自康熙癸亥始入版圖，重洋絕島，職方不紀，初無文獻足以攷信。余休沐之暇，凡古今人著述有散見於地理、海防、島夷諸傳記者，遐蒐博采，悉為擷拾。[1]

　　清代以前漢語典籍對臺灣的記載多零星而簡略，如元·馬端臨《文獻通考》、清·顧祖禹《讀史方輿紀要》等書對臺灣的瞭解亦有限。而從1683年（康熙二十二年）清治時期開始，漸有流寓官員及文人將實際觀察所得記錄下來。這些清初文獻多流露出以漢人為中心的價值觀，然而如郁永河的《裨海紀遊》及周鍾瑄主編的《諸羅縣志》、藍鼎元《平臺紀略》等書，因保存許多史料，所以至今仍為史學界所重視。黃叔璥從京師來臺途中，即留心蒐集這些與臺灣有關的古籍，在所著《南征記程》中提到：1722年（康熙六十一年）三月十七日，自友人鄒華豫太史獲贈《季麒光集》；在同年的三月二十六日，另一位友人王素臣也將《府志》送予黃叔璥，以供給他瞭解臺灣人文環境的參考。[2]季麒光為進士出身，1684年（康熙二十三年）就職首任諸羅知縣，平日博涉群書，極富文才；曾於1685年編修《臺灣郡志稿》，後即因母憂而離臺，經蔣毓英編修而成書，此即是學界所稱的《臺灣府志》（《蔣志》）。此書包含山川、風物、戶口、土田等體例，而後修於1696年（康熙三十五年）高拱乾的《臺灣府志》，也是參考《臺灣郡志稿》編纂而成[3]，可知此書在臺灣官修方志史上的重要性。

　　黃叔璥來臺後，更藉具體的行動來表示關心臺灣文獻保存情形。〈赤嵌筆談·雜著〉提到：

　　　郡縣志藝文，榆林高拱乾〈臺灣賦〉率藉中土景物渲
　　　染，似不足以形容。無錫季麒光所著〈客問〉，獨不
　　　作泛設語，頗極臺地山川物產之勝；諸志略而不載，

節錄數則於左。[4]

　　刊刻於1695年（康熙三十五年）高拱乾主修的《臺灣府志‧藝文》中，錄有高拱乾〈臺灣賦〉，黃叔璥認為這篇長賦，多以駢語虛詞渲染景物，未能實際反映臺灣的山川物產；反觀季麒光數首風土詩，則多真切描繪在臺期間實際觀察所得。然而各種方志卻未選錄季麒光的詩，於是節錄了其中六則載於〈赤嵌筆談〉中。如第二首言：「鹿耳當海外之咽喉，半線為內山之鎖鑰。」[5]即簡要說明鹿耳門與半線（今彰化市）地理位置的重要。又如第五首列舉檜木等數十種參天大樹，並形容森林「莫不枝覆層岡，幹依連麓；……山則不童，地鮮不毛，土之良也。」[6]更是美麗之島蒼翠翁鬱的寫實地貌。

　　黃叔璥還注意到多首蘊含的史料價值的竹枝詞、風土詩，如郁永河《裨海紀遊》、孫元衡的《赤嵌集》中所錄即是極具特色的文獻資料。從《臺海使槎錄‧番俗雜記》附載孫元衡十五首〈裸人叢笑篇〉、〈秋日雜詩〉三首，郁永河〈土番竹枝詞〉二十四首看來，可知黃叔璥對風土詩的蒐羅與重視的程度。又如1716年（康熙五十四年）來臺任北路營參將的阮蔡文，曾以〈大甲婦〉、〈後壠〉、〈竹塹〉等風土詩，描寫居於今臺中大甲、苗栗後龍、及新竹市等地，有關平埔族中的道卡斯族（Taokas）的風土民情。[7]這些詩歌亦多為後世方志中的藝文志所收錄。至於書中有關臺灣的史料，如《東寧政事集》、《平臺異同》、《諸羅雜識》的摘錄，亦顯現出黃叔璥廣博的治學精神。

二、巡臺記錄與訪查

　　黃叔璥整理蒐羅到的臺灣文獻時，見到有些疏略不備、
或傳聞失真的情形，於是興起寫作《臺海使槎錄》的動機。
1808 年（嘉慶十三年）吳錫麟為《臺陽筆記》題序時說
到：「臺灣自本朝康熙間始入版圖，又孤懸海外，詞人學士
涉歷者少；間有著為書者，如：季麒光《臺灣紀略》、徐懷
祖《臺灣隨筆》，往往傳聞不實，簡略失詳。唯藍鹿州太守
《平臺紀略》、黃崑圃先生《臺海使槎錄》，實皆親歷其地，
故於山川、風土、民俗、物產，言之為可徵信。」[8]因巡臺
御史的任務之一是到各地巡視，所以黃叔璥觀察到臺灣自然
山水的奇特，也目睹原住民的生活習慣，及清初移民社會的
風俗。他不但記載了臺灣特產的花果、物種與環境的密切關
係，若遇及不甚了解處，則詢問多人後再登錄於書中。並曾
選擇二十餘種，要求畫工將這些特產畫下來；再考證其種
類，仔細辨別其色味。這些圖中所畫的二十幾種花果多是大
陸內地所沒有的，可惜今圖與考皆失傳。[9]

　　至於《臺海使槎錄》的寫作方向、取材原則為：「就郡
縣牒牘所狀，歲時巡歷所及，輒寓筆書之。其山川、人物，
志乘已詳，不復備列。」[10]清初臺灣各方志所涵蓋的條目包
羅萬象，尤其對境內的每一高山、河川，及人物列傳都詳細
記載。黃叔璥決定不再重覆這些固有的題材，而想要於書中
表現出異於方志的特色。舉例而言，當他離開臺灣府城至各
地巡行時，觸目所見多是平埔族，而那時各社仍大多保有傳
統的語言、服飾、及風俗特色，引發起黃叔璥記錄平埔族生

活圖象的動機。尤其各方志對遍居臺灣各地的平埔族，敘述極為簡略，這更促使他計劃於書中呈現各社的獨特風格。雖然從目前已見的文獻中，難以確知當時如何進行大規模的田野調查，不過就題材的廣泛度看來，除了巡臺御史親自的觀察、採訪外，應得力於多位官吏、文士的協助[11]，才產生出〈番俗六考〉及〈番俗雜記〉分類記錄臺灣原住民社會文化的成果。

三、采錄民間諺語歌謠

在巡臺的期間，黃叔璥也留心蒐羅各地歌謠、俗諺、童謠，這些歌謠是民間在實際生活中概括出來，在簡短的語句中，蘊含傳統習俗的菁華與生活智慧。黃叔璥還將這些生動的語言應用於文章中，使得他的散文更豐富多采，更富於表現力。如在〈赤嵌筆談〉「形勢」一目提到：

> 安平、七鯤身，環郡治左臂；東風起，波浪衝擊，聲如雷般。諺云：「鯤身響，米價長」；謂海湧米船難於進港。[12]

「七鯤身」為安平城旁由沙岡組成的七個小島，當浪濤洶湧，拍擊如雷的聲響時，載米的船難以於港灣行駛，如遇及颶風，更使船期延誤，而造成米價的高漲。又如在「風信」一目中提到觀察天候的情形：「諸山煙靄蒼茫；若山光透露，便為風雨之徵。又饑鳶高唳，海雀驚飛，則踰日必風。」黃叔璥並舉出「冬山頭，春海口」[13]的民間諺語，說

明如果在冬天晚上觀看東方山頭，或在春天晚上察看西方海口，若出現黑雲，則是將下雨的徵候。這些諺語正展現了民眾的生活經驗。此外，〈赤嵌筆談〉還提到朱一貴於1721年（康熙六十年）五月攻陷府城，佔領全臺後，即建號「永和」，然於六月即遭清軍大舉鎮壓而解散。所謂：「童謠有云：『頭戴明帽，身穿清衣；五月永和，六月康熙。』」[14]打著明代後裔的朱一貴在建號後分封將領時，因無朝服可穿，於是劫取戲場的服飾，炫耀於街市。並出現「戲衣不足，或將桌圍、椅背有綵色者披之；冠不足，或以紅綠綢紵色布裹頭，以書籍絮甲。」[15]的奇特景觀。

平埔族於祭典時，常聚集社民暢飲，到酒酣時則相攜而舞，並一面高唱部落所傳的歌謠。《臺海使槎錄》在臺灣文學史上的一大意義，即在於大量采錄平埔族的歌謠。黃叔璥指稱每首歌謠的方式為：先寫出采集地的社名，再附加上歌謠的內容、性質而命名。如「諸羅山社豐年歌」，即指出了此首原為洪雅族的諸羅山社（今嘉義市）的歌謠，而其性質則屬祝年歌，多有祈求年年豐收的作用。

以下依張耀錡《平埔族社名對照表》中的資料，以呈現〈番俗六考〉所采錄平埔族各社歌謠的情形：（參見表五）

表五 〈番俗六考〉采錄平埔族歌謠一覽表

族稱	社名	約處今位置	歌謠名稱
Siraya 西拉雅族	新港社	臺南市	別婦歌
	蕭壠社	臺南北門	種稻歌
	麻豆社	臺南麻豆	思春歌
	灣裡社	臺南新化	誠婦歌
	大傑巔社	高雄岡山	祝年歌
	大武壠社	臺南大內	耕捕會飲歌
	上澹水社	屏東萬丹	力田歌
	下澹水社	屏東萬丹	頌祖歌
	阿猴社	屏東市	頌祖歌
	搭樓社	屏東里港	念祖被水歌
	茄藤社	屏東東港	飲酒歌
	放𫝏社	屏東林邊	種薑歌
	武洛社	屏東里港	頌祖歌
	力力社	屏東東港	飲酒捕鹿歌
Hoanya 洪雅族	哆囉嘓社	臺南新營	麻達遞送公文歌
	打貓社	嘉義民雄	番童夜遊歌
	諸羅山社	嘉義市	豐年歌
	大武郡社	彰化員林	捕鹿歌
	二林社 (注1)	彰化北斗	納餉歌
	南社	雲林崙背	會飲歌
	他里霧社	雲林斗南	土官認餉歌
	斗六門社	雲林斗六	娶妻自誦歌
	南投社、北投社	南投市、南投草屯	賀新婚歌
Babuza 巴布薩 （貓霧捒）族	東螺社、西螺社	彰化埤頭、雲林西螺	度年歌
	阿束社	彰化市	頌祖歌
	半線社	彰化市	聚飲歌
Papora 拍瀑拉 （巴布拉）族	大肚社	臺中大肚	祀祖歌
	牛罵社、沙轆社	臺中清水、臺中沙鹿	思歸歌
	貓霧捒	臺中市南屯	男婦會飲應答歌

Taokas 道卡斯族	崩山八社 (注2)	臺中大甲， 苗栗苑里、通霄	情歌
	後壟社 竹塹社	苗栗後龍 新竹市	思子歌 土官勸番歌
Ketagalan 凱達格蘭族	滬水各社 (注3)	臺北淡水一帶	祭祀歌

(注1) 〈番俗六考〉於「北路諸羅番三」所稱的「二林、馬芝遴、貓兒干、大突四社納餉歌」，實包含屬於洪雅族的二林社（彰化北斗）、貓兒干社（雲林虎尾）、大突社（彰化員林）及巴布薩族的馬芝遴社（彰化鹿港）等地。

(注2) 「崩山八社」指的是大甲東社、大甲西社、南日社、雙寮社（以上皆近臺中大甲一帶），宛里社、貓盂社、房裡社（以上皆近苗栗宛里），吞霄社（苗栗通霄）。

(注3) 「滬水各社」可能指的是「北路諸羅番十」所稱的滬水、內北投、麻少翁、武嘮灣、大浪泵、擺接、雞柔等附滬水納餉的六社。

　　〈番俗六考〉未見Kavalan（噶瑪蘭族）、Pazeh（巴則海族）等地的歌謠，[16]可能因漢人較晚與這些部落接觸，故於清治初期的文獻中較少記載。現今所存清末平埔族貓霧捒社的祭祖歌的手鈔本中，曾對社眾發出勿將自己的語言日漸遺忘的警言。[17]〈番俗六考〉與清代後期方志中比較起來，多采錄充滿飲宴歌舞氣氛的歌謠數量多，較少呈現晚期歌謠中所流露的哀情。[18]表五中所列歌謠因采錄時未明確注明其應用的場合，漢人所加的歌名，不一定能反映出其真正的意涵。這些抒情歌、頌祖及祭祖歌、飲酒歌、耕獵歌、祝年歌等多種用途的民間歌謠，與居民生活結合極為緊密。此外，納餉歌、土官認餉、麻達遞送公文歌等，亦呈現平埔族傳統

生活形態多被迫改變的情況。

四、《臺海使槎錄》寫作時間考

在〈赤嵌筆談〉「賦餉」一目曾提到：「余奏准半線分設彰化縣，尚在經理，故仍三縣之稱。」[19]清廷於1723年（雍正元年）八月才下令在諸羅縣北側半線地方，另設一彰化縣，從書中仍以鳳山、臺灣、諸羅三縣稱名，可見此段應是1723年（雍正元年）八月以前的記錄，而《臺海使槎錄》應是黃叔璥在離臺前就已開始著手撰寫。如果再就《臺海使槎錄》寫於1724年（雍正二年）仲春的序來看，黃叔璥於是年八月卸任離臺，可知寫於二月的序也是在離臺前就已完成了。

現今所見的八卷本，有幾處是在離臺之後補入的，如〈朱逆附略〉一節末段提到他觀察到朱一貴事件後「閩粵衝突」產生的原因，並提出具體作法。然而於此段最後一句卻補充說：「尋被誣就質於杭，不果。」1724年（雍正二年）八月黃叔璥離臺回京時，路經杭州，受人誣告，而後在杭州黃叔琳的府署，靜待審訊，直到1725年（雍正三年）五月結案才得回北京。可見「閩粵衝突」這一節的補充，或在杭州待訊時所記，或是於大興縣老家閒居時才補充的。另外，在〈赤嵌筆談〉「雜著」一目中，說到他命人所繪的花果圖時言：「華亭吳太史王坦、陸大學榮秬、崇明柏太史謙，展圖題句」。而在〈番俗雜記〉又附有呂謙恒〈題同年黃玉圃番社圖〉、及陸榮秬〈題黃侍御番社圖〉的詩句。吳王坦、陸榮秬、柏謙、呂謙恒，都未曾來臺灣，他們於雍正初年多

在北京，可能是黃叔璥將這些圖帶回北京故居，讓友朋觀賞後而據以題詩。八卷本的《臺海使槎錄》可能也是在這時補充及整理定稿的。[20]

黃叔璥不僅親身到各地的巡視，實際觀察到這塊土地的多元文化；也參考當時相關的文獻記錄，對臺灣的歷史及文物作一鳥瞰。更值得一提的是他與多位官員文士、及當地居民進行訪談所得，分門別類的記錄下來，為臺灣文獻史上增添不少寶貴的歷史資料。

第二節　《臺海使槎錄》取材來源分析

黃叔璥在臺期間，也如同一些方志的編纂者一樣，親身訪察地方風俗，並參考文獻記錄，編成專著，以備後世采風者之參考。而他在蒐羅有關臺灣文獻，更可見其保存史料的用心，及平日涉獵的廣泛。《臺海使槎錄》援引的書籍種類繁多，黃叔璥除蒐羅有關臺灣的方志外，更將一些記載典章制度的書、筆記文集、小說納入參考。不但保存了若干文獻，也顯現其廣博的治學態度。以下先將《臺海使槎錄》引用的書籍列於表六，再分析此書取材情形：

表六　《臺海使槎錄》引用書籍統計表

類別	書名	引用次數	現存情形	編著者
方志	諸羅縣志	10	存	（清）周鍾瑄主編
	臺灣府志	3	存	（清）蔣毓英編
	鳳山縣志	2	存	（清）陳文達主編
	福建海防志	1	疑存	
	廣東志	4	疑存	
地理	裨海紀遊	12	存	（清）郁永河著
	諸羅雜識	7	疑佚	
	臺灣隨筆	2	存	（清）徐懷祖著
	閩小紀	2	存	（清）周亮工著
	島上附傳	1	疑佚	
	臺灣紀略	1	存	（清）林謙光著
	玉堂薈記	1	存	（明）楊士驄著
	讀史方輿紀要	1	存	（清）顧祖禹著
政論	東寧政事集	6	疑佚	
	理臺末議	5	疑佚	
	按閩摘略	3	疑存	（明）路振飛著
	平臺異同	1	疑佚	
	東征集	1	存	（清）藍鼎元著
	平臺紀略	1	存	（清）藍鼎元著
文物	文獻通考	1	存	（元）馬端臨著
	圖書編	1	存	（明）章潢著
	談薈	1	存	（明）涂鏡著
	博物志	1	存	（晉）張華著
	西溪叢話	1	存	（宋）姚寬著
	南州異物志	1	疑佚	
	靖海紀	1	存	（清）施琅著
逸聞	居易錄	3	存	（清）孫承澤著
	香祖筆記	2	存	（清）王士禎著
	池北偶談	1	存	（清）王士禎著

	蓉洲文稿	1	存	（清）季麒光著
	臺陽運會編	1	疑佚	
	客問	1	存	（清）季麒光著
	樵書	1	存	（明）來集之著
逸聞	名山藏	1	疑存	（明）何喬遠著
	春明夢餘錄	1	存	（清）孫承澤著
	外紀	1	存	（清）陳小崖著
	勞之辨集	1	疑佚	
	異苑	1	疑佚	
	三藩紀事本末	1	疑存	（清）楊陸榮著
詩集	赤嵌集	3	存	（清）孫元衡著

上表所列書名，為《臺海使槎錄》各段引文下標明的出處。若於臺灣各大圖書館可見的書，則記為「存」；若可能仍存於世，並多次於各書引用，則記為「殘存」；而未見者則記為「疑佚」。茲分類列舉其中與臺灣文化有關的重要書籍於下：

一、方志類

方志因包含了歷史沿革、政治、社會、經濟、天文、地理、宗教、文藝等內容，可說是固定區域的百科全書。方志源遠流長、數量多、分布廣，然作者因著述條件和一己的能力、見識來撰寫方志，因此，方志不僅卷帙規模懸殊，水準良莠不齊，甚至體例亦因時、地、人而異，內容也各有詳略偏頗。[21] 清治時期臺灣官吏與士紳不乏以認真、負責的態度修成「良志」，作為後世的表率；更重要的是臺灣為初闢的地方，官員認為方志攸關治道，他們汲汲於修志，也是為了

行政上有所依據，不敢怠忽。[22]今存第一部刻本的臺灣方志約刊刻於1686年（康熙二十五年），即首任臺灣知府蔣毓英所修的《臺灣府志》[23]。1717年（康熙五十六年）《諸羅縣志》告成，1719～1720年（康熙五十八、五十九年）鳳山、臺灣兩《縣志》先後完稿。三縣縣志較詳盡的記載了漢人移墾區內的生活特性，這或許與1704年（康熙四十三年）鳳山與諸羅兩縣的歸治有很大的關係，在這些縣府官員的實際接觸縣民後，較能掌握南北兩路漢人社會的動態。[24]1714年（康熙五十三年）周鍾瑄因覺得《臺灣府志》簡略，而且當時諸羅縣的範圍廣闊，文物制度日益繁雜，於是迎聘陳夢林來臺主持纂修縣志大事。[25]《諸羅縣志》勤於採訪，取材文獻多樣宏富，每有引述必註明資料來源。每篇「撮其要於篇首」，文中有按語，全志中「論曰」、附記、按語、撮要與正文多條分履析，至於「別見」、「附見」、「詳見」、「互見」分合之法，綱舉目張有條不紊，體例謹嚴。

　　《臺海使槎錄》引用次數的多寡看來：黃叔璥最常引用的方志為《諸羅縣志》，統計共引用十次，約占引用總次數的12.66%。《諸羅縣志》初編於1716年（康熙五十五年），距《裨海紀遊》十九年，從書中可找到許多有關臺灣古地理記錄；更由於當時諸羅縣平埔族所占的人口仍多，因此風俗志用過半數的篇幅記載風俗，這部早期實錄志書，對後世方志影響深遠。

二、地理類

　　《臺海使槎錄》引用的次數最多的專書為《裨海紀遊》，

共十二次，統計約占全書引用總次數的15.19%。《裨海紀遊》的作者為郁永河，他曾於1697年（康熙三十六年）來臺採硫，書中主要以遊記方式呈現所見所聞，除具體描繪所經陸路的自然地理形勢外，於各地的風土民情也有詳細記錄，作者並於字裡行間抒發個人對當時社會的評論。此書除〈採硫日記〉外，還包含〈番境補遺〉、〈海外紀略〉、〈偽鄭逸事〉等篇章，實為研究清初臺灣不可缺少的重要文獻。《裨海紀遊》此書與清初林謙光《臺灣紀略》、及徐懷祖《臺灣隨筆》兩書比較起來，更顯現出「實錄」的價值，所以為黃叔璥大量引用。

三、政論類

藍鼎元的《東征集》與《平臺紀略》為清初政論的代表作。1721年（康熙六十年）統帥藍廷珍來臺處理朱一貴事件，《東征集》為其弟藍鼎元運籌帷幄時所著；而後再由藍廷珍加以彙編付印成書。書中內容多為公檄、書稟、條陳及紀臺地形勢勝景、原住民各社事宜等文章。藍鼎元另一本著作《平臺紀略》則為治臺政策的議論，他於書中對應增設彰化、淡水等郡縣的主張，受到巡臺御史黃叔璥與吳達禮兩人採納，並經奏請而使臺灣行政區的劃分有了重大的改變。

至於《東寧政事集》、《諸羅雜識》、《理臺末議》，皆為修志的重要資料，然今未見這些書的刊本，清代方志、文獻引用時，多是從《臺海使槎錄》轉載。《東寧政事集》記述鄭氏時期在武備、經濟、司法上的掌控，從書中的治臺政策，可想見平埔族在殖民政策下的處境；《臺海使槎錄》轉

錄此書有關甘蔗的種植與蔗糖的生產情況，顯現出臺灣農產的一大特色。另一本常被引用的政論集為《理臺末議》，包括地理形勢、武備軍事的觀察，治理原住民、及閩、粵移民的政策等內容。此書提及對付原住民的兩種方法：一為斷絕山中居民取鹽的途徑，嚴加控制這項日常生活的必需品；一則以火焚山，以澈底摧毀其聚居地。如此「生之殺之，其權在我，土番豈能為吾患乎」[26] 的視角，正透露出統治者蔑視人權的機心與霸道。《理臺末議》與《平臺異同》皆曾敘述到朱一貴事件，所以應是康熙六十年後才成書的。

此外，黃叔璥除引用古籍外，亦自下按語加以進一步說明。如於〈赤嵌筆談〉「原始」一目引《文獻通考》後，所加的按語為：「彭湖東南即今臺灣，其情狀相似，殆即毘舍耶國也。」[27]《文獻通考》裡的「毗舍耶國」，亦為近世研究臺灣史的學者，認為可能是現在的臺灣，而引起多方討論。[28] 黃叔璥也從野史、逸聞中摘錄有關臺灣風俗、物產的記載，又取孫元衡《赤嵌集》，以補充對物種的註解。至於任北路參將阮蔡文的〈詠大甲婦〉、〈後壠〉、〈竹塹〉三首詩歌，皆是樸拙的古風，黃叔璥於〈番俗六考〉「附載」一目轉載這三首全文[29]，正可補充說明道卡斯族當時的地理人文景觀的特色。而《諸羅縣志》編纂者之一的陳夢林，著有〈鹿耳門即事〉八首，並附有詳註。黃叔璥以為此能補充朱一貴事件發生的經過情形及其影響，所以將這八首幾首詩及陳夢林自註，全收錄在〈赤嵌筆談〉中，以供治史者與藍鼎元《東征集》、《平臺紀略》、蔡芳《平臺始末》、黃耀炯《靖臺實錄》作一對照、查考。

第三節 《臺海使槎錄》的版本

一、臺灣現存版本

㈠乾隆元年傳刻本

此版本書首亦有1736年（乾隆元年）仲秋會稽魯曾煜所題的〈序〉，其次錄有各卷詳細目次，及黃叔璥於1724年（雍正二年）仲春自題的〈序〉。全書共八卷，卷一至卷四為〈赤嵌筆談〉、卷五至卷七為〈番俗六考〉、卷八為〈番俗雜記〉。書頁上有「內田文庫」、「臺灣總督府圖書館」、「臺灣省立臺北圖書館」等印記。書末頁註明「男守謙校字」，可知黃叔璥的長子黃守謙曾予以校訂。半頁十行，行二十字，正文有注，雙行小字，按語則較引文低一格。此書今藏於中央圖書館臺灣分館臺灣資料室。

1983年（民國72年）臺北成文出版社，據此清乾隆年間刻本影印，收錄於「中國方志叢書‧臺灣地區‧臺灣省」第47號第一、二冊。

㈡南海孔氏嶽雪樓鈔本

此書為一手抄本，正文卷端題：常鎮揚通黃叔璥撰。黃叔璥約於1743年（乾隆八年）擔任江蘇常鎮道一職，中間雖曾因病暫離職務，然於1748年（乾隆十三年）復職，又續任此職三年。可知此鈔本應為1743年（乾隆八年）以後所鈔錄。全書以楷體鈔錄，與乾隆年間刻本相同之處為：兩書皆附有1736年（乾隆元年）仲秋會稽魯曾煜所題的〈序〉，其次錄有各卷詳細目次，及黃叔璥於1724年（雍正

二年）仲春自題的〈序〉。全書共八卷，卷一至卷四為〈赤
嵌筆談〉、卷五至卷七為〈番俗六考〉、卷八為〈番俗雜
記〉。分為四冊，冊一收卷一、二，冊二收卷三、四，冊三
收卷五至六，冊四收卷七至八。正文每半頁八行、行二十一
字。本書現藏國家圖書館善本書室。

㈢**文淵閣四庫全書本**

　　乾隆年間的《四庫全書》「史部十一・地理類八・雜記
之屬」收錄有《臺海使槎錄》一書。各冊封裏有「詳校官太
常寺少卿臣陳桂森　編修臣程嘉謨覆勘」雙行並列，及「總
校官進士臣繆琪、校對官編修臣汪鏞、謄錄舉人臣鍾廷煥」
等人的姓名。首頁附提要，寫明為1778年（乾隆四十三年）
九月校定，並附有總纂官紀昀、及總校官陸費墀等人的姓
名。卷首即為正文，未附目錄及序文，右上方蓋有「乾隆御
覽之寶」方璽印記。書分四冊，冊一收卷一、二，冊二收卷
三、四，冊三收卷五至六，冊四收卷七至八。全書為墨筆正
楷體，每半頁八行，行二十一字。正文有注，雙行小字，按
語亦低一格。

　　《四庫全書》文淵閣本原書現藏於臺北故宮博物院，
1983年臺灣商務印書館據此本影印發行，《臺海使槎錄》
即收錄於《景印文淵閣四庫全書》「史部・地理類・雜記」
第592冊，頁862～984。

㈣**畿輔叢書謙德堂藏本**

　　1879年（光緒五年）王灝所輯《畿輔叢書》第四十二
函，收錄有《臺海使槎錄》八卷。中央圖書館臺灣分館藏有
的傳刻本，書名頁載為「謙德堂藏本」。書頁上有「臺灣總

督府圖書館」、「臺灣省立臺北圖書館藏書」印記。無目
錄，亦無黃叔璥原序，僅附有「乾隆元年丙辰仲秋會稽魯煜
拜序」。[30] 每卷首右側書名下方有「畿輔叢書二編」，「大興
黃叔璥撰」等字。半頁十行，行二十二字，正文有注，雙行
小字。

此版本亦見於中央研究院傅斯年圖書館古籍線裝書室，
行數、字數、字體、題序皆相同，封面則以楷體寫上「傳刻
本」字樣，可知為「畿輔叢書二編」的刊本。惟書頁上有
「國立中央研究院歷史語言研究所」印記，而且每卷首書名
下方僅載「大興黃叔璥撰」，卷一則有「陳杬印」的藏書
章。

臺北藝文印書館據清王灝輯光緒定州王氏謙德堂刊本景
印，於1966年（民國55年）出版二冊。並收錄於《畿輔叢
書》第四十二函，百部叢書集成九十四冊，今藏於中央研究
院文哲所圖書館線裝書室。石家莊市河北人民出版社亦據此
版本景印，於1986年（民國75年）出版，全書共分五冊，
並收錄於《畿輔叢書》編號第486～490冊，臺北中央研究
院郭廷以圖書館大陸圖書區藏有此書。

㈤臺灣總督府圖書館傳刻本

日治時期臺灣總督府圖書館翻印「畿輔叢書二編」，書
名頁寫上《臺海使槎錄》傳刻本。每頁左側書名下印有「臺
灣總督府圖書館」字樣，半頁十三行，行二十二字，並附有
魯煜的序。無目錄，每行的左邊有若干標示符號。今藏於中
央圖書館臺灣分館。

㈥伊能文庫鈔本

　　日人伊能嘉矩曾蒐羅整理多本臺灣重要文獻，《臺海使
槎錄》也收進「伊能文庫」中。此文庫為臺灣總督府購自伊
能嘉矩遺族，收有明治、大正時代出版的臺灣關係洋裝書，
及清代刊本、手鈔本，調查筆記、計劃書、著作原稿、地
圖、拓本共612冊，標本則有251件，圖書後入藏於臺北帝
國大學（今臺灣大學）圖書館，書前有「故伊能嘉矩氏蒐集」
朱文長方印。[31]此書以細筆鈔寫自《畿輔叢書二編》，伊能
嘉矩曾以紅字親筆批點校正。此線裝鈔本每半頁八行，行三
十三字，每行於字的左邊有標記。書前亦附有魯煜的序。今
藏於臺灣大學圖書館「特藏組臺灣資料室」。

(七)上海商務印書館標點本

　　1936年（民國二十五年）12月上海商務印書館，據畿
輔叢書排印《臺海使槎錄》二冊，並加上標點。於《叢書集
成初編》476冊（編號3231～3232號），與徐懷祖《臺灣雜
記》等書合刊。1966年（民國55年）臺北商務印書館亦據
此版重印，並收錄於《叢書集成簡編》第797冊。1985年
（民國74年）臺北新文豐出版社，亦據《畿輔叢書》排印，
收錄於《叢書集成新編》「史地類第97冊」。

　　此外，任教於美國南加州大學（University of Southern
California）的Laurence G. Thompson，曾將〈番俗六考〉全
文翻譯成英文（Formosan Aborigines in the early Eighteenth
Century :Huang Shu-Ching's FAN-SU LIU-K'AO），這篇長文
發表於1969年 *Monumenta Serica* 期刊第28期，並附有導讀序
言及全文的詳註。

二、本論文所使用的版本

臺灣銀行經濟研究室於1957年（民國四十六年）以來，陸續編印多種《臺灣文獻叢刊》。舉凡臺灣之地理、歷史、風俗、人情等社會資料，各種直接、間接之歷史發展資料，均為廣泛蒐羅蒐羅的範圍。以臺灣為中心，且外延至歷史、地理、文化與臺灣有關之海內外文獻。[32]包括方志、采訪冊、檔案、文集、詩集、碑誌、輿圖等三百零九種，以三十二開本，每面十六行，每行三十八字的標點本分期出版，實為文化界的一項創舉。由周憲文等人主持的研究室，將《臺海使槎錄》收錄於《臺灣文獻叢刊》第四種，並加以標點校訂，於1957年（民國四十六年）出版，可說是早期出版的叢書之一。此版本於臺灣流傳廣，許多出版社即據此新校本景印。據臺灣銀行經濟研究室影印出版的書計有：

1. 1978年（民國67年）文海出版社本，與《閩海贈言》合刊，收錄於《近代中國史料叢刊‧續編》第51輯501冊。

2. 1983年（民國72年）成文出版社本，與《臺海使槎錄》乾隆年間的傳刻本合刊，收錄於「中國方志叢書‧臺灣地區‧臺灣省」第47號第三冊。

3. 1984年（民國73年）大通書局本，與《臺灣輿地彙鈔》合刊，收錄於《臺灣文獻史料叢刊》第二輯21冊。

4. 1996年（民國85年）臺灣省文獻委員會出版單行本。

本論文即採用現在通行的臺灣銀行經濟研究室本，並藉論文寫作時期所見其他版本，與此書互相核對校勘，以訂正

此通行本中的少許誤字。

三、校勘記

參考1736年（乾隆元年）有黃叔璥自序的傳刻本（簡稱《原刻本》），及《四庫叢書本》（簡稱《四庫本》）、《畿輔叢書本》（簡稱《畿輔本》）各版本，與臺灣銀行經濟研究室編印的《臺灣文獻叢刊》（簡稱《文叢本》）作一對照，校勘如下：

㈠〈赤嵌筆談〉的校勘

1.「原始」引《諸羅雜識》一段，《文叢本》頁5：「康熙三十三年六月，將軍施琅統兵自銅山攻破，據之；八月，遂克臺灣。」施琅攻臺年代應為康熙二十二年六月，《原刻本》與《畿輔本》所寫的年代為正確，而《四庫本》與《文叢本》則誤寫為康熙三十三年。

2.「賦餉」《文叢本》頁20：「內地之田論畝，……郡之田論甲。」《原刻本》、《畿輔本》、《四庫本》皆寫作「臺郡之田」，《文叢本》於郡前缺一「臺」字。

3.「習俗」《文叢本》頁41：「七夕呼為巧節，……紙糊綵停」《原刻本》、《畿輔本》、《四庫本》皆寫作「紙糊綵亭」，《文叢本》「停」當作「亭」。

4.卷三標目「泉井圍石」，《文叢本》頁50：《原刻本》、《畿輔本》、《四庫本》皆寫作「園石」，《文叢本》「圍」當作「園」。又「湯泉南路二：一在澹水社」，應為「下澹水社」，《文叢本》缺一「下」字。

5.「朱逆附略」，《文叢本》頁92：錄陳夢林〈鹿耳門

即事〉第五首自註有一「驅」字排印不清，應為「長驅至郡」。又「千總何免在鳳山林拿獲王忠」，應為「何勉」，《文叢本》誤為「免」。

㈡〈番俗六考〉的校勘

　　1.「北路諸羅番一」飲食：《文叢本》頁95，當作「嚼米為『麵』」。又頁99，引《裨海紀遊》為「新港……四大社，今其子弟能就鄉塾讀書者躪其徭，欲以漸化之。」《傳刻本》、《畿輔本》、《臺文叢本》皆誤為「今」，當作《四庫本》的「令」字。

　　2.「北路諸羅番三」附載：《文叢本》頁108：「工料辦齊，郡縣檄催，……合計三縣共派四千有零。」《傳刻本》、《畿輔本》、《文叢本》皆言「三縣」，《四庫本》改此周鍾瑄的原稿為「四縣」。

　　3.「北路諸羅番九」附載：《文叢本》頁135：「番丁自昔亦躬織，鐵鋤掘土僅寸許。」《四庫本》記為：「躬耕」，對照《諸羅縣志》所錄阮蔡文的原詩，亦為「躬耕」；《傳刻本》、《畿輔本》、《文叢本》「織」當作「耕」。又所引〈海上事略〉一段，應出自郁永河《裨海紀遊》中的〈海上紀略〉一段。

　　4.「北路諸羅番十」附載：《文叢本》頁140：所引〈海上事略〉一段，應出自郁永河〈裨海紀遊〉。《傳刻本》、《四庫本》《畿輔本》、《文叢本》皆誤。

㈢〈番俗雜記〉的校勘

　　1.「土官餽獻」一目《文叢本》頁166：「書記釀金承辦，羊、豕、鵝、鴨，惠泉包酒」，各本皆作「鵝」，《文叢

本》「餓」當作「鵝」。

2.所錄〈秋日雜詩〉三首，《臺文叢本》頁173：各本皆作「孫元衡」，《臺文叢本》誤為「孫元衝」。

3.郁永河〈土番竹枝詞〉第三首，《臺文叢本》頁173：「胸背斕斑直到腰」，四庫本「斕」作「瀾」。又第八首：「多少丹青摹變相，盡圖那得似生成。」各本多作「畫圖」。

4.黃叔璥〈番社雜詠〉第八首，《臺文叢本》頁176，「篤筏施　事轉多」，各本「篤筏」皆作「駕筏」；第十三首，《臺文叢本》：「不須仙蝶自翩翩」，各本皆作「化蝶」；第十四首，《臺文叢本》：「擊柝霄嚴鏢箭利」，各本皆作「宵」，《臺文叢本》「霄」當作「宵」。

綜觀《臺海使槎錄》各版本間的差異不大，未有整段缺漏、衍字，或誤移的情形。僅有上述少許錯字、缺字。然除乾隆元年的傳刻本、及南海孔氏嶽雪樓鈔本外，各版本多未附黃叔璥於1724年（雍正二年）二月所寫的自序。其實從這篇〈自序〉中，可得知作者當初寫《臺海使槎錄》的動機及著述要旨，應為重要的第一手資料，各流通本未錄及這篇〈自序〉，可說是諸書最大的缺失。（參見圖六）

四、《臺海使槎錄》與《臺灣使槎錄》的比較

除《臺海使槎錄》外，另有署為《臺灣使槎錄》的書名出現，本段先一一列出目前所見《臺灣使槎錄》版本，再比較兩者異同。

㈠舟車所至叢書本

圖六 《臺海使槎錄．黃叔璥自序》
（南海孔氏嶽雪樓抄本）書影

臺灣自康熙癸亥始入版圖重洋絕島職方不紀初
無文獻足以攷信余休沐之暇凡古今人著述有散
見於地理海防島夷諸傳記者遐蒐博採悉為攟拾
并就郡縣牒牘所狀歲時巡歷所及輙寓筆書之其
山川人物志乘已詳不復備列駢枝贅義僅識其小
深愧弇陋不足以規橅推髻情形窮極風濤瓌幻蠻
陬鮫窟猥瑣雜陳聊以籍銷景晷非敢為採風者之
一助也
雍正甲辰仲春上浣繡衣使者黃叔璥漫識

資料來源：臺北：國家圖書館善本書室

《舟車所至》是鄭光祖輯刻的一部叢書[33]，1843年（道光二十三年）秋鐫刻而成，收錄邊疆及域外地理遊記書籍十八種，如紀昀〈烏魯木齊雜詩〉、郁永河〈採硫日記〉等十八種。書名下註明是「臺灣使槎錄 節錄北平黃叔璥原本」。中央研究院傅斯年圖書館藏有晒藍景印1843年（道光二十三年）「琴川鄭氏青玉山房刊本」線裝書一冊，收錄於《舟車所至》第六冊，正文半頁十行，行二十五字。正中書局於1962年（民國51年）即據此版本景印；文海書局於1978年（民國67年）亦景印此「青玉山房居士輯」的節錄本。

㈡小方壺齋輿地叢鈔本

1880年（光緒六年）王錫祺輯「小方壺齋叢鈔」六卷，其後又陸續輯「小方壺齋輿地叢鈔」十二帙，補編十二帙，再補編十二帙，年代約在光緒十年至二十年間。[34] 中央圖書館臺灣分館藏有「上海易堂排印本」，收錄於第四十六冊，原刊本收在卷九帙第二冊。線裝，雙欄，每頁二面，每面十八行，行各四十字；每頁均印有卷九帙第二冊。此本為南清河王氏鑄版本，卷九帙分訂為二冊，共一百八十八頁，抄本《臺灣使槎錄》，為錄自該帙一百四十四頁與一百四十五頁。中央研究院傅斯年圖書館亦藏有此版本線裝書，收錄於《小方壺齋輿地叢鈔》第46冊。

㈢雅堂叢刊鈔本

為民初稿紙抄本，單面，每頁八行，行各二十字，共十七頁；前十五頁為本文，鋼筆抄錄，後二頁為跋，似係連橫於校閱全文後，以毛筆撰寫。《小方壺齋輿地叢鈔》原刊本與《雅堂叢刊鈔本》文句多相同，可知此鈔本的祖本即為

《小方壺齋輿地叢鈔》。兩書對勘，《雅堂叢刊鈔本》計有錯誤十四字，脫漏八字。臺灣省文獻委員會於1975年（民國64年）編印出版《雅堂叢刊》，第二冊收錄有〈臺灣使槎錄等九篇〉，鍾華操就祖本訂正，並加說明。[35]

這三種版本所錄的《臺灣使槎錄》，與黃叔璥原著《臺海使槎錄》差異處，可歸納為下列幾點：[1]

1.就內容編排而言

《臺灣使槎錄》節錄自《臺海使槎錄·赤嵌筆談》卷一的部分，包括形勢、洋、潮、風信、氣候、水程、海船、賦餉等條目中的內容。然前者未將條目標示出來，且兩書的字句不盡相同，內文的次序亦隨意調換，如《臺灣使槎錄》將「賦餉」拆成兩部分，分別在「氣候」之前、及「海船」之後，並刪去「原始」、「星野」、「城堡」等內容。可說是與原本有差別極大的異本。

2.就字數詳簡而言

《臺灣使槎錄》全文約只有兩千三百多字，而《臺海使槎錄》卷一的部分就有一萬一千兩百多字，全書八卷則約有八萬九千多字。即使就單卷的字數比較起來，《臺海使槎錄》也詳盡得多。

3.就敘述角度而言

《臺海使槎錄》引書多注明出處，而《臺灣使槎錄》卻將引書與正文雜混，且未注任何出處。在敘述角度上，《臺海使槎錄》以第一人稱呈現，如在「形勢」一目提到：「余與益齋二兄論羅漢門書略」、在「賦餉」也說過：「余有請均田減賦稅」。而《臺灣使槎錄》通篇未見這些第一人稱的

字句。

　　4.就寫作時間而言

　　《臺海使槎錄》在「賦餉」一目曾提及，當時清廷還在
審議此黃叔璥奏請將「半線分設彰化縣」的提案，所以書中
仍以鳳山、臺灣、諸羅三縣稱名。可見《臺海使槎錄》在記
載有關三縣蔗糖時，彰化縣仍未從諸羅縣分出，所以此段應
是1723年（雍正元年）八月以前的記錄。而《臺灣使槎錄》
則言：「臺灣在康熙時一府三縣，後雍正元年增設彰化一縣
淡水一廳」[36] 得知此節錄本為彰化設縣之後的作品。茲歸納
整理《臺海使槎錄》的版本，以呈現此書版本的流傳情形。
（參見下頁圖七）

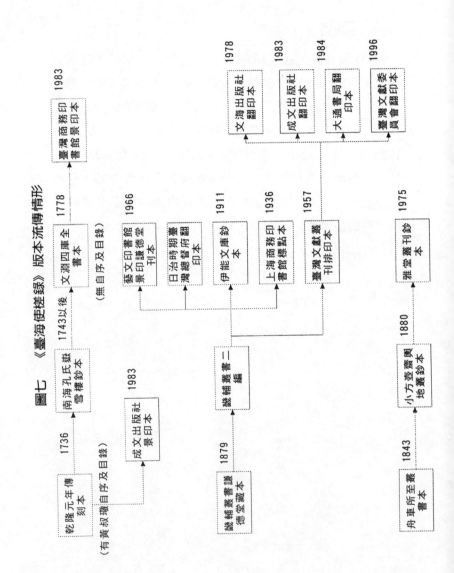

圖七　《臺海使槎錄》版本流傳情形

注 釋

1. 《臺海使槎錄》黃叔璥自序，臺北：成文出版社影印清乾隆年間傳
   刻本，1983年。

2. 《南征記程》，收錄於《四庫全書存目叢書》史部傳記類第128冊，
   頁557～559。

3. 《諸羅縣志・列傳》曾提及：「（季麒光）在任踰年，首創《臺灣郡
   志》，綜其山川、風物、戶口、土田、阨塞；未及終編，以憂去。三
   十五年，副使高拱乾因其稿纂而成之。人知《臺郡志》自拱乾始，
   而不知始於麒光也。」周鍾瑄：《諸羅縣志》，（臺北：大通書局，
   1987年），頁51～52。

4. 《臺海使槎錄》頁74。

5. 《臺海使槎錄》頁74。

6. 《臺海使槎錄・赤嵌筆談》，頁72～74。

7. 《臺海使槎錄》頁134～135。

8. 翟灝：《臺陽筆記》，吳錫麒序。

9. 黃叔璥於〈赤嵌筆談〉「雜著」一目中提到：「余巡歷所至，見臺地
   花果有內地所無者，命工繪圖，得二十餘種；余為考其種類，辨其
   色味以識之。或曰，此可作《埤雅》、《爾雅翼》外紀，則吾豈敢！」
   又從其友朋為這些圖的題詞看來，所描繪的有波羅蜜、釋迦、曇花
   等，《臺海使槎錄》，頁76。

10. 《臺海使槎錄》黃叔璥自序，（臺北：成文出版社影印清乾隆年間
    傳刻本，1983年）。

11. 目前雖未見黃叔璥委請在臺官吏調查平埔族風俗的文獻，然就〈赤
    嵌筆談〉中提及1722年（康康熙六十一年）七月曾聽取「參將陳倫

炯報稱」對鳳山縣赤山湧出黑泥的狀況。而後來另一部著作《中州金石考》的序言提到，黃叔璥曾央請各郡縣協助廣加蒐羅金石資料的情形看來，《臺海使槎錄》所呈現的調查記錄，可能也是多人協助調查的成果。見《臺海使槎錄》頁78，《中州金石考》黃叔璥自序。

12 《臺海使槎錄》頁7。

13 《臺海使槎錄》頁13。

14 《臺海使槎錄》頁87。

15 《臺海使槎錄》頁87。

16 噶瑪蘭族即舊志上所謂的蛤仔難或噶瑪蘭三十六社，大致分佈於宜蘭縣境；巴則海族分佈於臺中縣境，以豐原鎮、東勢鄉一帶為中心，北至大安溪、南至大肚溪的地域，主要部落有岸裏、烏牛欄、樸子離等社。李亦園：〈從文獻資料看臺灣平埔族〉，《大陸雜誌》第10卷9期，1955年，頁20。

17 宋文薰、劉枝萬：〈貓霧捒社番曲〉，《文獻專刊》（後改名為《臺灣文獻》）3卷1期，1952年5月27日，頁1～4。

18 李亦園：〈從文獻資料看臺灣平埔族〉，《大陸雜誌》第10卷9期，1955年，頁26。

19 清廷於1723年（雍正元年）八月下令在諸羅縣北側半線地方別設一彰化縣，並於該縣北部淡水地方設一捕盜同知。自此臺灣多出一彰化縣和一淡水分府。此淡水分府原先是負責稽查北路，兼督彰化捕務，廳治暫設彰化。至1731年（雍正九年）始將廳治移竹塹，從此淡水分府成為與縣級相當的獨立廳。見張勝彥等編：《臺灣開發史》，（臺北：國立空中大學，1996年1月），頁104～105。

20 林慶元：〈《南征記程》、《臺海使槎錄》及其他──關於首任巡臺

御史黃叔璥的幾個問題〉，《亞洲研究》23 期，（香港：珠海書院
亞洲研究中心，1997 年7 月），頁68～70。

21 周憲文：《淡水廳誌》，（臺北：臺灣銀行經濟研究室，1956 年12
月），卷首，序言。尹章義：《臺灣開發史研究》，（臺北：聯經出
版事業公司，1989 年12 月），頁479。

22 尹章義：《臺灣開發史研究》，（臺北：聯經出版事業公司，1989
年12 月），頁489。

23 《臺灣郡志稿》原為1685 年（康熙二十四年）季麒光編纂、蔣毓
英主修，後來蔣毓英攜副稿返回大陸，經其子校刻，是為今所見的
《臺灣府志》。參考高志彬：〈清修臺灣方志藝文篇述評〉，載於東
海大學中國文學系編：《臺灣古典文學與文獻》，（臺北：文津出
版社，1999 年1 月），頁54。

24 張明雄：〈明清之際臺灣移墾社會的原型〉，《臺灣文獻》40 卷4
期，1989 年12 月，頁28。

25 周鍾瑄：《諸羅縣志》，「自序」。

26 「可以制其死命者有二：其地依山，並不產鹽，斷絕其鹽，彼將搖
尾求食矣，一也；春夏之際，其地雨多而露濃，故一望蓊鬱，至隆
冬之日，則一炬可盡，彼將鳥獸散矣，二也。」《臺海使槎錄·番
俗雜記》轉引《理臺末議》，頁170。

27 〈赤嵌筆談〉，頁1。

28 趙汝适於1225 年（南宋寶慶元年）《諸番志·流求國》提到：「流
求國，當泉州之東，……旁有毗舍耶、談馬顏等國。」除黃叔璥
外，明代何喬遠、清代季麒光、魏源也以為毗舍耶國即臺灣。近世
歐美日本學者以為是菲律賓的Visaya 族，而梁嘉彬及日本松本雅明
則主臺灣說。主菲律賓說的，亦承認毗舍耶國人先經澎湖再到泉

州，仍然說明十二世紀時，南島民族仍活躍於臺灣海峽，甚至到達
大陸。梁嘉彬〈宋代毗舍耶國確在臺灣非在菲律賓考〉，收錄於
《琉球及東南諸海島與中國》，（臺中：東海大學，1965年），頁
323～326。莊萬壽：〈臺灣海洋文化之初探〉，《中國學術年刊》
十八期，（臺北：臺灣師範大學，1997年3月），頁307～308。

29 《臺海使槎錄・番俗六考》，頁134～135。

30 經與清乾隆年間傳刻本，與南海孔氏嶽雪樓鈔本對照，疑《畿輔叢
書》一系版本，題序人的姓名「魯煜」可能是「魯曾煜」之誤。徐
景熹修於1754年（乾隆十九年）的《福州府志》40冊，即由魯曾
煜等人所編纂。中央研究院傅斯年圖書館線裝書室藏有《福州府志》
刊本。

31 吳密察：〈臺灣大學藏「伊能文庫」〉，大學圖書館，1卷3期，
1997年7月，頁4～23。

32 書目季刊編輯社：〈臺灣文獻叢刊簡介〉，《書目季刊》4卷1期，
1969年9月，頁51～59。

33 《中庸》提到：「是以聲名洋溢乎中國，施及蠻貊；舟車所至，人
力所通，天之所覆，地之所載，日月所照，霜露所隊，凡有血氣
者，莫不尊親；故曰配天。」鄭玄注，孔穎達疏：《禮記注疏》，
（臺北：藝文印書館十三經注疏本，1993年），頁900。《舟車所至》
一書名即語出於此，表示中央聖王所能達到的統治邊陲地區。

34 方豪：〈裨海紀遊版本之研究〉，《方豪六十自定稿》，1969年，
頁897～898。

35 鍾華操：〈臺灣使槎錄校勘後記〉，收錄於連橫：《臺灣使槎錄等
九篇》，1976年，頁7～9。另外，鍾華操：〈臺灣使槎錄與臺海使
槎錄之辨〉中提到：前者內容是《臺海使槎錄・赤嵌筆談》的一部

分，而且次序錯雜，似乎是信手寫來的筆記，為資料蒐集階段的一本條列式的備忘錄；而《臺海使槎錄》是經過修飾整理，並參酌更多參考文獻而成的著作。鍾華操所論頗待商榷，據本節的比較推論，《臺灣使槎錄》應是後出的節錄本。

36 清廷於1723年（雍正元年）八月下令在諸羅縣北側半線地方別設一彰化縣，並於該縣北部淡水地方設一捕盜同知。自此臺灣多出一彰化縣和一淡水分府。此淡水分府原先是負責稽查北路，兼督彰化捕務，廳治暫設彰化。至1731年（雍正九年）始將廳治移竹塹，從此淡水分府成為與縣級相當的獨立廳。見張勝彥等編：《臺灣開發史》，（臺北：國立空中大學，1996年1月），頁104～105。

第五章

《臺海使槎錄》
所反映的臺灣社會面貌

第一節　平埔族經濟生活的轉變

　　十七世紀以前，平埔族多未與外界接觸，1697年（康熙三十六年）奉命至北投採硫的郁永河，所著《裨海紀遊》曾形容平埔族人當時仍保持「寒然後求衣，飢然後求食，不預計也。村落廬舍，各為向背。無市肆貿易，有金錢無所用，故不知蓄積。」[1]的生活形態。平埔族屬於自給式的生活，原無貨幣經濟；然而平埔族歷經荷治、鄭氏、清代的統治，背負沉重的賦稅，迫使他們由部落轉為國家的形態，這種因人為因素而造成的劇烈轉變，正是平埔族生活上所面臨的困境。

一、平埔族的生產活動

㈠狩獵為主的生產活動

　　狩獵為早期平埔族生產方式之一，尤其十七世紀以前臺灣草原上麋鹿成群的自然環境，使得鹿群成為最重要的狩獵來源。1603年（萬曆三十一年）隨軍東渡的明代學者陳

第,至臺灣西南部沿海平原時,曾對當時所見的情形作了扼
要的描述,寫成了〈東番記〉一文。此文可說是十七世紀初
珍貴的田野記錄,文中描寫鹿群悠遊自然環境的景觀。尤其
文中記錄:「居常,禁不許私捕鹿;冬,鹿群出,則約百十
人即之。」[2]平埔族平時並不濫捕,以維護自然生態的平
衡;等到冬天才群體合作適量捕獲;並以所捕獲的鹿產,與
大陸沿海居民從事以物易物的貿易。郁永河《裨海紀遊》以
遊記方式呈現於臺所見所聞,他曾提到當時臺灣西部平原的
原始景觀,「入茅棘中,勁茅高丈餘,兩手排之,側體而
入,炎日薄茅上」;述臺北盆地時則言:「林莽荒穢,宿草
沒肩」,又言:「平原一望,罔非茂草;勁者覆頂,弱者蔽
肩,車馳其中,如在地底,草梢割面破項,蚊蚋蒼蠅吮咂肌
體,如飢鷹餓虎,撲逐不去。」「臺灣多荒土未闢,草身
五、六尺,一望千里。」[3]「捕鹿」又稱「出草」,狩獵時以
鏢、或箭帶犬追尋鹿外,也利用設陷阱的方式,捕捉鹿及野
牛;或用器械獵捕兔等小動物。《臺海使槎錄・番俗雜記》
提到:

> 鹿場多荒草,高丈餘,一望不知其極。逐鹿因風所
> 向,三面縱火焚燒,前留一面;各番負弓矢、持鏢
> 槊,俟其奔逸,圍繞擒殺。[4]

平埔族於鹿場上的三面縱火,留一面任困獸走避,然後
攜犬追擊的狩獵方法。《諸羅縣志》言:「番婦耕穫、樵
汲,功多於男,唯捕鹿不與焉。」[5]可見平埔族由男子擔任

圖八　平埔族捕鹿圖

資料來源：周鍾瑄：《諸羅縣志》，（臺北：臺灣銀行經濟研
　　究室，1962 年）圖版頁 33。

捕鹿工作。（參見圖八）

《臺海使槎錄》記載了平埔族各社有關鹿的歌謠，如新港社（Siraya 西拉雅族）別婦歌，大武郡社（Hoanya 洪雅族）「捕鹿歌」，他里霧社（Hoanya 洪雅族）「土官認餉歌」，東西螺（Babuza 貓霧捒族）度年歌，大武壠社（Siraya 西拉雅族）耕捕會飲歌，二林、馬芝遴（貓霧捒族 Babuza）、貓兒干、大突四社（洪雅族 Hoanya）「納餉歌」等，可見捕鹿在平埔族日常生活中的普遍性。

㈡水產採集的方式

平埔族水產採集主要在河川，魚為平埔族蛋白質營養的重要來源。採集的技術包括射刺法、網漁法、魚籠法等。《臺海使槎錄·番俗六考》「北路諸羅番一」所載：

> 凡捕魚，於水清處見魚發發，用三叉鏢射之，或手網取之。[6]

《番社采風圖考》也描寫平埔族善於用鏢鎗射魚的情形，「上鏃兩刃，桿長四尺餘，十餘步取物如攜。嘗集社眾，操鏢挾矢，循水畔窺遊魚噞呴浮沫，或揚鬐曳尾，輒射之，應手而得，無虛發。」[7]即是描寫平埔族射魚技術的精湛。《諸羅縣志》除了描寫平埔族善射魚的傳統技術外，更提到「近亦效漢人撒手網，作竹罩；大小畢取矣。自吞霄至淡水，砌溪石沿海，名曰魚扈；高三尺許，綿亙數十里。潮漲魚入，汐則男婦群取之；功倍網罟。」[8]「網魚法」、「魚籠法」非平埔族固有的捕魚方法，應是受漢人所影響。[9]

《臺海使槎錄·番俗六考》記載：

> 二林捕魚，番婦或十餘，或數十於溪中用竹籠套於右
> 胯，番眾持竹竿從上流毆魚，番婦齊起齊落，扣魚籠
> 內，以手取之。[10]

　　二林一帶平埔族婦女成群結伴利用溪流中下游狹窄處，
佈置以竹編成的桶狀籠子，因竹籠可過水，而其口闊腹長而
頸部窄狹，婦女由上游持竹竿驅趕魚使其順流而下，讓魚流
入籠內再伸手予以捕捉。

㈢傳統農耕的改變

　　考古學界發現臺灣的農耕文化起源甚早，從文化遺址可
知西元前數千年即出現原始農耕活動。[11]如草鞋墩式的繩紋
紅陶文化，年代約為所載2500～2000B.C，當時的作物至少
有米和粟以及其他塊莖作物、蔬菜、果樹等食用和工藝用的
植物。這從草鞋墩式繩紋紅陶文化遺址裡出土的石鋤、石斧
與石刀上可見一斑。除此之外，漁、獵、採集的生產方式也
占有一定的比重，這從石器種類和遺址位置上都可加以推
測。[12]十七世紀初期臺灣仍多為部落社會（Tribal Society），
生產方式以狩獵、捕魚、及從事小規模自給的原始耕作為
主。早期平埔族的農耕形態，多以易地耕作的游耕，或隔年
休耕的農耕方式進行。栽培作物和東南亞相似，以芋、黍、
薯、稻為主，〈番俗六考〉所載北部平埔族耕作情形，如：
「番地少播秔稻，多種黍、芝麻，飯皆黍米。」[13]亦指出淡
南一帶原以黍米為主食。「北路諸羅番十」又記載淡北居民

的飲食情形:「番多不事耕作,米粟甚少,日三飧俱薯、芋。」[14]居民常將薯、芋頭埋入燒土中,待熟時挖土取食。有關平埔族的禾稻耕作方法,陳第〈東番記〉曾提到西南部沿海平原西拉雅(Siraya)還未從事水田耕種,所謂:「無水田,治畬種禾,山花開則耕,禾熟,拔其穗,粒米比中華稍長,且甘香。」[15]《諸羅縣志》也記載著:「種禾於園。種之法,先於秋八、九月誅茅,平覆其埔;使草不沾露,自枯而朽,土鬆且肥,俟明歲三、四月而播。場功畢,仍荒其地;隔年再種,法如之。」[16]這種農耕的方式與氣候有關,因臺灣中南部自秋到翌年春季,有為期半年的乾季,此期間砍斷的草經強烈的陽光照射而使草萎腐爛,有助於農作物的種植。穀物一經播種,即任其成長,待其成熟,其間不加任何管顧,此亦為熱帶原始農業的通性。

然而平埔族這種自給自足的傳統耕作方式,面對十七世紀以後不斷大批湧來的漢人,已逐漸失去足夠容許游耕的廣闊地面,而不得不改變原來的農耕方式。平埔族從原始的旱田耕作,演變成定居耕作及水稻種植,是因應現實環境所需要。[17]而在耕作的工具上亦受到漢人的影響,從《臺海使槎錄·番俗六考》在「北路諸羅番一」新港、目加溜灣、蕭壟、麻豆、卓猴等社,提到:「耕種如牛車,犂耙,與漢人同。」[18]此處所描寫多為接近臺南一帶,居民多是與漢人接觸歷史最久的西拉雅族。《番社采風圖》「耕種」圖中也畫出平埔族婦女背子犂田的景象,作註的六十七提到:「或襁褓負子扶犂。」可見受到漢人影響的平埔族已放棄棒棍的耕種方式,而改用以犂作為耕種的工具。

　　至於收成時以手摘稻，而不用鐮鉎割稻，是因為當時的
稻種禾桿高而柔的緣故。稻子收割後，倒懸於住家附近的小
屋內，這種房子高出地面，竹墻茅蓋，稱作「禾間」，通風
良好，稻穀易乾。平埔族沒有複雜的碾米機器，只使用簡單
的木製杵臼，《諸羅縣志》的「舂米」圖清楚畫出木杵兩頭
粗、中間細的形狀；並以手握住杵棒的中央，上下舂米的情
形。（參見圖九）

二、經濟政策對平埔族的衝擊

㈠荷治時期贌社制的壟斷

　　十七世紀初臺灣原住民已用所捕獲的鹿，與大陸沿海居
民從事以物易物的貿易。當時漳州、泉州的人有些能透過翻
譯，用瑪瑙、琉璃、磁器、布、鹽、銅簪環之類，與原住民
交換鹿脯、鹿皮、鹿角等物品。[19] 然而當荷蘭人於1624年佔
領臺灣後，平埔族這種自由以物易物的方式即被迫改變。
1635年荷蘭人鎮壓麻豆等社，建立其權威、鞏固其統治
後，更以公司的船隻運送大陸沿海居民移居臺灣，致使移民
的人數增加，並在荷蘭人獎勵和保護之下，在赤嵌等地開始
農耕，臺灣農業的兩大宗作物—稻米和甘蔗就是在這時期奠
定的。[20] 郁永河於十七世紀末所寫的竹枝詞中亦提到：「臺
灣西向俯汪洋，東望層巒千里長；一片平沙皆沃土，誰為長
慮教耕桑？」[21] 他們原來的生產方式是兼營漁獵與粗放農
業，每社的土地都相當遼闊。但漢人移民來臺後，經營耗用
大量人力的精耕，平埔族各社的人口本少，人力僅能以開墾
小部分的園或田，僅收取拓墾權利金、租金，並由漢人代為

圖九　平埔族舂米圖

資料來源：周鍾瑄：《諸羅縣志》，（臺北：臺灣銀行經濟研
　　究室，1962年）圖版頁32

納餉。鄭氏時期因荒地甚多，故允許文武各官及總鎮大小將領闢地開墾，亦准許文武將官設置莊屋。所徵收的稅，有山林及田地等，和官佃田園、文武官田園等。

　　平埔族雖以捕鹿維生，然而多是為生活所需而狩獵，猶能世世代代保持自然的均衡，所以鹿群不致遭到濫捕而竭盡。然十七世紀荷蘭統治時期始的掠奪式經濟政策，卻採取大量獵捕並將獵物商品化。荷蘭人於1644年強迫平埔族各村社都得徵繳稅金，並實行由包稅商人壟斷的「贌社」制度。關於「贌」的方法即是叫價，每年五月初二日，多位主計官與眾商集於公所（即公廨），在上高呼各社港餉銀之數，商人願任則報名承應；不應者減其數而再呼，至有人承應而止，且各項交易都掌控於商人之手。[22]此舉大規模地衝擊到這原無賦稅制度的平埔社會，從荷蘭、鄭氏、到清治初期，社商替平埔族繳納村社稅給官府，並控制該社狩獵所得的鹿皮、鹿脯等的買賣專利，及對該社所需貨物的販賣特權。[23]且當移民陸續開墾耕地後，獵場就明顯的減少，西部平原原始景觀的莽原，也漸化為水田或旱田景觀。平埔族面對獵場的減少，另一方面卻又要捕獵更多的鹿以應付納餉繳稅所需，生產活動所受到的衝擊可以想見。

㈡獵場開墾成農地的困境

　　平埔族的經濟來源以狩獵為主，卻因外來移民將部分獵場開發成耕地，使原來的生產活動受到影響。1715年（康熙五十四年）北路參將阮蔡文〈竹塹詩〉有段深刻的描寫：

　　　年年捕鹿邱陵比，今年得鹿實無幾。鹿場半被流民

開，蓺麻之餘兼蓺黍。番丁自昔亦躬織，鐵鋤掘土僅
寸許；百鋤不及一犁深，那得盈甯畜妻子。鹿革爲衣
不貼身，尺布爲裳露雙髀。是處差徭各有幫，竹塹縈
縈一社耳。鵲巢忽爾爲鳩居，鵲盡無巢鳩焉徙。[24]

　　此詩即是以詩歌形式敘述平埔族人捕鹿的活動受到干擾
等處境。《臺海使槎錄‧赤嵌筆談》物產一項也提到：「山
無虎，故鹿最繁。昔年近山皆爲土番鹿場；今則漢人墾種，
極目良田，遂多於內山捕獵。……鹿雖多，街市求一臠不
得。」[25]再加上平埔族的農耕技術未臻熟練之際，而外來族
群又以武力爲後盾，所以施以繁雜勞役的壓迫，以致平埔族
人難以與其競爭。漢人取得原住民耕地的方式有多種，如：
以武力攻奪土地，驅逐其人，或以交換土地、結婚計策、騙
取土地等。[26]當大片的土地已受到外來移民的覬覦，雖有部
分透過合法手續承租土地來耕種，然更有許多不肖墾戶或藉
結盟之便，而達成侵佔土地的目的；或於土地契約上，記載
有利於己的手段，以越界佔耕，甚至強奪佃租的土地。

　　康熙中期曾擔任臺灣知縣，後升任臺灣道的陳璸曾說：
「內地人民輸課，田地皆得永爲己業而世守之，各番社自本
朝開疆以來，每年既有額餉輸將，則該社尺土皆屬番產，或
藝雜籽，或資牧放，或留充鹿場，應任其自爲管業。且各社
毗連，各有界址，是番與番不容相越，豈容外來人民侵
佔？」[27]陳璸肯定原住民的「原始所有權」，認爲他們「既
有額餉輸將」，生存權和財產權應當受保障。[28]這是清代保
護原住民財產的理論基礎。

　　沙轆社的土官嘎即雖然雙目失明，仍盡力約束指揮口授族人，當有人想要出售肥沃的土地以作為水田時，嘎即表面虛應，但私下卻語重心長的叮嚀族人：「祖公所遺，祇此尺寸土，可耕可捕，藉以給饔飧、輸餉課；今售於漢人，侵佔欺弄，勢必盡為所有，闔社將無以自存矣！我與某素相識，拒其請將搆怨，眾為力阻，無傷也。」[29]縱使嘎即如此具有憂患意識的勸阻，然而各社在徭賦壓力種種原因下，仍脫離不了日漸喪失其土地所有權的困境。

(三)繳納賦稅的沉重負擔

　　荷治時期社商將平埔族獵得的鹿皮交官折餉，鹿肉則作成脯叫賣，在買賣中所獲得的利潤遠高過社餉的額度。鄭氏時期於包稅制的正稅之外，平埔族人還得增加「花紅」的負擔。1692年（康熙三十一年）高拱乾〈禁苦累土番等弊示〉提到當他訪聞有司，得知官役於招商贌社時，沿襲鄭氏時需索花紅的陋規，以致社商轉剝居民，幾已到了民不聊生的程度，故提出：「贌社之時，不許指稱花紅等名色，需索分釐陋規。」[30]《臺海使槎錄》更詳引1715年（康熙五十四年）周鍾瑄〈上滿總制書〉指出官吏取之於社商，社商、通事再轉嫁到貧困的平埔族，並在這過程中汲取私利的情形[31]。當時諸羅社餉未曾減輕，從前因土地多為平埔居民所有，猶可支付；然而後來居民世守之業，竟存甚少，再加上諸多陋弊，使居民生活更加困苦。周鍾瑄詳細指出「每年維正之供七千八百餘金，花紅八千餘金，官令採買麻石又四千餘金，放行社鹽又二千餘金，總計一歲所出共兩萬餘金；中間通事、頭家假公濟私，何啻數倍。土番膏血有幾，雖欲不

窮得乎？」[32]由當時實際數據看來，花紅更可具體呈現居民
經濟生活的沉重負擔。雖有「勒石永禁」或「今一切陋弊，
革盡無餘」等禁令宣詞，對於禁絕這些額外的雜費和需索的
實際執行效果卻不佳。

由〈番俗六考〉「北路諸羅番（三）」附載的歌謠，依照
平埔族語言意譯，其中敘述有關納餉的資料為：

大武郡社（洪雅族Hoanya）「捕鹿歌」意譯為：「今日
歡會飲酒，明日及早捕鹿，回到社中，人人都要得鹿，將鹿
易銀完餉，餉完再來會飲。」[33]

他里霧社（洪雅族Hoanya）「土官認餉歌」意譯為：
「請社眾聽說，我今同通事認餉，爾等須耕種，切勿飲酒失
時，俟認餉畢，請爾等來飲酒。」[34]

二林、馬芝遴（貓霧捒族Babuza）、貓兒干、大突四社
（洪雅族Hoanya）「納餉歌」意譯為：「耕田園、愛好年
景，捕鹿去，鹿不得逸，易餉銀得早完餉，可邀老爺愛惜，
我等回來快樂飲酒酣歌。」[35]康熙末年對平埔族課餉範圍漸
擴大，而居民多默默承受。

第二節　平埔族社會結構的轉變

一、平埔族聚落組織

十七至十八世紀間，臺灣平埔族的聚落多屬小規模，一
社的戶數，自數十家至一百多家。[36]《東寧政事集》載：
「土番非如雲、貴之貓獠猺獞，各分種類，聚族而居者也。
社之大者，不過一二百丁，社之小者，止有二三十丁。」[37]

可知每家的人口數大社一、二百丁，小社祇二、三十丁，而
其房屋分布狀態屬於小型集村聚落。在漢人未大量移民之
前，與東南亞熱帶原始民族的聚落一樣，屬於非固定性聚
落。因原有的生產方式是採取熱帶原始旱田農耕，栽種粟黍
之類，不知使用犁耕與施肥，地力減退即另闢地來取代，屬
於游耕農業，易地數次，距原住村落懸遠，往來不便，於是
棄屋而另在現耕地附近築新屋以居住。平埔族棄村他遷，使
得漢人與平埔族間交替村的發生非常普遍。諸羅縣開拓較
遲，修《諸羅縣志》時僅有四里、九保、十八庄；而社則達
九十五之多。里、保、庄為漢人所居，社則為原住民的聚
落。[38] 愈到北部，平埔族居民所佔的比率愈高。

　　人口學家陳紹馨在《臺灣省通志·人民志·人口篇》估
計荷蘭統治末期：「全島山地土著族約十五萬至二十萬人，
漢人約在五萬以下。」[39] 漢人開鑿水圳，引水灌溉，化旱田
為水田，種植水稻，為了分享灌溉用水，平埔族不惜割地交
換。而且平埔族向漢人兜售鹿角、鹿皮、鹿鞭獲利較大，貨
幣的使用，已破壞了物物貿易的體系。平埔族這種移村易地
耕作的生活方式，漸屬困難，到十九世紀初葉，向內山（埔
里盆地）、後山（臺東縱谷）或噶瑪蘭大舉遷移。大規模移
入埔里盆地的洪雅、道卡斯、拍瀑拉、巴布薩、拍宰海等中
部個平埔族為例，已從漢人習得灌溉水稻種植業，懂得使用
犁、鋤頭，並已飼育水牛，做為力役之用。[40]

　　平埔族社裡設有公廨，俗稱為社寮。平時通事、土目在
此辦公，有事則眾番集議於此，日夜派人守候。《理臺末議》
提到：「社立一公所，名曰公廨，有事則集。」[41] 〈番俗六

考〉「南路鳳山番一」提到:「女父母具牲醪會諸親以贅焉,謂子曰安六,婿亦同之,既婚,女赴男家洒掃屋舍三日,名曰烏合,此後男歸女家,同耕並作,以偕終身。」[42]在家系承繼上,多以女子繼承家產。以青壯年為主的男性移民,在不准搬眷來臺的法令限制,及漢人女性過少、聘金高昂的情況下,以平埔族女子為結婚對象,可說是相當普遍的。黃叔璥又注意到:「南路鳳山番……近日,番女多與漢人牽手者。」[43]透過招贅婚,平埔家庭可以得到漢人的耕作技能、經營理念;相對的,漢人則得到平埔社民的土地所有權,及族群交涉中的各種利益。

二、通事擾民的情形

《東寧政事集》載各社有正、副土官以統攝眾人,其實土官所掌管的職務與內地里長、保長相當。[44]社商制度雖在康熙末年革除,但社商多富豪,未住村社,常委託通事辦理雜務,故通事早已取代其地位和功能。黃叔璥於〈番俗雜記〉描述通事如何欺壓平埔族人,〈番社雜詠〉提到:「出草秋深盡夏初,刓蹄剖腹外無餘;當官已報社商革,五穀雞豚一一書。」[45]通事為通譯語言,又因其識書算,不但收管社租、納課、發給餉食及辦差役,並掌理一般社務。[46]且因通事掌管的事務繁多,故地位漸凌駕於土官之上,阮蔡文〈淡水詩〉曾提及此情況,所謂:「通事作頭家,土官聽役使。」[47]當黃叔璥留心民眾的生活狀況時,發現到通事的舞弊實可歸源於府縣的陋規。〈番俗雜記〉提到新官蒞任時,各社土官在例行瞻謁中,常以羊、豬、鵝、鴨,及酒饋獻,而實際

承辦人為通事、書記。黃叔璥來臺前,可能已耳聞這些陋規,於是他抵臺後便提出具體辦法加以改善:

> 余初抵臺時,正值農忙,兼值溪漲,往來僕僕,必致廢時失業,檄行鳳、諸二縣,禁止派勒赴府,呈送禮物;通事輩無可生發,亦不憖怒其來也。[48]

黃叔璥又指出住在各社的通事擾民事實,包含掠奪財物、役使兒童,納娶各社的婦女,平埔族的人口結構也多所改變。這即是〈番俗雜記〉所言:「納番婦為妻妾,以至番民老而無妻,各社戶口日就衰微。」[49]又如當新縣官到任時,常假借更換通事的名義,向通事索取百兩或數十兩不等的費用。並觀察出擾民的關鍵在於:假若一年數度換易官員,通事亦必數易其人。此種費用名為通事所出,其實仍在社內償補。通事既經繳費,到社任意攫奪,難以加以管理約束。所以黃叔璥針對此流弊,一方面禁止府縣對通事的需索,另一方面也提出具體的改革辦法:

> 因與道府約:嗣後各社通事,俱令於各該縣居住,社中有應辦理事件,飭令前往,給以限期,不許久頓番社,以滋擾累。盜賣、盜娶者,除斷令離異,仍依律治之。至通事一役,如不法多事,即當責革。若謹愿無過,便可令其常充,不得藉新官更換,混行派費。違者計贓議罪。[50]

使通事往縣城，有應辦事件時，始飭其前往番社，不許
其久留以擾累居民。對不法的通事亦故對通事徒有禁令，但
其於村社所扮演的角色，一時難以取代，故擾民的事仍時有
所聞。

分佈於諸羅縣（後屬淡水廳）大甲、房裡二溪下流流域
一帶海岸之北路平埔族，有一吞宵社（約位於今苗栗通
霄），為蓬山八社之一。1699 年（康熙三十八年）二月，吞
宵通事黃申終日征派勞役，要求道卡斯族先納錢米而後許出
社捕鹿，土官卓霧、亞生等鼓眾大譟，殺黃申及其夥黨十餘
人。《諸羅縣志》言：當時臺灣鎮總兵及分巡臺廈兵備道聞
變，遣使欲招降，但不得其門而入，乃發兩標官兵及署北路
參將泰進勤，且利用平埔族數社社民來制服，先派南部西拉
雅族新港、蕭壠、麻豆、目加溜灣四社村民為前鋒，吞宵
社民奮守抵抗，致使四社社民死傷甚多。而當時有人向參將
獻計，言岸裡社（大甲溪北鄰接）平埔社民常於森林、澗谷
穿梭，快捷如飛，所以建議由他們出征。當時拍宰海族岸裡
社人尚未內附，所以請譯者說服頭目阿穆，贈以大量糖、
煙、銀、布，誘導社民繞出吞宵山後埋伏夾擊，清軍則於前
進攻，致使吞宵社被征服。[51]

另外，通事許安等曾藉各項使費名色，於正供之外，又
多收粟石各數倍，盡取無遺。難怪當地居民聚集呼冤，連名
僉控。[52] 從藍鼎元送給黃叔璥的詩〈臺灣近詠上黃巡使〉，
透露出統治者的心態：

番黎素無知，渾噩近太古。祇為巧偽引，訟爭亦肆

侮。眭眭動殺機，其心將莫禦。所幸弗聯屬，社社自愚魯。[53]

藍鼎元看出平埔各村社不相連屬的特性，並以為這種特性有利於分化統治。可見平埔族人飽受地方上通事的剝削，以及官員的壓榨，於反抗中卻遭受更嚴酷的鎮壓。可見平埔族除了得繳納高額的租稅，及做不完的勞役外，甚至還被驅使做為攻打其他平埔族前鋒，顯現出外來族群用盡心機對待平埔族人的方式。

三、雜役壓迫的實況

鄭氏與清廷對平埔族執行隨時徵服勞役的要求，《東寧政事集》載鄭氏時期新港、加溜灣、蕭壠、麻豆社居民牽挽船隻入水，歲以為常。又《海上事略》記載鄭氏時軍隊駐守雞籠，因為北風盛發的緣故，造成船不得運駁軍餉。於是令平埔居民接遞，不論男女老幼，皆需背負供役；並慘遭酷施鞭撻，因勞役過重而相率作亂的實況[54]。〈番俗六考〉提到：臺郡造船，「出水最艱，所司檄四社（新港、目加溜灣、麻豆、蕭壠社）番眾牽挽，歲以為常。」[55]〈番俗雜記〉又引康熙六十一年出任臺灣知縣周鍾瑄的奏稿，詳述官方為修船而勞役平埔族居民的景況：從去府治四百餘里的大武郡社取材，這些重料中的龍骨一根，需牛五十餘頭方能拖載得動，連梁頭木舵也是如此沉重。而當開始修復船隻、大興工程時，則令平埔各社的壯男及婦女日夜搬運，自山林到搬至府城，如遇及晴朗的天氣，至少也需半個月才能完成。周鍾

瑄以為：「今歲估修不過數隻，害已如此；若明歲大修三十餘隻，臺屬遺黎恐難承受，不去為盜，有相率而死耳！」可知再增加修繕的船隻數量，將造成平埔族更沉重勞役負擔。黃叔璥得知此事後，即允許周鍾瑄的奏請，強力禁止此種擾民的事發生。[56]

至於鳳山邑修蓋倉廒，常派令平埔族人繕治；當遇及猴鼠侵耗穀倉，或官吏侵盜缺少，竟都責令居民賠償。《臺海使槎錄》提到黃叔璥對此事的處理：

> 余飭所司倉廒，祇許令土番在外協同看護；至倉內穀石及修理倉房，不得混派一粟一木，稍知警惕。[57]

可知他觀察到這種剝削侵吞、使平埔族苦累的傜役情形，即提出政令加以改善。

清領時期的文人多將焦點集中在山川的奇麗，物產的豐饒，或奇風異俗上，偏重在外觀的描寫，對刻劃平埔族人適應生活的變遷及內心的感受的記錄較少。而黃叔璥或因其身份的關係，特別留意傾聽民眾的心聲，當他巡行時曾送食物給執役的人，發現他們「驪然盡飽」，才知傳聞中形容平埔族居民「食少力強」，根本是欺人之談。夏之芳〈臺灣雜詠百首〉述時人之見云：「餐風宿露為當官，宿食經旬一飯丸；多少豪民安飽甚，動云番性耐飢寒！」夏之芳原註云：「番出應差，止以雙手團熱飯一塊，繫于腰間，鎮日療飢止此。」[58] 許多官吏以為平埔族食量很少，並有長途耐飢寒的體力，實在是極為主觀的揣測。尤其當黃叔璥問平埔族為何

赤足行走？有人回答道：「非樂意這樣，只是因為沒鞋子的
緣故呀！」黃叔璥以為平埔族這是表現了人性普遍的基本欲
求。[59]類似黃叔璥、夏之芳這樣關注居民日常生活的記載，
在臺灣文獻中所佔的數量極為有限。

　　民間歌謠常傳遞眾人的心聲，《番俗六考·北路諸羅番
二》收錄多首以各地母語傳唱的歌謠，其中采自洪雅族的
「哆囉嘓社」，有一首〈哆囉嘓社麻達遞送公文歌〉描繪平埔
族遞送公文的情形：

> 喝逞唭蘇力（我遞公文），麻什速唭什速（須當緊
> 到）；沙迷唭阿奄（走如飛鳥），因忍其描林（不敢
> 失落）；因那唭爛裏包通事唭洪喝兜（若有遲誤，便
> 為通事所罰）！[60]

　　如今平埔族的語言大多已消失，黃叔璥在當時以漢字記
音，並將之通譯，可約略感受到歌謠所傳達的鬱抑之情。
「北路諸羅番三」也提到：「麻達夜宿社寮，不家居；恐去
社遠，致妨公務也。」[61]平埔族為官府遞送公文，遇官員出
差巡查便需出人力抬轎、駕牛車、搬運行李，若當工程興築
時也得加入徭役，可見其疲於奔命的情況。

　　即使像郁永河無正式官銜，亦有五十五人勞役跟隨，經
過平埔聚落則換黃犢車，並令平埔族人為之駕御。[62]而當御
史長途巡行時，亦是一種擾民行為，當黃叔璥渡濁水、虎
尾、大肚等溪水時，溪深水漲，用五、六人擎扶竹筏。但黃
叔璥巡視南北兩路，除了渡溪時需以竹筏外，至其餘地點巡

行時，盡量不隨意任使平埔族力役。他並以錢、煙犒賞協助其過溪的人，以作為酬勞；另外當他與隨從人員寄宿社寮時，也以煙、布來酬謝，並不像多數官員只是平白住宿。平埔族人覺得如此的對待態度，與昔日隨意頤使他們的官員不太相同，「諸番驩甚，謂為從來未有。」[63] 正可反映出純樸的平埔族人往常被官員壓榨的程度。而平埔族居民除必須繳納遠重於漢人的課餉外，更必須時時提供各種勞役和供差，使平埔族的狩獵受到影響，導致鹿產減少，不得不以杜賣番界或土牛溝以西的土地來繳納沉重的課餉。而杜賣土地的結果是使鹿場日益縮小，鹿產更少，最後終於陷入只好不斷杜賣土地的惡性循環。施添福從歷史文獻及土地契約等史料中統計發現：自康熙五十年代左右以降，竹塹地區平埔居民之所以不斷杜賣土牛溝內外的草地和田園，並不是由於平埔族不善居積、不事貿遷、不諳耕作，而是由於平埔族力農的安定環境受到重大影響。[64]

〈番俗雜記〉載錄平埔族處境：「奸棍以番為可欺，視其所有不異己物，藉事開銷，朘削無厭；呼男婦孩稚供役，直如奴隸，甚至略賣；或納番女為妻妾，以至番民老而無妻，各社戶口日就衰微」。除了描述通事如何欺壓各社居民外，還寫出兵丁與衙役每次換營或巡行經過各社，必定強橫役使社民，在〈番俗雜記〉又提到平埔族的傜役還包括負責官員的交通運輸，「凡長吏將弁遠出，番為肩輿；行笥襆被，皆其所任；疲於奔命久矣。曾為嚴止。」[65] 平埔族被迫為外來者服勞役，原本不役使社眾的平等社會結構遭到瓦解。《東寧政事集》載：「新港、加溜灣二社，為一邑孔

道。凡奉差至者，將照身一出，練保人等不知何事，並不知
何名，晝則支給酒食，夜則安頓館舍，燃燈進饌，折勒規
例，臨行供應夫車，一人必坐一乘。日撥數起或二、三十
起，欲概行應付，則民力可憐；抗阻，則獲罪非小。」[66]從
鄭氏時期官員、長吏來往頻繁，平埔族雜役的負擔也日益增
加。

四、司法制度的改變

在1635年底荷蘭人征服麻豆社，並與平埔族訂立協
約[67]，其中第六款提出有關平埔族為殖民者服勞役的問題，
所謂：「警吏出示公爵笏杖於個人或多數人時，應即時往新
港或城；命其辯明或出為勞役時，應即應之。」[68]。C.E.S.
所著《被遺誤的臺灣》一書記載荷蘭人觀察平埔族各部落沒
有至高權力的酋長，卻有一個議會，叫做"Quaty"，是由十
二個人組成的，議會裡的議員做了兩年之後，就把前額附近
的頭髮拔掉，表示他們曾經做過議員，已經退職了。於是其
他同等年齡的人，被選出來接充。議會議員的權力，在該部
落中並不是至高無上的，他們的決議或訓令，民眾沒有必須
遵守的義務。他們的權力，主要是在向民眾貢獻意見：每逢
有什麼有關公眾的事情要做或者要停止實施，這些Quaty就
先開會，討論什麼辦法最妥當；如果意見一致，就召集所有
的村民，大抵在教堂的前面，把所討論的事情向會眾說明，
然後用半小時向群眾說明對於各個問題的贊成和反對的意
見，並且發揮議論，以求村民支持他們的決議。在開會時，
大家都嚴守秩序，一位發言者疲乏了之後，另一個繼而代

之，每個人都想比別人講得漂亮動聽；而會眾則凝神諦聽。發言人都講完之後，眾人自行討論所提出的事情：如果他們贊成Quaty的決議，就照樣實行；如果反對，則遵從大眾的意見。而此社會中無主人與僕役的區別，人人平等。

荷蘭人利用平埔族的司法制度：「依照他們原有的統治形式：就是在各部落中，由臺灣長官任命一個最年長、最有能力的人做村民的首長，又有個指揮官及約二十五名兵士，以監督政府的命令的奉行、及違法者的懲罰。那些村長每年一次在四月底都要去見荷蘭長官，報告他們的工作情形。在那一天，治理的成績優良者，可得微薄的賞賜；而成績不良者，則被奪去他們所拿著作為權力的象徵的藤杖，且由別人接替他們的地位。這一天，叫做臺灣地方議會日（Formosan Land Day）。選出一名有能力的長老，由臺灣長官任命為該村落的首長，在（東印度）公司派遣約二十五名士兵的政務員的監督下，指揮村民，以及告知公司的指令等事。若有違反者，得在兵士的援助下，強制其守法。並且，所有這些村落的首長，必須每年一次，大抵在四月末，集會於公司的長官之下，報告有關各地方的政治狀況。此時，治績優良者，可獲相當恩賞，越加鞏固其地位；治績不佳者，則被罷免，奪回其象徵首長的藤杖，賜給擬繼其任者。」[69]

從黃叔璥當時所觀察到的平埔族，歷經西、荷、鄭、清治初期高壓統治下，早已學會「長跪送迎」。當他巡視半線社時，作有〈次半線詩〉，其後段寫到：

番長羅拜跪，竹綵兒童迎。女孃齊度曲，頓首款噫

鳴；嚶珞垂項領，跣足舞輕盈。鬪捷看麻達，飄颺雙
羽橫；薩豉聲鏗鏘，奮臂爲朱英。王化眞無外，裸人
雜我氓；安得置長吏，華風漸可成。[70]

　　描寫平埔族麻達用雙竹結紅綵以迎接他的情景。麻達，
未婚少年的通稱。「薩豉」，「薩豉宜」之簡稱。[71]麻達表
演比賽競走，先到的人奪懸著紅布的竹竿。「華風漸可成」
竟預示了平埔族與華夏文化接觸時的未來前途。又巡視沙鹿
社時提到：

　　余北巡至沙轆，嘎即率各土官婦跪獻都都，……。次
　　早，將還郡治，土官遠送，婦女咸跪道旁。[72]

　　迎接御史的排場極大，番婦及貓女（未嫁之少女）表演
歌舞戲曲，尤其當嘎即（土官名）率各土官婦跪獻都都（一
種食品）時，可見平埔族「無揖讓拜跪禮」[73]的社會風俗已
大幅改變。

第三節　移民拓墾社會的特質

一、清治初期移民拓墾活動

　　荷蘭人佔領臺灣後，為了增加稅收，擴展貿易利益，所
以鼓勵大陸沿海居民來臺耕種。並將田地租給來臺的農民，
以十畝地名為一甲，依土地肥瘠的狀況分上、中、下三則徵
粟。而有關陂、塘、堤、圳的修築費用、耕牛、農具及穀物

種籽，則由荷蘭人提供物資，稱為「王田」。「王田制」與大陸農民向田主租用土地從事耕種，而佃農無法世代擁有土地，並得按田畝來繳稅給田主的情形類似，這即是荷治時期「賦餉」的概況。[74]十七世紀荷蘭人治臺時期，獎勵移居漢人從事農耕，據《巴達維亞城日記》一六三六年的報告，在赤嵌地方農夫繳納荷蘭東印度公司而銷往日本的砂糖12042斤，黑砂糖110461斤，可知荷治時期臺灣已有大量的糖產輸出。[75]荷蘭將富經濟利益的製糖業，以商船運往各地，增加大量貿易額。到了鄭氏時期，為了解決二萬五千來臺軍民及眷屬的糧食問題，更是遣軍屯墾各地，積極從事拓墾活動。鄭氏加強墾政以求增產，建立了兵農合一的拓墾社會。《諸羅雜識》記載軍民開墾所形成的土地制度情形：

㈠將荷治時期的「王田」皆改為「官田」，耕田的人都是「官佃」，輸租的方法承襲荷治時代，這種「官佃田園」屬鄭氏政府所有。

㈡鄭氏宗室、文武官員、及士庶有力人士招佃開墾，並自行收取田租，再納稅給專責官員，稱為「私田」，也就是「文武官田」。

㈢其餘各地鎮營的兵員，就所駐防的地方，自耕自給，所開墾的田園稱為「營盤」。[76]

可知「官佃田園」即鄭氏行政機構的經濟命脈所在。鄭氏時期的田園依所有權的歸屬而分成三大類，地墾三年後，依土地肥瘠的情形分三等以立賦稅。農閒時從事軍事訓練，有警訊時，則武裝備戰；無警訊時，則操農具以事耕作。主要目的即是在實施寓兵於農的政策。從荷蘭到鄭氏時期的開

發，已從臺南一帶漸次北向嘉義、南向鳳山一帶耕種。清治初期，臺灣府城附近與澎湖地區已多是漢人所居住，南路下淡水溪以南則是漢人與平埔族人雜處的情形；而曾設立里莊的耕種地區則多屬漢人居住。至於北至雞籠山的北路則多為原住民所居住的地區，但靠近府城附近則是漢人與平埔族人參半的現象。[77]1697 年（康熙三十六年）郁永河經過臺灣西部沿海地區時，發現鄭氏時期的新港、嘉溜灣、毆王、麻豆四大社已經開發，所謂「知勤稼穡，務蓄積，比戶殷富。」[78]然多集中於臺灣縣（臺南一帶地方）、及鳳山、諸羅兩縣一帶，其他地方許多土地尚未開闢，社會組織也還未確立。

臺灣於清治初期，以墾佃關係成為墾殖社會的主要結構。十八世紀初期臺灣開墾日盛，聚落也增多，臺南一帶逐漸進入定住成莊的階段。雖然有禁止渡海來臺及劃界限墾的政策，但人民仍前仆後繼的相攜來臺，並越界開墾。聚居一久，漸有建莊廟、宗祠、開路造橋等地緣團體的村莊形成。康熙末年以後，開墾漸向南北發展，北至嘉義以北，彰化、新竹、臺北一帶地方；南渡下淡水溪地（今屏東縣）而開拓屏東平原。[79]大體上說，康熙末年鳳山地區除了漳、泉人士分別在縣治附近各自開墾，客家人則往下淡水溪以南的地方延伸。而諸羅（嘉義）地區，則大部分由漳、泉籍的人士各自或聯合開墾。人口學家陳紹馨曾統計1683 年（康熙二十二年）臺灣人口為16820 人，至1711 年（康熙五十年）已達18827 人。[80]到了十八世紀中期，西部肥沃平原多已開墾殆盡了，而臺灣南部的臺灣縣、鳳山縣也因開發較早，已成為農業發達而定居的社會。而北部最有名的為泉州人陳賴章墾

號大規模開墾，建立漢人聚落。

　　清政府治臺政策的特點在於任期短限制多的人事調派，以防範心態為主的律令規章，及以箝制思想為目的的文教措施。為了加強對當地的全面掌握和控制，一方面下渡臺禁令，限制漢人大量前來開墾，其目的乃是希望在最少阻力和障礙的情境下控制這海島。[81]不過，海禁政策時有變更，清初治臺政策也並非一成不變，而是隨著臺灣內外在環境的變遷而調整。[82]

二、移墾社會的居民特質

㈠互助結盟的風氣

　　來臺移民以閩、粵為主，其特徵多為農業性移民，且移民人口數量龐大，並有游民、罪犯偷渡來臺寄生。[83]流寓臺灣的大陸沿海各地的人民，當他們定居臺灣後，常有結拜成黨的風氣。劉良璧《福建通志臺灣府》提到：「臺灣土肥地闊，易於謀生。沿海一帶，單丁游手及作奸犯科之人，多託為逃逋之藪。」[84]有些游民到平埔族村社充當夥長或通事，成為欺壓居民的社棍。[85]此外，〈番俗六考〉還提到：「半線社多與漢人結為副遜。副遜者，盟弟兄也。漢人利其所有，託番婦為媒，先與本婦議明以布數匹送婦父母，與其夫結為副遜，出入無忌。貓兒干、東西螺、大武郡等社，亦踵此惡習，但不似半線太甚耳。」[86]「貓兒干」約在今雲林縣崙背一帶，「西螺社」約為雲林縣西螺附近、「東螺社」為彰化縣埤頭、「大武郡社」為今彰化縣社頭，「半線」則為今彰化市，可見在大肚溪以南，虎尾溪以北一帶，有漢人利

用與平埔族結盟為兄弟，以方便出入各社的現象。

　　荷治時期來臺農民，他們在荷蘭人的王田制度下，無法擁有土地權利，只得靠勞力營生；而鄭氏時期因招納移民，漳、泉二籍人士相繼來臺，已有定居的傾向。到了清治時期，移墾社會逐漸形成。《諸羅雜識》提到：同鄉的人都視對方如親人，若有人罹患疾病則相扶持；鄰家有喪事時，也相互協助料理後事，鄰里都親自參加葬禮。眾人慷慨解囊幫助窮苦的人，即使是吝嗇的人也及時伸出援手，否則將招來譏議。[87]這呈現出十八世紀初期臺灣移墾社會的地方風俗。

　　當時由於攜眷之禁與拓墾之需，家庭組織（家族）尚未成為社會之基本單位，墾佃關係反成為墾殖社會的主要結構，就如《臺海使槎錄》引《諸羅雜識》所言：臺灣「逋逃之淵藪，五方所雜處。」[88]的特殊社會組成，受到來自泉州、漳州、兩粵等地不同風俗的影響，再加上居於國際航海路線的地理位置，與對外貿易漸增的因素，表現出「競綺麗、重珍旨」的奢侈風氣、「始則出於典鬻，繼則流於偷竊」的賭博惡習、及「往來既頻，則淫酗之累作，聲援既廣，則囂競之患生。」結盟組織的盛行。[89]至於「視疏若親，窮乏疾苦，相為周恤。」[90]雖然為渡海來臺的移民互助的精神，為當時社會中家庭組織未周遍，家族系統衍生未定型的寫照。而當隻身過臺者或在臺無家室親屬者老病，而乏人照顧時，每有淪為流民，或乞討為生，甚而轉死溝壑的可能。[91]此種社會型態使得血緣性的社會救濟體系難以形成，而僅賴地緣關係相互濟助。

(二)男女比例不均的社會結構

清治初期不許移民攜眷、接眷，臺灣流寓人士凡無妻室、產業的人，交原籍收管；而有妻室、產業的，仍嚴予監視，以後犯徒罪以上，亦押回原籍，不許再行越渡。以致造成「鄉間之人至四、五十歲而未有室者，比比皆是。」[92]藍鼎元指出：臺灣府，除了中路臺邑附近，男女比例較平均外；自北路諸羅、彰化以北，淡水、雞籠山後千餘里，婦女不到數百人；南路鳳山、新園、瑯嶠以下四、五百里，婦女亦不到數百人。可見當時臺灣男多女少，性別比例相差極為懸殊的社會現象。《諸羅縣志》曰：「各莊佣人，山客十居七八，靡有家室。」[93]可見客家人無家室的比例亦高。《諸羅縣志》又記載：「男多於女，有村莊數百人而無一眷口者。蓋內地津渡婦女之禁既嚴，娶一婦動費百金；故莊客佃丁稍有贏餘，復其邦族矣。」[94]因女子比例少，使娶婦的費用增加，許多男子因無法付出高額聘金而無法成親。臺灣諺語「有唐山公，沒唐山嬤」，也是形容構成臺灣移民的社會結構特徵。

(三)閩粵移民的衝突

清代臺灣三大勢力為泉州、漳州及粵民。《理臺末議》提到臺灣為「五方雜處之區」，而閩粵人尤多。清治初期施琅嚴禁粵中的惠州、潮州的人民渡臺。當施琅去世後，這項禁令才取消。[95]南路澹水三十三莊，多是來自廣東的墾耕移民，因水利設施逐漸發達，有助於屏東平原墾殖聚落的形成，這就是黃叔璥所謂：「澹水以南，悉為潮州客莊；治埤蓄洩，灌溉耕耨，頗盡力作。」[96]康熙四十二年，福建汀州的客家人，應臺南及嘉義市集河洛業主的召募，進入羅漢門

當佃農，墾殖荒地。[97]朱一貴事件時，粤人村莊杜君英等原
響應起事，後與朱派發生衝突，又為自保而以形成「六堆」
客家義勇軍，並與清廷配合消滅朱派勢力。《平臺末議》
載：「粤莊在臺，能為功首，亦為罪魁。今始事謀亂者既已
伏誅，則義民中或可分別錄用，以褒向義。」[98]此後，每有
河洛人聚眾抗清，清廷就招募客家村民為義勇，加深了閩粤
之間的衝突。

《赤嵌筆談》記載：「朱一貴事件後，客民（閩人呼粤
人曰客仔）與閩人不相和協。再功加外委，數至盈千，奸良
莫辨；習拳勇，喜格鬥，倚恃護符，以武斷於鄉曲。保正里
長，非粤人不得承充；而庇惡掩非，率徇隱不報。」[99]清廷
為籠絡參與抵抗朱一貴事件的居民，於是封給許多粤民「外
委」的職銜，使其成為基層武官。黃叔璥於是下令請相關官
員調劑閩、粤關係，並檢查是否有擾民的情形。他陳請將基
層武官「外委」的編制名額補滿，並多分發至閩、粤等地。
至於各標營差役能力強的授給職務；不適用的人令他返回大
陸原籍，如此，不僅可清冒濫，亦以減低粤人在臺灣的勢
力。然而此項提議，卻因黃叔璥任職期滿，於離開臺灣後，
被誣告而滯留於杭州以備質詢，所以未能加以執行。[100]

大陸沿海人民相繼移居來臺後，大部分寄居北路的諸羅
山以上，及南路的淡水溪以下。而潮州客人聚集耕作，每莊
人數至數百人，但漳、泉的移民並不與他們共同居住。於是
在這毫無規劃的廣大原野地區，即成為閩客游民競逐的地
方。因而臺灣的閩客衝突成為大陸汀、漳、潮三郡衝突的延
長。

三、農村的主要生產活動

㈠耕種的地理條件

　　清治時期臺灣的農作物因氣候、土壤等種種差異，耕種作物以米稻及甘蔗為大宗，其次為雜糧及蔬果之類，顯現出經濟作物與環境的關係來。郁永河《裨海紀遊》提到臺灣為適宜耕種的園地，所謂：「凡樹芸鬱茂，稻米有粒大如豆者，露重如雨，旱歲過夜轉潤。又近海無潦患，秋成納倍內地，更產糖蔗雜糧，有種必獲，故內地窮黎，襁至輻輳，樂出於其市。」[101]郁永河看到臺灣樹木翁鬱的自然景觀，及田土肥沃的特性，農作物又有夜露的滋潤，而且沿岸平原少有大水患的侵襲，因此可以生產出飽滿的稻米；糖、蔗、雜糧等的收成亦極豐碩，成為吸引大陸農民來臺的自然條件。

　　黃叔璥於〈赤嵌筆談〉中的「物產」一節，記錄各種農作物的耕種及收成的時節、產地，臺灣土壤適合種植的情況，有「田盛夏始播，不耨蓼而黍稷自茂，藉草以待有秋。」及「瓜果豆菜之屬，著物即生。」的描述。[102]此外，康熙末年以來，發生在閩、粵的動亂及人口壓力，迫使沿海地區人民大批移往臺灣。然而也因土地的密集開發，臺灣縣附近的水田，受到排水所帶來泥沙的覆蓋，產生了「土脈漸薄」的貧瘠現象，所以用糞肥以培養農作物。所謂：「土壤肥沃，不糞種，糞則穗重而仆。種植後聽其自生，不事耕鋤，惟享坐穫，每畝數倍內地。近年臺邑地畝水衝沙壓，土脈漸薄；亦間用糞培養。」[103]因土地人口的扶養力超過人口的成長，也是造成民變的原因之一。[104]

　　〈赤嵌筆談〉提到鄭氏時期臺灣的開墾多於半線以北，

至清初澹水等地居民仍少。臺灣北部的竹塹地區，〈番俗六
考〉提到：「崩山八社所屬地，橫互二百餘里。高阜居多，
低下處少。番民擇沃土可耕者，種芝麻、黍、芋；餘為鹿
場，或任拋荒，不容漢人耕種。竹塹、後壟交界隙地中有水
道，業戶請墾無幾，餘皆依然草萊。故往年自大甲溪而上，
非縣令給照，不容出境。」[105]因墾照的限制，致使拓墾活動
較晚展開。陳璸奉命往淡水搜捕海盜，並提出分防澹水的措
施，駐兵設防本為防止淡水成為海盜淵藪，卻因緣際會使得
「業戶開墾，往來漸眾。」[106]吸引了大批拓墾者北上耕種。

㈡稻米的種植

　　因臺灣、諸羅、鳳山三縣自然條件各有特色，所以稻米
生產情況也有些差異。〈赤嵌筆談〉記載稻米種植情形：

> 三縣皆稱沃壤，水土各殊。臺縣俱種晚稻。諸羅地
> 廣，及鳳山澹水等社近水陂田，可種早稻；然必晚稻
> 豐稔，始稱大有之年；千倉萬箱，不但本郡足食，並
> 可資贍內地。[107]

　　臺灣縣都種晚稻；諸羅縣耕地廣闊，鳳山縣的位置靠近
水陂田，所以可種早稻，但必須晚稻也豐收，才稱為「大有
之年」。臺地所產米糧，千倉萬箱，不僅可以供本地居民食
用，還可運往大陸，供應漳泉地區的不足。早期稻米的生
產，因漢人謀利精神，及當時人口尚少的因素，所以稻米不
專為維生，而視為商品銷售，因此有「居民止知逐利，肩販
舟載，不盡不休，所以戶鮮蓋藏」的情況。[108]《諸羅縣志‧
雜記志‧外紀》即提到當時：「穀種類之多，倍於內地。」[109]

〈赤嵌筆談〉所載稻種約有二十種，可知當時稻米的種植已趨向多樣化。除在來為原種稻外，移墾時期亦增加許多品種。

㈢甘蔗與製糖

清初承繼鄭氏獎勵糖業的政策，並加以推廣，也因為蔗糖利潤的豐裕，使得糖成為臺灣重要產業，更造成臺地「田少園多」的農村景觀。黃叔璥曾觀察到臺灣、鳳山、諸羅三縣每歲所出蔗糖約六十餘萬簍，每簍一百七、八十觔的盛況。《臺海使槎錄·赤嵌筆談》又提到：烏糖百斤約為八、九錢，白糖百斤約為銀一兩三、四錢；比較雍正以前每石米價一兩左右，即可知甘蔗獲利之多，而且極為搶手，訂貨、裝載不絕，造成農民的競相耕種甘蔗。所謂：「四方奔趨圖息，莫此為甚。糖觔未出，客人先行定買；糖一入手，即便裝載。」[110]種蔗競作情形相當嚴重，分巡臺灣道高拱乾早於1692年（康熙三十一年）左右，即發出「禁飭插蔗並力種田禾」的諭示中提到：「人盡種蔗，則出糖倍多，糖多則價必賤。」[111]農民甚至在稻米歉收的年代，仍不顧缺糧的威脅，而種植利潤較高的甘蔗，顯示農民「惟利是趨」的特性至為明顯。[112]

郁永河曾提到臺灣糖產「商舶購之，以貿日本、呂宋諸國」的外銷情形。此外，在採蔗製糖技術方面，因沿襲荷、鄭時期的發展，已具有相當專業化的色彩，各部門都有清楚的分工操作現象。以專門製糖的峽屋為單位，計用牛十二隻；人工方面，又有糖師、火工、車工、牛婆、剝蔗工、採蔗尾工及看牛工等十七人。[113]鄭氏及康熙年間，臺灣最主要的經濟作物為甘蔗，因甘蔗的耐旱，正適合雨水不足的氣

候。〈赤嵌筆談〉引自《東寧政事集》一書云:「蔗苗種於
五、六月,首年則嫌其嫩,三年又嫌其老,惟兩年者為上。
首年者熟於次年正月,兩年者熟於本年十二月,三年者熟於
十一月……所煎之糖,較閩粵諸郡為尤佳。」[114]可見康熙年
間的臺灣蔗苗,大致皆種於農曆五、六月,而以熟於次年十
二月左右,約十八個月的甘蔗為佳。既然甘蔗是一種生長期
長的作物,又因適合種植在熱帶與副熱帶區,故高溫及充足
陽光的耐旱個性,相當適宜臺灣剛開發不久「沙土相兼,高
下適中」[115]的粗放土地。甘蔗為粗耕多墾的經濟作物,成為
當時田園條件下獲利最多的種作。[116]

〈赤嵌筆談〉記載將蔗汁煎成糖的過程。糖廊為製糖之
作坊,即瓦頂建築和茅草寮。「煎糖須覓糖師,知土脈,精
火候,用灰(湯大沸,用礦房灰止之)用油(將成糖漿,投
以草麻油)恰中其節。」[117]康熙年間的製糖,並不如今日,
多依仗師傅多年的經驗與判斷。糖廊結構主要分成造糖車
和煮糖室兩部份。甘蔗採收經去尾、去籜後,便可運至造糖
榨汁;造糖車是由兩個巨大的圓柱型石磨組成,石磨間有硬
木齒輪可互相咬合,石磨軸心上接有橫桿,桿末掛有三頭牛
的牛軛,運作時將甘蔗放在石磨間,驅牛使磨旋轉,蔗汁便
流了出來。煮糖室則是熬糖的單位,熬糖的主要設備是鍋
爐,將蔗汁煮成黏液狀後,倒入石灰中和有機酸,並藉沉澱
物吸附雜質,初步過濾後,再倒入木桶中,用木棒不停地攪
動,完全冷卻的糖漿為結晶狀,便成粗製的赤糖;再用陶缸
過濾過,則成精製的白砂糖。[118]對照1744年(乾隆九年)
來臺的滿籍巡臺御史六十七[119],命畫工所繪的《番社采風圖
考》第八圖「糖廊」,可看出十八世紀臺灣製糖的情形。

圖十 《番社采風圖》「糖廍圖」

資料來源：「番社采風圖」，第八圖「糖廍」，臺北：中央研
究院歷史語言研究所藏。

（參見圖十）

　　至於在技術人員及勞動力方面，〈赤嵌筆談〉提到：

> 每凭用十二牛，日夜硤蔗；另四牛載蔗到廍；又二
> 牛負蔗尾以飼牛……廍中人工：糖師二人，火工二
> 人（煮蔗汁者）、車工二人（將蔗入石車硤汁）、牛婆
> 二人（鞭牛硤蔗）、剝蔗七人（園中砍蔗、去尾、去
> 籜）、採蔗尾一人（採以飼牛）、看牛一人（看守各
> 牛），工價逐月六、七十金。[120]

廍是房屋，糖廍即製糖的作坊。從上可說明幾點：

1. 糖廍的規模已很大，其動力用牛十二頭，以推動蔗
   車，蔗車是石製的。
2. 製糖是一種複雜工業，需要專門技術，有秩序的分工
   以及妥善的經營管理。此種生產以成一流水線，從砍
   蔗到硤蔗、煎汁幾個步驟都在廍中進行，內部技術
   分工也很細密。
3. 採用雇傭制的勞動生產組織，雇有各種技術人員、工
   匠計十七名，還不包括管理人員，供銷人員。這十七
   名工匠是「雇募人工」，付給每人每月工資「六、七
   十金」。所以他們與廍主僅是金錢的關係，無人身隸
   屬。[121]

㈣自然環境與耕種的關係

　　〈赤嵌筆談〉在物產方面敘及穀類、花果、竹木、鳥
獸、蟲魚、鹽、硫磺等產物時，呈現出物種與氣候、產地等

環境因子間的關係，也透顯出人與環境的互動情形。如臺灣水沙連出產的「凍仔茶」，因屬性寒冷，治療熱症最有效。〈赤嵌筆談〉「物產」提到：「水沙連茶，在深山中，眾木蔽虧，霧露濛密，晨曦晚照，總不能及。色綠如松蘿，性極寒，療熱症最效。每年，通事於各番議明入山焙製。」[122]可知當時只是採取山林野生茶葉，用於解暑療疾的材料。而俗名土豆的花生，花落於地即結實，為蔓生植物。[123]〈赤嵌筆談〉「物產」記曰：「澹水以南，悉為潮州客莊；治埤蓄洩，灌溉耕耨，頗盡力作。田中藝稻之外，間種落花生，俗名土豆；東月收實，充衢陳列。居人非口嚼檳榔，即啖落花生；童　將炒熟者用紙包裹，鬻於街頭，名落花生包。」[124]可知當時村民喜食花生的情形。尤其在時序與農產種植關係，更有詳細的記錄。將〈赤嵌筆談〉所列時序與農產品種植的關係整理成表七。

表七　〈赤嵌筆談〉所列時序與農產品種植關係一覽表

月份	農產	產地			備　　註
		諸羅縣	臺灣縣	鳳山縣	
一月	菜子（油芥）	○			九、十月間種
二、三月	黃豆			○	十、十一月間種 下澹水八社產量多
	大麥、小麥	○			十、十一月間種
四月	絲瓜、紅涼瓜（菜瓜）、甕菜、莧、茄、菜豆		○		
	雙冬早稻（安南蚤）			○	十月及一月種

月	作物				備註
五月	西瓜		○		鳳山瓜、蔬果四月間先熟
	早麻（芝麻）、瓜	○			一、二月間種
六月	黃麻、黃梨、龍眼、波羅蜜、梨仔茇、晚稻	○	○	○	
	晚麻	○			諸羅縣原住民種稷米、高粱、蕎麥
七月	靛青、薑、芋、檳榔、浮留藤	○	○	○	靛青一月、二月間種
	大頭婆早稻	○			
八月	黃豆、黑豆、菉豆	○			五月間種 原住民收成薏苡
九月	菁子	○	○	○	
	圓粒粟（一枝蚤）	○			早播則八月收成
十月	白占稻、紅埔占稻、番薯	○	○	○	番薯早種的七、八月先熟
	下淡水武洛糯米芋			○	
十一月	大蔗（甘蔗）、芋蔗（竹蔗）	○	○	○	
十二月	匏茄		○	○	

說明：

1. 由上表可知，農作物的種類包括糧食類的稻、麥，番薯、芋等，及瓜、豆、龍眼、波羅蜜等蔬果。其中以稻米及甘蔗為三縣主要的農產品，品種栽培的工作亦多積極，這與來臺漢人移民拓墾時，常考慮農作物的經濟價值有密切關係。[125]農民每年能充分利用地利，將各種農作物在適當的時節安排耕種，不但供應島內居民自給自足，也增加農產的收入。

2. 南路下淡水一帶的「雙冬稻」，是鳳山縣特有的現象，適合在平均溫度較高的南部平原地區施行。因水利的發達及雙冬早稻的廣為推展，使屏東平原變成當時鳳山縣的穀倉，不但自給有餘，還可輸出「贍資內地」，並支助島內的急需。與上表中黃叔璥觀察到臺灣氣候與中國大陸不同的情形

126 ，這些農作物的種植與收成，正反映了人與自然的互動生態。

3. 陳文達《臺灣縣志》載有：「『占仔』：米有純白，有赤白相兼。種於五、六月，成於九、十月。諸稻之中，惟此種最佳，然亦以純白者為貴。」又提到：「『埔占』：性宜高地，皆種園中。夏種秋熟，米皆赤色。先年皆用以釀酒，近年穀貴，與占粟頗相類，三餐皆用之矣。」127 可與上表所列產於十月的「白占稻」、「紅埔占稻」相互參看。

4. 農民有時亦以農產品來治病，如《植物名實圖考》提到：「蕎麥性能消積，俗呼淨腸草，又能發百病。」128 〈赤嵌筆談〉提到臺地居民除了將「蕎麥」當飯食用外，更在嬰兒生病時，用麵少許滾湯沖服，以祛熱解毒，短時間內身體即可痊癒，可見此農作物在醫療上所具的功效。

注 釋

1 郁永河：《裨海紀遊》，（臺北：臺灣銀行經濟研究室，1959年），頁35。

2 陳第：〈東番記〉，錄於沈有容：《閩海贈言》（臺北：臺灣銀行經濟研究室，1959年），頁26～27。

3 郁永河：《裨海紀遊》，（臺北：臺灣銀行經濟研究室，1959年），頁26，57。

4 《臺海使槎錄》，頁166。

5 周鍾瑄：《諸羅縣志》，（臺北：臺灣銀行經濟研究室，1962年），頁164。

6 《臺海使槎錄》，頁95。

7 六十七：《番社采風圖考》，頁11。

8 周鍾瑄：《諸羅縣志》，（臺北：臺灣銀行經濟研究室，1962年），頁171～172。

9 宇驥：〈從生產形態與聚落景觀看臺灣史上的平埔族〉，《臺灣文獻》21卷1期，1970年3月，頁5。

10 《臺海使槎錄》，頁104。

11 英籍攝影家約翰·湯姆生（John Thomson）曾於1871年所拍攝臺灣南部平埔族及其住屋。王雅倫：《法國珍藏早期臺灣影像》（1850～1920），臺北：雄獅圖書股份有限公司，1997年6月，頁54。

12 張光直：《臺灣省濁水溪與大肚溪流域考古調查報告》，（臺北：中央研究院歷史語言研究所，1977年5月），頁433。

13 《臺海使槎錄》，頁130。

14 《臺海使槎錄》，頁130、136。

15 陳第：〈東番記〉，錄於沈有容：《閩海贈言》（臺北：臺灣銀行經濟研究室，1959年），頁25。

16 周鍾瑄：《諸羅縣志》，頁165。

17 宇驥：〈從生產形態與聚落景觀看臺灣史上的平埔族〉，《臺灣文獻》21卷1期，1970年3月，頁6～7。

18 《臺海使槎錄》，頁97。

19 〈東番記〉記錄了「漳、泉的惠民、充龍、烈嶼諸澳，往往譯其語，與貿易，以易其鹿。」陳第：〈東番記〉，錄於沈有容：《閩海贈言》（臺北：臺灣銀行經濟研究室，1959年），頁26～27。

20 曹永和：〈簡介臺灣開發史資料——荷蘭東印度公司檔案〉，《臺灣地區開闢史料學術論文集》，（臺北：聯經出版事業公司，1996年6月），頁180。

21 郁永河：《裨海紀遊》，（臺北：臺灣銀行經濟研究室，1959年），頁15。

22 《臺海使槎錄》，頁164。

23 村上直次郎（日譯），郭輝（中譯）：《巴達維亞城日記》，（南投：臺灣省文獻委員會，1970年），第二冊，1644年十二月所載，頁423。

24 《臺海使槎錄》，頁135。

25 《臺海使槎錄》，頁65。

26 黃富三：〈清代臺灣之移民的耕地取得問題及其對土著的影響〉，
《食貨月刊》1981年4月，頁19～33。

27 陳璸：《陳清端公文選》，（臺北：臺灣銀行經濟研究室，1961年
9月），臺灣文獻叢刊116種，頁15。

28 尹章義：《臺灣開發史研究》，（臺北：聯經出版事業公司，1989
年12月），頁5。

29 《臺海使槎錄》頁128。

30 高拱乾：《臺灣府志》，頁249。

31 《諸羅縣志》亦提到：「舊例歲一給牌，通事以社之大小為多寡自
百金而倍蓰之，曰花紅。不者，則易其人。」周鍾瑄：《諸羅縣
志》，頁103。

32 《臺海使槎錄》，頁145。

33 《臺海使槎錄》，頁106。

34 《臺海使槎錄》，頁107。

35 《臺海使槎錄》，頁106。

36 《臺海使槎錄》所引《理臺末議》，頁312。

37 《臺海使槎錄》所引《東寧政事集》，頁163。

38 有關四里、九保、九莊、及九十五社的名稱，見周鍾瑄：《諸羅縣
志·規制志》「坊里」一節所列，（臺灣銀行經濟研究室，1962年）
頁29～32。

39 李汝和主修：《臺灣省通志·人民志·人口篇》，（臺北：眾文圖
書公司，1980年），第一冊，頁48～52。

40 宇驤：〈從生產形態與聚落景觀看臺灣史上的平埔族〉，《臺灣文
獻》21卷1期，1970年3月，頁9～10。

41 《臺海使槎錄》，頁169。

42 《臺海使槎錄》，頁145。

43 《臺海使槎錄》，頁145。

44 《臺海使槎錄》，頁163。

45 《臺海使槎錄》，頁176。

46 戴炎輝：《清代臺灣之鄉治》，（臺北：聯經出版事業公司，1979年7月），頁386～396。

47 周鍾瑄：《諸羅縣志》，頁269。

48 《臺海使槎錄》，頁166～167。

49 《臺海使槎錄》，頁170。

50 《臺海使槎錄》，頁170。

51 見周鍾瑄：《諸羅縣志》，（臺北：臺灣銀行經濟研究室，1962年），頁279。及《臺海使槎錄‧番俗雜記》，有關吞霄之亂的記載，頁168。

52 周元文所言，見〈審革阿猴搭樓等各社通事，給追原騙粟石番語，并酌定通事辛勞使費等項，立木以垂永遠〉，收錄於范咸：《重修臺灣府志》（臺北：臺灣銀行經濟研究室，1987年），頁322～323。

53 《臺海使槎錄》，頁175。

54 《東寧政事集》、《海上紀略》所言見《臺海使槎錄》頁99、頁133所引。

55 《臺海使槎錄》，頁99。

56 《臺海使槎錄》，頁108。

57 《臺海使槎錄》，頁149。

58 陳漢光：《臺灣詩錄》，1971年，頁252。

59 《臺海使槎錄》，頁166。

60　《臺海使槎錄》，頁102。

61　《臺海使槎錄》，頁103。

62　郁永河：《裨海紀遊》，（臺銀文叢本），1959年，頁17。陳璸：
　　〈條陳經理海疆北路事宜〉也提到：派買芝麻、鹿脯、鹿皮、搬運
　　竹木的勞役，層層搜括，剝膚及髓，為社民苦累。出公差遇及深溪
　　大澤，使隨行的平埔社民先試水；在長坡曠野趕路時，也都令平埔
　　族社民終日引導。《陳清端公文選》，（臺灣文獻叢刊116種，
　　1961年9月），頁15。

63　《臺海使槎錄》，頁166。

64　施添福：〈清代臺灣「番黎不諳耕作」的緣由〉一文，據《臺灣番
　　政志》、《淡新檔案》、《清代臺灣大租調查書》、《臺灣北部碑文
　　集成》、《蘆竹庄誌》、《臺灣公私藏古文書彙編》，以及中央研究
　　院臺灣史田野研究室所蒐集之老字約，統計清代乾隆以前竹塹地區
　　平埔族在土地契約上，所述杜賣土地理由，以「乏銀費用」、「乏
　　力自墾」、「離社窵遠」等理由為主。《中央研究院民族研究所集
　　刊》69期，1990年6月，頁77～80。

65　《臺海使槎錄》，頁166。

66　《臺海使槎錄》所引，頁99。

67　參見C.E.S.（1675）：《被遺誤之臺灣》，收錄於周學普譯《臺灣經
　　濟史三集》（臺灣銀行經濟研究室，1956年），頁39～40。

68　（日）村上直次郎、郭輝譯：《巴達維亞城日記》，（南投：臺灣
　　省文獻委員會，1970年），第一冊，頁152。

69　參見C.E.S.（1675）：《被遺誤之臺灣》，收錄於周學普譯《臺灣經
　　濟史三集》（臺北：臺灣銀行經濟研究室，1956年），頁39～40。

70　《臺海使槎錄》，頁118。

71　「薩豉宜」為三寸許長之鐵管，斜削其半，中空而尖尾，繫於掌

背，足舉手動，錚然有聲。周鍾瑄：《諸羅縣志》，（臺北：臺灣銀行經濟研究室，1962年），頁161～162。

72 《臺海使槎錄》，頁129。

73 陳第：〈東番記〉錄於沈有容：《閩海贈言》（臺北：臺灣銀行經濟研究室，1959年），頁25。

74 《臺海使槎錄》引《諸羅雜識》，頁19。

75 村上直次郎、郭輝譯：《巴達維亞城日記》，（臺灣省文獻委員會，1970年6月），第一冊，一六三六年十一月二十六日條，頁179。

76 《臺海使槎錄》引《諸羅雜識》，頁20。

77 高拱乾：《臺灣府志·封城志》「疆界」一項，（南投：臺灣省文獻委員會，1993年6月），頁6。

78 郁永河觀察到自麻豆社、倒咯國社，經諸羅山社、半線社、大甲社、竹塹社、南嵌社，而到八里分社，一路上多是荒僻的地區，甚至到達淡水河流域臺北湖形成時期，發現在淡水河內的三社，皆陷溺在其中。郁永河：《裨海紀遊》，（臺灣銀行經濟研究室，1959年4月），頁17～23。

79 戴炎輝：《清代臺灣之鄉治》，（臺北：聯經出版事業公司，1979年7月），頁4。

80 方家慧、林崇智監修：《臺灣省通志稿·人民志·人口篇》，（臺灣省文獻會，1964年），頁159。

81 何素花：〈清初旅臺文人之臺灣社會觀察——以郁永河的《裨海紀遊》為例〉，《聯合學報》十三期，1995年12月，頁294。

82 湯熙勇以比較的角度來瞭解治臺政策，在同一時期的四川移墾拓墾辦法、田賦政策、移民與管制的方法，及鼓勵官員致力於開墾的措施等，發現兩者具有相同性。湯熙勇：〈論清康熙時期的納臺爭議

與臺灣的開發政策〉，原發表於中央研究院臺灣史田野研究室主辦之「臺灣歷史上的土地問題國際研討會」（1991年12月），《臺北文獻》直字114期，1995年12月，頁25～44。

83　蔡世遠〈送黃侍御巡按臺灣序〉以為：「臺灣鮮土著之民，耕鑿流落多閩、粵無賴子弟。」

84　《福建通志臺灣府》，文叢84，頁219。

85　郁永河：《裨海記遊》，頁37。

86　《臺海使槎錄‧番俗六考》，頁116。

87　周鍾瑄：《諸羅縣志》，頁145。

88　《臺海使槎錄‧赤嵌筆談》，頁38。

89　《臺海使槎錄‧赤嵌筆談》，頁38～39。

90　《臺海使槎錄‧赤嵌筆談》，頁39。

91　黃秀政：《清代臺灣的社會救濟事業》，頁211～212。

92　陳文達：《臺灣縣志》，（臺北：臺灣銀行經濟研究室，1961年），臺灣文獻叢刊103種，頁59。

93　周鍾瑄：《諸羅縣志》，頁292。此外，藍鼎元也曾說到：「粵民全無妻室，佃耕行傭。」藍鼎元：《平臺紀略》，（臺北：臺灣銀行經濟研究室，1951年），臺灣文獻叢刊14種，頁67。

94　《諸羅縣志》，頁292。

95　《臺海使槎錄》所引《理臺采議》。

96　《臺海使槎錄》，頁53。又陳文達《臺灣縣志‧輿地志》載：「客莊，潮人所居之莊也。北路自諸羅山以上，南路自淡水溪而下，類皆潮人聚集以耕，名曰客人，故庄亦稱客莊。……漳、泉之人不與焉，以其不同類也。」臺文叢103種，頁57。

97　《臺海使槎錄》，頁112。

98　收錄於〈赤嵌筆談〉「朱逆附略」一項，頁92～93。

99 《臺海使槎錄》，頁93。又藍鼎元曾言：「廣東潮惠人民，在臺種地傭工，謂之客子。所居莊曰客莊。人眾不下數十萬，……辛丑朱一貴作亂，南路客子團結鄉社，奉大清皇帝萬歲牌與賊拒戰，蒙賜義民銀兩，功加職銜。」《東征集》，頁63。當時粵民所封的職銜為「外委」，為一基層武官。

100 《臺海使槎錄》，頁93。

101 郁永河：《裨海紀遊》，頁11～12。

102 《臺海使槎錄》，頁53，89。

103 《臺海使槎錄》，頁53。

104 簡炯仁：〈「三年一小反，五年一大亂」——清據與日據臺灣社會發展模式互異之探討〉，《臺灣風物》43卷4期，1993年12月，頁120～123。

105 《臺海使槎錄》，頁134。

106 《臺海使槎錄》，頁32。

107 《臺海使槎錄》，頁51。

108 《臺海使槎錄》，頁21。

109 周鍾瑄：《諸羅縣志》，頁294。

110 《臺海使槎錄》，頁51。

111 高拱乾：《臺灣府志·藝文志》，頁244～245。

112 溫振華：〈清代臺灣漢人的企業精神〉，收錄於張炎憲主編：《臺灣史論文精選》上冊，（臺北：玉山社出版事業公司，1996年9月），頁337。

113 《臺海使槎錄》頁56～57。

114 《臺海使槎錄》頁56。

115 《臺海使槎錄》頁56。

116 陳雯宜：《清康熙年間臺灣土地利用的研究》，（臺北：成功大學

歷史語言研究所碩士論文，1994年），頁77。

117 《臺海使槎錄》頁56。

118 劉還月：《臺灣土地傳》，（臺北：臺原出版社，1989年1月），頁
25～26。

119 范咸、六十七合編的《重修臺灣府志‧職官志》官秩「欽命巡視
臺灣御史」一條載有：「六十七，滿洲鑲紅旗人，戶科給事中。
乾隆九年三月任，留任二年。」（臺北：臺灣銀行經濟研究室本，
1961年11月），頁102。

120 《臺海使槎錄》頁59。

121 陳學文：〈明清臺灣的蔗糖工業領先全國〉，《歷史月刊》四十七
期，頁114。

122 《臺海使槎錄》，頁62。

123 蔣毓英：《臺灣府志‧土產》：「塗豆（一名落花生，可作
油）」，（南投：臺灣省文獻會，1993年6月），頁38～39。

124 《臺海使槎錄》，頁53。

125 明末閩粵沿海人民移居臺灣者漸多，並引進新品種，為臺灣稻米
大量生產之始。荷治時期臺灣已有糖及米輸出，農產的發達實與
墾地及移民的關係密切。王世慶：《清代臺灣社會經濟》，（臺
北：聯經出版事業公司，1994年8月），頁93～97。

126 除了農作物以外，〈赤嵌筆談〉並提到花開與時序的關係。《臺
海使槎錄》，頁53。

127 陳文達：《臺灣縣志》，（臺北：臺灣銀行經濟研究室，1961
年），頁6、7。

128 吳其濬：《植物名實圖考‧穀類》，（臺北：臺灣商務印書館，
1968年），頁22。

第六章

《臺海使槎錄》
所呈現的文化特色

　　學者在研究人類社會的各種現象時，均有意或無意中假定了文化的性質，而人類學一些新的重要研究課題的發展，也往往蘊涵新的文化概念。[1]臺灣各地居民所積累的生活經驗，與創造力的歷程，構成了臺灣文化的特色。《臺海使槎錄》為黃叔璥於十八世紀初巡臺期間，觀察臺灣各地文化的特徵，所作成系統性的記錄。藉由此書所論及的文化主題，及反映出居民的生活方式、價值觀與宗教信仰等層面，以進一步探討這塊土地所蘊含豐盈的文化特色。

第一節　平埔族文化面貌

一、居處建築

　　平埔族的住屋大體上以土、木、竹為建築材料，因地域的不同，房屋建築大致可分為「平臺式」、「畚箕式」、「干闌式」三種不同的型式，以下參考李亦園先生的研究，並對照〈番俗六考〉原文，分類列於表八[2]：

表八　臺灣平埔族建屋比較表

特徵/形式	平臺式	畚箕式	干闌式
建屋方法	房屋建於土石臺基上	依山坡而直接築於地	房屋建於架空木椿上
平埔族名	西拉雅（Siraya）、和雅（Hoanya）等族	貓霧捒（Babuza）、巴則海（Pazeh）等族	凱達格蘭（Ketagalan）、噶瑪蘭（Kavalan）族
主要分佈區域	南部（臺南、高雄、屏東、彰化、雲林、嘉義）	中部（濁水溪以北，大肚溪以南 ，臺中、彰化）	北部（基隆、臺北、宜蘭）
〈番俗六考〉原文舉例說解	填土為基，高可五六尺；編竹為壁，上覆以茅。茆簷深邃垂地，過土基方丈。……架梯入室，極高聳宏敞。	貓霧捒諸社，鑿山為壁，壁前用木為屏，覆以茅草。零星錯落，高不盈丈，門戶出入，俯首而行。	澹水地潮溼，番人作室，結草構成，為梯以入，鋪木板於地，亦用木板為屋，如覆舟。
出處	北路諸羅番三（103頁）	北路諸羅番八（124頁）	北路諸羅番十（136頁）

　　(1)南部西拉雅、和安雅（洪雅）等族的房屋，以高約一公尺餘的土臺為基，此種屋式稱為「平臺屋」（platform house）。這些高出地面的臺基是以泥土堆成，有時四周還圍以石塊，而房屋則建築在臺基上。然後在四圍編以竹牆，並以茅草為頂，茅簷低垂至地面。如〈番俗六考〉「北路諸羅番三」提到此種房屋的功用：「雨暘不得侵其下，可舂可炊，可坐可臥，以貯笨車網罟，雞塒豕欄。」[3]「平臺屋」不見於高山族，為平埔族的獨特屋式。

　　(2)中部平埔族如貓霧捒、巴則海等族的家屋則屬「畚

箕式」的建築。背山坡築屋前，先鑿山為壁，前側均以木為
屏。這種依山坡而築的「畚箕式」房屋，也是排灣族和布農
族主要屋式。

　　(3)北部凱達格蘭、噶瑪蘭族的房屋為「干闌式」。此種
房屋建於木樁上，這一種「為梯以入」的木屋，即為建於樁
上的干闌屋。高山族亦有「干闌式」的建築，如：卑南族的
青年會所、雅美族的涼臺，也都可以認為是架空式房屋的例
子。而「平臺屋」與「干闌屋」的相同點在於兩者皆不是直
接在地面上建造房屋；而其相異點則是「平臺屋」是填實的
石臺為基，「干闌屋」則是建在架空的木樁上。

　　〈番俗六考〉以「居處」列為六考的首項，除了詳細記
載各類房屋的外貌特徵外，更記錄當時不同屋式於南、北各
社的分佈情形。如「北路諸羅番三」（約今濁水溪和大肚溪
之間）包括新港、蕭壠、麻豆、大武郡等社，以及他里
霧、斗六門，皆是填土為屋的樣式。[4]「北路諸羅番四」包
括大傑巔、大武壠等社：「住屋曰勞達。平地築土作基，
大木為梁，剡竹結椽桷為蓋；眾擎而覆之。」[5]「南路諸羅
番一」亦云：「屋名曰朗，築土為基，架竹為梁，葺茅為
蓋，編竹為牆，織蓬為門。每築一室，眾番鳩工協成。」此
種屋式與高山族的建築不同。可知此類屋式分佈不限於西拉
雅亞族，而是遍及於上淡水八社、大武壠四社，以及和安
雅族的他里霧、斗六門等社和大武郡等社二亞族。[6]黃叔璥
對當時平埔族屋室的記錄，可說是範圍極為廣泛的田野調
查。

　　至於房屋的裝飾，「北路諸羅番三」提到：「門繪紅毛

人像」，實為門柱木雕。[7]《臺海使槎錄》書末的〈番社雜詠〉描寫「作室」的情景時提到：「剡竹為椽扇縛笐，空擎梁上始編茅。」[8]可能因采風詩受到篇幅及敘述手法的限制，於客觀寫實上有時難以清楚明確，而且易使人產生先合力擎於樑上，再將以編茅的誤解。其實作者在〈番俗六考〉中已先仔細交待了關於建屋的方法及過程，如〈北路諸羅番一〉曾記載：「先以竹木結成椽桷，編竹為牆，蓋以茅草，為兩大扇；中豎大梁，備酒豕邀請番眾，舉上兩扇，合為屋。」[9]具體呈現出平埔族邀請眾人合力建屋，並備饗宴與族人共享的文化特色。若再與中央研究院歷史語言研究所藏《番社采風圖》「乘屋圖」參看，可知建屋時多先在臺基上削竹邊牆，再把已經完工的屋頂架到牆壁上，三根柱子插於樑上，連同屋頂一起立在臺基上。此即是平埔族建屋過程的特色（參照圖十一）一直到十九世紀英籍攝影家約翰·湯姆生（John Thomson）來臺時，仍可見平埔族的平臺屋形式。[10]

平埔族的建築材料亦多取之大自然，然而這種以竹為柱，上覆以茅，用土塗附的建築材料，有時遇及天災，則將影響住屋品質。《臺海使槎錄·赤嵌筆談》提到：

> 小民草寮，以竹為柱，上覆以茅，用土塗附；傾盆疾雨，沙土漂流，捲地狂飆，棟桷摧折。且經年之竹，蠹已蛀盡，烏能久支耶！

當遇到傾盆疾雨等風災、洪水災害，或是常年的受到蟲蠹，都可能嚴重影響居民的安危。

圖十一 《番社采風圖》「乘屋圖」

資料來源:「番社采風圖」第十圖「乘屋」,臺北:中央研究
院歷史語言研究所藏

二、衣飾器用

㈠衣飾

平埔族早期的衣飾具有濃厚的南島民族特色，女子主要服裝類型為兩片方布直接縫合的衣服及腰裙。〈番俗六考〉分述臺灣南北諸多不同的平埔族群，多描述其衣短至肚臍，短衫似比長衫還普遍。如〈北路諸羅番一〉提到：「衣黑白不等，俱短至臍，名籠仔。用布兩幅，縫其半於背，左右及腋而止；餘尺許垂肩及臂，無袖。」[11]乾隆年間范咸〈臺江雜詠〉也描述：「短衣烏布未須縫」，自註：「番黎皆著短衣，以烏布圍之」[12]。六十七《番社采風圖》所畫短型上衣也有帶袖有領的，「迎婦圖」的新娘上衫露出臍眼，而「乘屋」、「迎婦」二圖上穿衣的男子，所穿的也是腰臍以上的短衫。「迎婦圖」寫東西螺、大武郡、半線的風俗，新娘上衣的短正與〈番俗六考〉所述這一帶的「達戈紋」－以紅紋為衣，長只尺餘的形狀不謀而合。（參見圖十二）〈番俗六考〉記載西拉雅傳統服飾如下：

> 番婦衣短至腰，或織茜毛於領，或緣以他色。腰下圍
> 幅布，旁無襞積為桶裙。膝以下用烏布十餘重，堅束
> 其腓至踝。頭上珠飾，名曰沙其落；瑪瑙珠，名曰卑
> 那苓。頸掛銀錢、約指、螺貝及紅毛錢。瓔珞纍纍，
> 盤繞數周，名曰夏落。臂釧，束洋鐲銅起花鐲，或穿
> 瑪瑙為之。[13]

圖十二　《番社采風圖》「迎婦圖」

資料來源：「番社采風圖」第十三圖「迎婦」，臺北：中央研
　　究院歷史語言研究所藏

　　日本學者國分直一曾於臺南附近觀察西拉雅一位老婦人的服飾，是用紅毛線織成，並以其他顏色鑲邊的短上衣，沒有打褶的裙子、帶著瑪瑙串等，即與黃叔璥的記載相當一致。可見直到二十世紀初，臺南縣西拉雅族的新娘禮服依然如此。[14]

　　至於平埔族項飾多以螺貝、珠子為主；手臂裝飾的環鐲則多是鐵或銅的製品，亦有以貝製成的貝鐲，稱為「蛤釧」[15]。臺灣大學考古人類學系蒐藏有日本學者所採集的平埔族衣飾標本，如「貝製項飾」由高島丈太郎於埔里所採集，以26枚梯形貝片連串而成的項飾。貝片大小大致相同，長約4cm，上寬約2～2.5cm，下寬3cm，厚4mm。兩側各有二小孔相通，以便麻繩穿過。此類貝製項飾為臺灣平埔族常見的飾物。此即是《臺海使槎錄·番俗六考》所提到的「螺牌項鍊」。此外，亦藏有鈴木泉於埔里採集的「玻璃珠項鍊」，此為以66枚金黃色玻璃珠串成的項鍊。珠最大者厚11mm，最小者厚4mm。此類玻璃珠串亦為平埔族常見飾物，較長者可繞項數圈，多於參加儀式所佩戴，男女不分。又有尾崎秀真於埔里所採集的「貝製手鐲」（蛤釧），此為以貝殼的胴部磨成的手鐲，厚1.8cm，最大徑9.5cm，恰容於手。因為經過小心磨製，呈光滑的白色。此即《臺海使槎錄》及臺灣方志中所提到的「蛤釧」。[16]（參見圖十三）並以青色或黑色頭巾包頭，婦女於膝以下腓至踝的部位則束有裹腿布。可見頸項、臂腕、或頭巾、裹腿等佩飾，亦是平埔族特殊的文化標識。

　　黃叔璥觀察北路也有穿著鹿皮的，如北路五、七，以及

圖十三　平埔族佩飾

貝製項飾

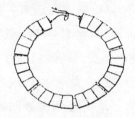

玻璃珠項鍊

貝製手鐲（蛤釧）

資料來源：李亦園：〈本系所藏平埔族衣飾標本〉，《臺灣大
　　學考古人類學刊》第四期，1954 年 12 月

北路八貓霧揀阿里史和岸裡等社，皆是比較近於內山的族群。〈番俗六考・南路鳳山番一〉所說：「男用鹿皮蔽體，或氈披身，名卓戈紋」[17]。夏之芳〈臺灣雜詠百首〉云：「抄陰尺布不堪縫，無褐無衣可耐風。此地乍寒偷射獵，人人盡是鹿皮翁。」[18] 臺灣北部有時因氣候稍冷，原住民才穿鹿皮衣。至於平埔族善長以紡織刺繡著稱，其中尤以巴則海族的織物最為精巧美麗，比起高山族泰雅、排灣兩族的織物，實有過之而無不及。巴則海族的織物大致以苧麻為基線，而夾織各種顏色的羊毛線以及獸毛，木斛草等以為紋飾。[19]〈番俗六考・北路諸羅番三〉提到：「用茜毛織以紅文」[20] 平埔族中作為挑織花紋之色線大部份為漢人輸入之各色羊毛線，但其在外來文化未輸入前則多採用茜草作染料，以染製自搓之麻線。

平埔族人參加儀禮時，常穿著精美的紡織品；夏季結麻枲掛於身體下部，如〈番俗六考・北路三〉曰：「炎天則結麻片圍之，縷縷四垂圍繞下體。」[21]〈番俗六考〉說：貓兒干、西螺、東螺、他里霧、二林等地「烏布為蔽，長二尺餘」[22] 大傑巔、大武壟、噍吧年、木岡（即大目降）「腰以下用四尺圍蔽」[23] 可見平埔族下衣形制比上衣還簡單。

(二)日常器用

關於許多平埔族日常的器具，〈番俗六考〉及各府縣志描寫極簡要，臺灣大學人類學系蒐藏有平埔族此類標本，可補充古籍的說解。今以標本圖片與〈番俗六考〉提到的器用相互對照，以作進一步說明。

　　1.陶製用具

〈番俗六考〉於「器用」一目常提及平埔族煮食用的「木扣」。如：北路諸羅番一「炊飯用鐵鐺，亦用木扣，陶土為之，圓底縮口，微有唇起以承甑；以石三塊為担，置木扣於上以炊。」北路諸羅番七「炊用木扣以代鐺。」北路諸羅番九「阿里山、水沙連內山諸番，尚用木扣」北路諸羅番十「厝內所用，木扣螺椀」之類。[24]平埔族人用此種陶罐作炊具，《噶瑪蘭廳志·番俗篇·器用》也說到：「用土鍋名曰木扣。」木扣，人類學家伊能嘉矩記音為 vokkao，為平埔族用於燒水或煮肉類的罐形器。[25]

2.螺製用具

平埔族人常撿拾海螺，取去螺肉，而以外殼為碗，〈北路諸羅番六〉云：「螺蛤殼為椀」。[26]府志中也曾提到《淡水廳志·番俗》：「所用木扣螺椀之類」臺灣大學藏有此種螺碗樣本三枚，標本390號，均為伊能嘉矩所採集，1929年入藏。此三枚標本皆是雷朗族的器物，390a號為擺接社器物，390b號為里族社標本；390c為武嘮灣社標本。[27]（參見圖十四上（390a）、下左（390b）、下右（390c））從這些日常用具，可看出平埔族人的器具取材於大自然的情形。

此外，〈番俗六考〉曾提到北部平埔族如凱達格蘭、及噶瑪蘭的「蟒甲」或「艋舺」，即獨木舟的音譯字。[28]〈番俗六考〉北路諸羅番十附載提到噶瑪蘭族操舟的情形：「蟒甲，獨木挖空，兩邊翼以木板，用藤縛之；無油灰可艌，水易流入，番以杓不時挹之。」[29]在獨木舟的兩旁加木板，是為防遏船體顛覆的原始方法。

圖十四　伊能嘉矩採集平埔族螺碗

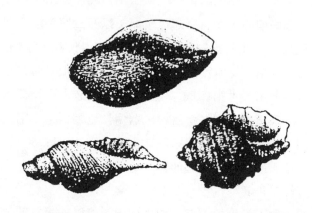

資料來源：《臺灣土著民族的社會與文化》，頁23

三、生命禮俗

　　社會中分佈最廣的儀式，都是標示出生命中基本而又不可改變的關鍵點，雖然各種族強調的重點有顯著的差異，但是出生、成年禮儀式，以及婚禮與葬禮等，都是普遍存在的生命禮儀。比利時社會學家梵基尼（Arnold Van Gennep）將此命名為「通過禮儀」（Rite of Passage），他以為這些儀式成立的要素為人的地位或身分的轉變。[30]以下即對〈番俗六考〉所提及的平埔族婚姻及喪葬兩種生命禮俗，分項加以詮釋：

㈠婚姻禮俗

　　平埔族在婚禮舉行之前，男女兩家常先互贈禮物，包括各種色麻布、頭飾、螺錢、手鐲等。如屬於入贅方式，則男

子由其親戚送至女家成禮，由女家宴請親屬及其村人；如屬
出嫁方式，則女子嫁至男家，由男家宴請賓客。[31] 既不似漢
人的絕對父系社會，也不像民族誌舅權為重的母系社會；然
大體看來，平埔族的女子的社會地位較高。〈番俗六考〉記
載平埔族各社的婚姻習俗，婚姻形式雖以男子出贅，女子納
婿為主，但也有一些例外。如：和安雅、巴布薩：「其俗惟
長男娶婦於家，餘則出贅。」道卡斯族則為：「一女則贅
婿，一男則娶婦。男多則聽人招贅，惟幼男則娶婦終養；女
多則聽人聘娶，惟幼女則贅婿為嗣。」[32] 可見平埔族婚姻制
度複雜，各族情況多有不同。以下分項敘述《臺海使槎錄》
所呈現的平埔族婚姻禮俗：

1.婚前交往

平埔族少男如鍾情於某一少女，則日夜在少女家前吹奏
鼻簫或嘴琴；若少女亦屬意於該少男，即約定日期幽會，互
贈禮物定情。如：「南路鳳山番一」提到：「女及笄，構屋
獨居，番童有意者，彈嘴琴逗之，……意合，女出而招之同
居，曰牽手。」[33] 可見未婚男女婚前交往自由的情形。

2.訂婚

男女如果兩相投合，則告知父母，訂婚不擇期，只由男
家送物為禮聘。如西拉雅族「訂盟時，男家父母遺以布。麻
達成婚，父母送至女家，不需媒妁。」「將娶則送珠仔為
定，名曰『毛里革』；用木櫃置布匹達戈紋送至女家。」[34]
洪雅族：「初訂姻，男家贈頭匜，以草為之，名搭搭干；或
以車螯一盃為定。」洪雅、巴布薩族：「自幼定姻用螺錢，
名『阿里捫』。及笄，女家送飯與男家，男家亦如之。定婚

期，番媒於五更引婿至其家，天明告其親，讌飲稱賀。亦有
不用定聘；薄暮，男女梳妝結髮，遍社戲遊，互以嘴琴挑
之，合意遂成夫婦。」[35]道卡斯族：「娶婦先以海蛤數升為
聘；竹塹間用生鹿肉為定。蛤大如拇指，殼有青文，生海邊
石壁間，盡力採取，日不過數升，甚珍之。」[36]可知訂婚以
日常用具為禮，或用螺錢、布帛、海蛤、珠粒、糯飯等物品
為聘禮。

　　3. 迎親

　　平埔族迎親時，常見女子坐在眾人擎抬的高架上，如
「北路諸羅番一」提到西拉雅族的迎親情形：「若配合已
久，造高架，坐婦於上，迎諸社中。」[37]黃叔璥在〈番社雜
詠〉迎婦一首亦寫到：

　　　　贅婿為兒婦為家，還憐鑿齒擦蕉花；
　　　　何如高架迎歸去，偕老相期禮自嘉。[38]

　　六十七《番社采風圖》「迎婦圖」亦可見具體的景象，
題詞註明為彰化縣東西螺、大武郡、半線等社。（參見圖十
二）但《番社采風圖》的內容應不限於題詞所指稱的地區而
已。男女結婚時，並備酒肉宴請雙方親友，歌舞歡唱。

　　4. 離異及特殊規範

　　平埔族離異或私通時，常以酒、粟、或銀為罰。如：西
拉雅族「男離婦，罰酒一甕、番銀三餅。女離男或私通被
獲，均如前例。其未嫁娶者不禁。」[39]洪雅族：「私通被
獲，投送土官罰酒豕，鳴於眾，再罰番錢二圓。未嫁娶之男

女不計也。」[40]哆囉嘓社則於成婚後，男女俱折去上齒各二，彼此謹藏，以表示終身不易。

C.E.S.《被遺誤之臺灣》提到平埔族的婚姻制度：青年若喜愛某一女子，就請他的母親、姐妹、或一個女親戚攜帶禮物到她的家裡去，請她的父母允許她結婚，如果當事人及親友同意，婚姻就算完成，新郎可以直接和他的合法愛人同寢。之後，夫妻並不住在一起，仍舊各住在自己的家裡用餐、工作。[41]平埔族招贅婚中男子都有為女家做工的義務，可說是服役婚。關於居住在臺灣西南部之西拉雅（Siraya）平埔族之婚姻情形的一個記載，談及服勞役之事：「既婚，女赴男家灑掃屋舍三日，名曰『烏合』。此後男歸女家，同耕並作，以偕終身。」[42]這種服勞役情形屬於以女承家的招贅婚的情況。

㈡喪葬禮俗

〈番俗六考〉所述平埔各族的埋葬，有以下特色：

1. 多屬室內葬

〈番俗六考〉所述平埔各族的埋葬，大部份為室內葬，即埋葬在死者的家屋內地下。逝者大多裹以鹿皮、草蓆或置於棺木內。洪雅族的埋葬方式為：「置死者於地，男女環繞，一進一退，抵掌而哭；用木板四片殮葬，竹圍之，內蓋一小茅屋，上插雞毛並小布旗，以平生雜物之半懸死者屋內。」[43]可知平埔族埋葬的地點多葬於室內，少數葬於厝邊或山上，只有洪雅族另蓋小茅屋栽竹圍埋葬。

2. 喪期後可另擇新配偶

西拉雅族父母兄弟去世則服一年的喪期，夫死一年後，

先自擇選新配偶，再告知前夫父母及親生父母，而後舉行婚禮。洪雅族則夫死，婦守喪三月即可改適，要先告知父母，後再擇配，與新港社的習俗不同。[44]

3. 陪葬品

西拉雅族：「以平日衣服、器皿之半殉之。」洪雅族：「以平生雜物之半懸死者屋內。」道卡斯族：「番死，男女老幼皆裸體用鹿皮包裹，親屬四人舁至山上，用鹿皮展鋪如席，將平生衣服覆身，用土掩埋。」[45]可知平埔族的陪葬品多為衣服、器皿、及平日雜物。

四、宗教信仰

平埔族相信靈魂的存在，祖先崇拜是鬼魂崇拜中最發達的一種。[46]平埔各族宗教祭儀，有時通稱為「祭祖」，大都以祭祖求平安為主要觀念。祭祀時所用的祭品大體都相同，包括粟酒、糯米飯糕、豬肉、鹿肉、雞、檳榔等。祖靈祭最後以飲宴和歌舞作結。[47]〈番俗六考〉載有多首祭祖歌，如：「北路諸羅番八」大肚社祀祖歌：

> 噢仔噢麻隱嘩什（今日過年），靡阿麻哃仔武嘮馬礁乞咿珊（都備新酒賽戲祭祖）。思引咿珊牟起林（想祖上何等英雄）！夜嘮務力咿珊牟起林（願子孫一如祖上英雄）！[48]

又如「北路諸羅番十」澹水各社祭祀歌：

虙請祖公，虙請祖母，爾來請爾酒，爾來請爾飯共
菜。庇祐年年好禾稼，自東自西好收成，捕鹿亦速擒
獲！[49]

　　另外，下淡水頌祖歌、阿猴頌祖歌、搭樓念祖被水歌、
武洛頌祖歌等，也都是祭祖歌。這些祭祖歌顯現靈魂被人格
化，子孫務須勤於祭祀才能獲得其保佑，所以人們為祈求作
物豐收、漁獵獲得多、身體健康而展開了一連串的歲時祭和
一系列的生命儀禮。祭儀是宗教信仰的實踐，歲時祭儀以粟
為中心而展開農耕儀禮，中間雜有捕魚和狩獵活動，農耕儀
禮中有播種、除草、收割、入倉、豐年祭等定時祭儀，求雨
求晴等不定時祭儀，每種祭儀的目的多在祈求動植物之繁殖
與豐收。[50]

　　《臺海使槎錄・番俗六考》所蒐羅平埔族各地民間歌謠
裡，有許多關於農耕儀禮及信仰的歌謠。如於「北路諸羅番
一」附載有關西拉雅族（Siraya）的「蕭壠社種稻歌」：

呵搭其礁（同伴在此），加朱馬池唎其麻如（及時播
種），包烏投烏達（要求降雨），符加量其斗逸（保佑
好年冬）。知葉搭著礁斗逸（到冬熟後）投滿生其迦
僉藍（都須備祭品），被離離帶明音免單（到田間謝
田神）。[51]

　　這首歌謠裡反映出位於臺灣西南部的蕭壠社（約位今臺
南北門），在十八世紀初期在農作物收成後，以祭品到田間

舉辦謝神的儀典。而有關熱鬧的豐年祭的記載如「北路諸羅番二」的「諸羅山社豐年歌」：

> 麻然玲麻什勞林（今逢豐年大收），蠻南無假思毛者（約會社眾）；宇烈然噢沙無嘎（都須釀美酒），宇烈嘮來奴毛沙喝嘻（齊來賽戲）；麻什描然麻什什（願明年還似今年）！[52]

這首豐年歌反映了諸羅山社（約位今嘉義市）的洪雅族（Hoanya），在豐年祭的時節，以美酒、賽戲與鄰人歡慶的情景。而在「北路諸羅番四」則錄有「大傑巔社祝年歌」，譯成漢語為：

> 今過年，為粉餐殺雞，祭天地；祝新年勝去年，倍收穫食不盡。[53]

大傑巔社約位於今高雄岡山，亦屬西拉雅族的一支。從這首歌謠中可見平埔族人常於過年時準備雞等祭品，以祭拜天地，祈求能年年豐收。另外在「北路諸羅番七」則特別提到有關粟收成時的慶祝活動，所謂：「收粟時，則通社歡飲歌唱，曰『做田』；攜手環跳，進退低昂，惟意所適。」[54]呈現出一片農家歡樂的儀典情景。

人死則化為靈魂，正當死者為善靈，凶死者為惡靈，善靈可到人界，能保佑子孫，惡靈留於人間作祟，令人生病或帶來厄運。巫覡被視為具有神祕能力，據〈番俗六考〉北路

諸羅番四及八的附載，記有莊子洪秀才觀察所得：

> 康熙三十八年，郡民謝鶯、謝鳳偕堪輿至羅漢門卜
> 地；歸家俱病，醫療罔效。後始悟前曾乞火於大傑巔
> 番婦，必爲設向。適郡中有漢人娶番婦者，乃求解於
> 婦；隨以口吮鶯、鳳臍中，各出草一莖，尋愈。番婦
> 自言，初學咒時，坐臥良久，如一樹在前，臥而誦
> 向，樹立死，方爲有靈。

向，即爲一種咒詛，《諸羅縣志》言：「作法詛咒亦名
向。先試樹木立死，解而復蘇，然後用之。不則，恐能向、
不能解也。不用鎖鑰，無敢行竊，以善向故也。擅其技者，
多老番婦。田園阡陌，數尺一，環以繩；雖山豬、麋鹿弗敢
入。漢人初至，誤摘啖果竅，唇立腫；求其主解之，輒推託
而佯爲按視，轉瞬平復如初。」[55]民間相信巫覡能賦與其他
物質某種不可侵犯的禁制勢力，有時欲將其禁制勢力運用於
漢民的土地侵佔。[56]

臺灣有許多疏林與高草相織而成的莽原，爲平埔族天然
的獵場，狩獵爲平埔族重要的生產活動。出獵前與東南亞各
原始民族有同樣的宗教性占卜，即先作鳥占，或夢占。[57]
《臺海使槎錄・赤嵌筆談》「南路鳳山番一」提到這種社會性
的集體行爲：

> 將捕鹿，先聽鳥音占吉凶。鳥色白，尾長，即華雀也
> （番曰蠻任），音宏亮，吉；微細，凶。[58]

捕鹿前先以鳥音占卜，這是將狩獵視為一種神聖行為的表現。

第二節　漢人移墾社會的習俗

一、歲時節慶

歲時與傳統農村社會息息相關，〈赤嵌筆談〉載有漢人移墾社會一年的歲時節慶。以下一一列舉其中重要的節日習俗：

㈠上元

農曆正月十五日為上元節，街頭懸掛花燈，夜裡可聽見簫管鑼鼓的雜奏聲，與煙花火樹相互輝映，燈市慶典活動可持續到正月廿五、廿六日。此外，未成年少女於上元節偷折人家花枝竹葉的習俗，雖遭人詬罵，卻有將來可得佳婿的祈願意涵。[59] 又因「竹籬」與「得兒」閩南音相近，所以偷拔人家的竹籬具有吉兆的象徵。此外，臺灣有句流傳的俗語：「偷拔蔥，嫁好尪」、「偷敲菜，嫁好婿」，即是取諧音而來。[60]

㈡端午

「瘴癘」的威脅，對在臺的漢人造成相當大的心理壓力，而將它視為厲鬼，為了驅趕瘧疾及蚊子，農曆五月五日端午節當天竟然形成「送蚊」及「避蚊蚋」的習俗。[61]〈赤嵌筆談〉提到：「清晨然稻梗一束，向室內四隅熏之，用楮錢送路旁，名曰送蚊；門楣間艾葉、菖蒲，兼插禾秤一莖，謂可避蚊蚋，榕一枝，謂老而彌健。」[62] 懸插在門上的植

物，如菖蒲形狀類似劍，象徵驅邪的意義；艾草為治病的藥
草，掛在門口具有祈求身體健壯的用意。[63]此外，親友間彼
此以西瓜、肉粽相饋贈。中午時刻，為小兒女結五色縷，男
繫左腕，女繫右腕，稱為「神鍊」。自初五至初七，於海口
淺處用錢或布為標，杉板魚船爭相奪取標物；獲勝的則鳴
鑼，稱為「得采」，平埔族人也稱這種划龍船的競賽，稱為
「鬥龍舟」。[64]眾多的節俗活動，顯示端午節亦為臺灣重大的
民間節日。

㈢七夕

農曆七月七日的七夕又稱為「巧節」。當天有祭拜織女
的習俗，織女又稱「七星孃」，民間多將色紙糊成二尺多高
的亭座，作為織女神居，並予以燃燒祭拜。[65]女子於入夜後
又準備花粉、香果、酒醴、三牲、鴨蛋七枚、飯七碗祭獻，
向天祈求自己能有像織女般的巧手，所以才叫做「乞巧
會」。此外，又有將黃豆煮熟糖拌和龍眼、芋頭相贈，稱作
「結緣」的習俗。[66]

㈣中元

農曆七月十五日為中元節，也稱為「盂蘭會」。在臺灣
所有酬神祭典中，以七月中元普渡的盂蘭會最盛大。信徒常
花費鉅額金錢，佈置道場並延請眾多僧人；將與會的人生年
月日時辰寫出，陳設餅餌、香櫞、柚子、蕉果、黃梨、鮮
薑，堆盤高二、三尺，並設紙牌、骰子、煙筒等物。「普渡」
通常分兩天進行，由地方民眾祭拜無人奉祀的鬼魂，在公普
前夕，廟前先立燈篙，以長竹竿高吊燈籠於上，以傳達要孤
魂前來接受盛筵招待的訊息。至於在水中的鬼魂，則須用麻

桿做的燈，糊紙於外類似小竹筏「放水燈」來通知、引導。
許多頭家做紙燈千百個，晚上於海邊親自點燃，當眾多水燈
點燃時，沿海漁船爭相攫取，傳言如果搶得水燈的人，可以
一年大順。沿街或三五十家為一局，張燈結采，陳設圖畫、
玩器，鑼鼓的聲音喧雜，觀賞的人群眾多，熱鬧非凡。普渡
後還請劇團表演以供大眾娛樂，稱為「壓醮尾」，為中元節
的壓軸好戲。這些活動一直持續到月底才告一段落。「祭厲」
是企圖通過祭祀行為，期望以祭祀懷柔作祟的厲鬼，來達成
人鬼之間的和諧。臺灣漢人也有信鬼重祀的風氣。七月普渡
是傳統祭厲的遺風。基隆普渡祭典後，有跳鍾馗的儀式，以
禳鬼魅，以壓醮尾，此種形式顯示了對孤魂野鬼先祭祀後驅
除的基本態度。[67]

㈤中秋

農曆八月十五日中秋節製月餅，又因此日為秋闈（鄉試）
日期，士人於是將大小不一的月餅，用紅紙貼上狀元餅、榜
眼餅、探花餅等名稱。每人輪流用六顆骰子擲入碗中，視其
點數決定科名高低。骰子六顆，四面為紅，餘數為墨。四面
出紅為最高點，得狀元餅，三面出紅得會元餅，二則為舉人
餅，一得秀才餅。[68]並以筆、墨、紙、硯、香囊、瓶、袋等
物，羅列市廛，設置骰子；賭勝奪采，輸了則償以等值的費
用。

㈥除夕

除夕為一年最後一天，親人多聚集圍爐，〈赤嵌筆談〉
也記載民間的習俗：「除夕前數日，以各種生菜沸水泡甕
中，以供新歲祭祀之用；餘則待發變後食之，名曰隔年

菜。」[69]另外，除夕也做象徵驅凶的習俗，如當天殺黑鴨以
祭神，以壓除一年的凶事；並作紙虎，在口內裝鴨血或豬
血、生肉，於門外焚燒，以禳除不祥。[70]

二、生命禮俗

處於人生的過渡階段不僅有心理適應、及社會關係變化
的困難；這時如果能借用一些儀式使它容易通過，或提供一
種緩衝的措施，使當事人在心理上有所調適，在社會人際關
係上又能被接受，可使其在新階段順利扮演新的角色，這就
是生命禮俗的功能所在。[71]男冠女笄為男女生命過程中，引
導從青少年進入成人之年的禮儀。藉由冠笄禮儀式，強化青
少年自己對步入成年人的角色及行為，於心理及認知上能有
充分的準備。〈赤嵌筆談〉提到：「冠笄或於親迎日，或在
數日前；詩禮之家，女子既笄，則居於房內，不復外出，常
人則無論矣。」[72]通常通過了成年禮後，當事人就可以結婚
了。以下就婚姻及喪葬習俗為例，加以說明：

㈠婚姻習俗

傳統漢人婚禮的禮聘過程稱為「六禮」，即納采、問
名、納吉、納徵、請期、親迎六項古禮。[73]移民臺灣的漢人
的婚姻禮俗，大體上以議婚、訂婚、親迎等步驟進行，將六
禮加以合併，形成臺灣民間婚禮的特色。以下即分項敘述
〈赤嵌筆談〉所提及的婚禮習俗。

1.婚前禮

從「議婚」的程序開始，先由媒人先將女子的庚帖（八
字）送到男家，由其尊長焚香告神卜吉，置清水一碗於神座

側，如果三日之內無蟲蛾入於水中、且全家平安則為吉兆，然後由女家為男子卜卦，如係相配，才決定辦理訂婚事宜。倘若家中有毀壞器物等事發生，即認為是凶兆，而改期另議。[74] 這類似古六禮中「問名」的用意。這種經神靈驗證的超自然做法，說明婚禮開首就具有神聖性，含有鄭重敬慎的用意。

經過了議婚的程序，即進行「納采」的求婚儀式，如果女方同意，就收下禮物表示接納，這種選擇吉日以進行合婚，俗稱為「送定」、「小聘」。當日男方備妥「禮盤」，裡面放置簪珥、綢帛，及大餅、豚肩、糖品等禮物；如果家境較無力負擔的人，則只請親屬送銀簪二枝作為禮敏，稱為「插簪仔」。[75]

送定之後，必須另擇吉日，完成聘禮，由男方將聘金送往女家，另備簡單的禮物，女方也要將聘禮奉告神明，並回報相當的物品。稱為「納幣」、「完聘」、「大聘」。聘金有高達一百圓，然而也有八十、六十、或四十圓不等，並有綾綢數十匹或數匹。女方將所收的禮書二函，回一函給男方；羊豕、香燭、彩花、蔞葉各收一半。禮檳雙座，收「二姓合婚」一座，回「百年偕老」一座；而鹿筋、鹿脯、魚翅、肚肺、糖果，留三、四種，各以稻穀麥豆置於盤內。回禮則包括以銀石榴三、四顆及銀桂花數朵纏繞枝頭的「榴桂」，及蓮蕉花一株。[76]「納徵」有時併於納采時辦理，男家要備辦禮物金帛贈予女家，女方亦要還贈以嫁粧，以完成訂婚之禮。即古禮「納吉」、「納徵」的遺意。漢人移墾社會的婚姻禮俗，聘禮中常以象徵的手法，表示吉祥、祝福的意涵。

如〈赤嵌筆談〉提到的「石榴」及「桂花」都是多子的植物，有祝賀新人多子的用意；尤其「蓮蕉花」中的「蕉」、「招」閩音相同，取其諧音而有「連招貴子」的用意。而「羊」有祥和的用意、「鹿」有福祿的意涵，「萬字糖」則用砂糖作成卍的形狀的糖果。[77]

「請期」又稱「提日仔」、「送日子」，由男方挑選適合親迎的吉日，又因此日期事先需徵求女家的同意，所以也稱為「乞日」。男方約提出四十圓至十二圓不等。《臺灣縣志》也提到：[78]可知當時數項婚前禮即須準備龐大金錢，有些人因負擔不起，而出現遲婚的現象。

2.親迎禮

「親迎」是婚禮中最隆重的儀式，〈赤嵌筆談〉詳細描述「親迎」的情形：

> 至期，不論貴賤，乘四人輿，鳴金鼓吹，彩旗前導，親朋送燈，少年子弟分隊擎執，沿途點放爆竹，婿至女家，駐轎庭中，連進酒食三次，飲畢，外弟攜籃於轎前索爆竹，婿隨取贈，名曰舅子爆。新人出廳拜祖先，次拜父母，父兄把酒三盞，覆以手帕上轎。妝盒同行，豐儉不一。花轎後懸竹篩，上畫太極八卦。到門，新郎擎蓋新婦頭上。

此段敘述將浩浩蕩蕩的親迎隊伍，及新郎親自到女家去迎娶的情形，鮮活生動的呈現出來。而花轎後面掛著竹篩上所畫的太極八卦，民間常以為有避邪的作用。

3. 婚後禮

婚後第三天，新娘早起梳妝後，即祭拜祖先及公婆，並一一向伯叔嬸姆等請安的儀式，稱為「拜茶」。當天女家遣新娘的弟弟或侄輩，攜花果到男家探問姊姊，俗稱「舅仔探房」。至於新娘的父親及兄長，則須待親家的邀請後才能前往，不能輕率登門照訪。婚後第四天，岳父母請女婿女兒一起回娘家，新郎須準備贄儀給新娘的親人，但只有新娘的弟弟可以收下。飲宴後，新郎即帶新娘回家。新娘的父母於第五天再請親戚相陪，再次宴請女兒及女婿。這次由新娘先回娘家，新郎於將近中午時才到。宴飲完畢，新郎先自行回家，新娘可留住在娘家三天後才回去。[79]

新娘在婚後離開娘家，步入另一個新生活階段，心理上須有段時間調適；臺灣民間這種「旋家」及「會親」的習俗，即是讓新嫁娘能多得到親友的支援及祝福。而由婚姻關係所形成的人際網絡，也在婚後禮逐漸建立。

(二)喪葬習俗

〈赤嵌筆談〉論及臺灣喪葬風俗時，黃叔璥以為：「若夫居喪，朔、望哭奠，柩無久停，則又風俗之美者矣。」[80]他提到兩個值得稱美的習俗，一為逝者的親人在服喪期間在靈前的哭泣、祭拜；另一為臺灣少見將棺柩長期久放的陋習。除了親人於服喪期間，號哭悼念逝者、或請僧人做法事外，並於每月初一、十五日在靈前供膳或上香祭拜，具有「事死如事生」的禮儀意涵。當時臺灣很少將棺柩故意停靈數月、甚或幾年久放的不葬的情形發生[81]，這都是黃叔璥認為當時臺灣喪葬習俗的特色。

後代子孫每七天所作的供奉，稱為「做旬」，或稱為「做七」，〈赤嵌筆談〉曾記錄「五旬」（第三十五天）的行事：「五旬延僧道禮佛，焚金楮，名曰做功果、還庫錢；俗謂人初生欠陰庫錢，死必還之。」[82] 所謂「做功果」即是子孫以死者的名義施行功德，藉以為死者贖罪業，請僧人道士超渡唸經，並且供祭祀以及做法事。漳州人的風俗在三旬、五旬、七旬、小祥、大祥時，請和尚為死者唸經。家族一邊跪地哀哭、一邊焚燒金紙，並由僧人謝神和引薦亡魂。

至於太早舉行「除靈」的儀式，則是黃叔璥認為臺灣喪禮違背古義精神之處。「除靈」又稱為推靈，就是將「魂帛」和香爐都撤除，然後選一個吉祥的方向把這些東西丟棄，當天還要請道士唸經、上香、燒銀紙。〈赤嵌筆談〉提到：

> 既畢除靈，孝子卒哭謝弔客；家貧或於年餘擇日做功果除靈。小祥致祭如禮，大祥竟有先三、四月擇吉致祭除服，此則背禮之尤者。[83]

「小祥」指的是一週年的祭禮、「大祥」則指三週年的祭禮。漳州人的習俗是死者去世後滿三週年才能「除靈」，但是泉州人四十九天或一百天就可「除靈」，即於尾旬日或「做百日」就可將靈位、靈桌移除。[84] 黃叔璥認為這種做法違背服三年喪的習俗。傳統喪禮包含相當長的一段時間，可以調節並舒緩家族（社會）成員損失的焦慮，也提供喪家心理調適的過程。

此外，漳州與泉州雖然都是閩南人，但在習俗上多有相

異。當漳泉人士移墾到臺灣時，在祭祀方面就有明顯的不
同。泉州人於日中而祭，而漳州人則祭於黎明；在祭品的準
備上，漳州人與潮州人常用雞、魚、肉等，只以此簡單的三
牲作為祭品。在喪禮方面，人剛去世時將入斂時，泉州人在
扶至中庭，然後才蓋棺，而漳州人則多無此禮。[85]這些習俗
如發展在城鎮地區，由於漳全人士混合居住，因而可各自進
行，但在鄉野地區則彰泉村落各自分立，常形成各自的特
色，而造成該聚落的內聚力。

三、宗教信仰

　　早期漢移民來臺的宗教信仰，反映出農業拓墾社會精神
文化的重要一面。渡海來臺的移民常因水土不服而病亡、或
因生存爭鬥而逝，民間傳說若無人祭祀則輪為惡鬼，可能降
災禍於人，為免屬鬼作祟，而出現集資建廟的情形。如有應
公的信仰，祭祀的對象即是無人供奉的孤魂野鬼。此種信仰
反映人們對屬鬼的畏懼，也間接呈現出早期移民生存艱辛的
寫照。臺灣民間普遍信仰的媽祖，原為海上航海者的守護
神，平安渡過大海來臺的民眾，多感激媽祖的庇佑，然隨著
移民的墾殖，民間信仰也逐漸賦予媽祖農業神明的神格。

　　漢移民常攜帶香火或神像祈求平安，最初大都屬私家神
明的性質，由於一些靈驗的神蹟，信徒漸多，私神也漸公眾
化，在居民捐錢建廟後，成為較具體的公神。寺廟的公神，
也可能因靈跡顯著，成為地緣群體的信仰中心。至於地方的
行政神，除城隍爺、土地公等司法神外，移民原鄉的一些地
方守護神，如開漳聖王為漳籍移民的守護神、三山國王則為

粵籍移民的守護神，這些在臺灣發展形成的鄉莊守護神，逐漸形成社會連結的主軸。[86]

就民間信仰的神明組織而言，從天公到中央、地方、陰間的行政神，各有其執掌的任務。以中央行政神為例，「王爺」具有除疫的神格，掌管航務的是「水仙尊王」，「文昌帝君」為掌管學務的神，「關聖帝君」為商務神。

〈赤嵌筆談〉記載臺灣寺廟的種類，約可窺見當時民眾信仰的特色。如祭祀王爺為主的瘟神廟在臺灣極為盛行，主要是因驅邪壓煞的風氣蓬勃。〈赤嵌筆談〉曾提到：「三年王船備物建醮，志言之矣。及問所祀何王？相傳唐時三十六進士為張天師用法冤死，上帝敕令五人巡遊天下，三年一更，即五瘟神。」[87]《臺灣縣志》則詳細記載著：「臺尚王醮，三年一舉，取送瘟之義也，附郭鄉村皆然……凡設一醮，動費數百金，即至省者亦近百焉，真為無益之費也。」[88]此種群系多由五神組成，稱為五帝或五方瘟神等，通常三年或五年舉行一醮，饗祀極豐盛。[89]此瘟神廟外還懸掛池府大王燈一盞，言鄭成功的參軍陳永華臨危前數日，有位池大人持柬借他的宅第，永華盛筵招待，池稱永華為角宿大人，兩人揖讓酬對如大賓。永華逝後，民眾將他奉為神，並祀於瘟神廟。

「水仙宮」的「水仙尊王」亦為另一臺灣民間通俗信仰。〈赤嵌筆談〉記載水仙宮裡並祀的禹王、伍員、屈原、項羽，因傳說他們死後變為水神，能盪舟，所以為後人所供奉。民間更以為在海洋中遇到風浪的人，只要向水仙王祈禱就能化險為夷。[90]〈赤嵌筆談〉風信一目，曾錄郁永河《裨

海紀遊》與大浪搏鬥的驚險經歷,當時船夫提到:「惟有划水仙,求登岸免死耳!」[91]當時與水有關的「水仙」信仰深入民間。

臺灣「文廟」與「武廟」的建立亦極普遍。〈赤嵌筆談〉提到南路長治里前阿社祀五文昌:即梓潼、關帝、魁星、朱衣、呂祖。文昌帝為天上的星君,讀書人多供奉。而「關帝廟」俗稱為「武廟」,關羽又稱關公,因其義氣凜然而受人景仰。[92]〈赤嵌筆談〉又提到求子者「祀張仙,設酒饌、果餌,吹竹彈絲,兩偶對立,操土音以悅神。」[93]張仙的傳說,起因於五代後蜀皇帝孟昶的夫人,因懷念被害的夫婿孟昶,所以畫了一張孟昶挾著彈弓射獵的畫像,奉祀在屋內。趙匡胤入宮後,這位花蕊夫人詭稱道:「此我蜀中張仙神,祀之令人有子。」張仙信仰傳入民間,即成為專管為人間送子的「誕生之神」。[94]

至於民間所崇拜的七娘媽,又叫七娘夫人、七星媽、七星夫人,本被奉為保護孩子平安和健康的神。孩童的抵抗力弱,常受各種疾病侵襲,民間即將七星娘娘作為護子神,當孩童疾病纏身時,便去七娘廟中祈願。臺灣民間還流行一種成丁禮,即男孩子長到十六歲時,在農曆七月初七那天,父母帶著孩子以供品去七娘廟酬神,感謝七娘媽保護自己的孩子,平安度過幼年、童年與少年時期。女孩子長到十六歲時也要祭謝七娘媽,還要宴請親朋好友,慶賀終於長大成年。[95]

民間信仰的保生大帝,則是中央行政神中負責醫務的神祇。漢移民曾於1701年(康熙四十年),於諸羅縣治西門

外，建了一座保生大帝廟。保生大帝又叫「大道公」、「吳真君」，本是福建一位醫術高明的神醫。相傳鄭成功曾在白礁附近號召抗清活動，許多白礁子弟參加了先鋒軍，他們在出征前紛紛來到慈濟宮保生大帝神像前包上一撮香灰，帶在身上，祈求神靈保佑。1661年農曆三月十一日，先鋒軍在臺南學甲登陸，從此這一天成為白礁子弟遙拜的節日。以後又按照白礁宮的規模樣式在臺灣學甲建了一座慈濟宮。清治初期臺灣曾流行瘟疫，福建籍鄉民渡海請來白礁慈濟宮的保生大帝靈身，傳說瘟疫後來即絕跡，保生大帝的廟宇也從此遍布全島。[96]

第三節　文化變遷

一、平埔族與漢族不均衡的涵化關係

人類學上所謂「涵化」（acculturation），所指的是兩個社會由於接觸而造成的文化變遷。[97]文化接觸後的「涵化」現象，多為解釋文化互動情形。文化接觸是一個不斷的互動過程互動的過程是雙向的，原涵化概念忽略了文化接觸產生「新文化」的另一種可能結果，以及文化普遍存在的變異性問題。[98]若受限於「漢化」等具有文化中心主義概念的影響，而不能反省的主要原因之一，即是我們對於研究者有意或無意所使用的文化概念缺少自覺。如果能觀察臺灣到處存在的檳榔攤所賣的檳榔，是東南亞土著的原有食品；或注意到臺灣漢人的「撿骨」風俗與東南亞地區土著的「二次葬」風俗可能有關時，都會對過去漢人社會與文化的研究，常忽

略原住民族的角色與地位的作法有所反省。將不同於漢人文化的異族視為蠻夷之邦，而視之為其教化的對象時，顯現出強烈的漢文化中心主義。雖然文化中心主義幾乎是許多民族一個普遍的現象，而漢人在這點上所呈現的主要特點，恐怕還是在儒家文化霸權及其對異族缺少好奇心上。

從〈東番記〉、《荷蘭統治下的臺灣》及《臺海使槎錄》約略可看出平埔族婚喪的演變。習俗雖有改變，然平埔族中的許多族群，其社會中心仍以女性為主，由男子入贅女家，可知他們實行母系氏族外婚制。平埔族喪葬禮俗演變的過程，有兩點特別顯著：一是收殮方式：或將死者放在地上，或置於竹臺，而變為改用棺材。二是由無服制進到有服制。可知其葬制雖有改變，然依然多保持著「室內葬」的習俗。[99]葬禮已稍受漢俗的影響，如平埔族原以鹿皮裹屍，最多亦以鹿皮製形如棺木的皮箱而已，但後來漸改為用棺木的習俗。

在婚姻禮俗方面：漢人的婚禮程序較繁，重聘金、幣帛，與平埔族不同。此種族群間的通婚，即使以有些以招贅方式進行，但原住民女性及其子女，最後仍然多進入漢人的父系社會法則。平埔族因與漢人結婚，在婚禮的程序上也受影響，「南路鳳山番一」：「近日番女多與漢人牽手者，媒妁聘娶，文又加煩矣。」[100]可知平埔族的婚姻禮儀已漸趨向繁縟的情形。

在飲食方面：漢人對檳榔的看法，以為具有祛病避疾、驅寒提神的作用。然而來臺漢人，除了向平埔族學會吃檳榔以避寒祛瘴外，還學他們將檳榔作為社交的禮物，〈赤嵌筆

談〉提到：「棗子檳榔，即廣東雞心。粵人俟成熟，取子而食；臺人於為未熟食其青皮，細嚼麻縷相屬，即大腹皮也。……或云粵人食子，臺人食皮。」[104] 可見兩者的吃法不同。〈赤嵌筆談〉更敘述漢人移民甚至在文定結婚時，「禮榔雙座，以銀為檳榔形，每座四圓……貧家則用乾檳榔以銀飾之。」[102] 檳榔竟變成炫耀社會地位的表徵，可見平埔族人以檳榔做為文定婚嫁大禮的風俗，也影響至閩、粵來臺的移民。[103] 臺灣土產檳榔，可解瘴氣；漢人先以茶酒請客，鄰里間若有誤會，大事者以酒勸解，小事則取用檳榔。甚至有男女競相吃檳榔，每年須消耗數十斤的情況。[104] 平埔族於客至時，出酒以敬，先嘗而後盡；若檳榔熟，再送與檳榔。平埔族人往往在屋前後左右種植檳榔，尤以新港、蕭壠、麻豆、目加溜灣四社種最多。檳榔樹高數丈，檳榔子生於樹的頂端，漢人以長柄鉤鐮取下，平埔居民則攀爬而上，稱為「揉採」。漢人食檳榔，普遍種植檳榔，應是受平埔族人風俗的影響。

在衣飾器用方面：〈番俗六考〉提到西拉雅族的衣飾：「數年來，新港、蕭壠、麻豆、目加溜灣諸番，衣褲半如漢人，冬裝棉；哆囉嘓、諸羅山亦有傚傚者。」[105] 又如「北路諸羅番二」所敘述包含諸羅山、哆囉嘓、打貓各社，有關洪雅族的衣飾時則言：「社中亦間有傚漢人戴帽著韡者。」[106] 可見衣飾方面已有明顯的改變。至於器用方面，如記載崩山八社等平埔族：「耕種犁耙諸器，均如漢人。食器亦有鐵鐺瓷椀。」[107] 平埔族在器用方面亦受漢人影響。

至於在宗教信仰方面：平埔各族受到荷蘭、漢人的影

響，使得固有的宗教儀式大部份被遺忘，而僅以祭祖為中心意的祭儀尚殘存著，這固然是由於祖先觀念存在於平埔各族中極為深刻，但漢民族祖先崇拜的觀念對他們亦不無影響。[108]近年日本學者清水純曾訪查平埔族祭祀等禮俗變遷情形。如臺南縣頭社村西拉雅族環繞壺而行的祭禮儀式，顯示與漢族相異的宗教性要素。而原由女性單任宗教儀式的「尪姨」，後改由男性代替，即是受到漢人影響的改變。又如花蓮縣新社村的噶瑪蘭族的神主牌祭祀，在牌位的組合，及祭祀義務的繼承上，就優先考慮現實生活上的親子、夫婦關係，並不完全拘泥於單系的選擇。可說是配合噶瑪蘭族自身的模式，來接納漢人的祭祀習俗。[109]

二、平埔族受到儒學教化的衝擊

在1696年（康熙三十五年）高拱乾《臺灣府志·風土志》：「今向化者，設塾師，令番子弟從學，漸沐於詩書禮義之教云。」[110]1717年（康熙五十六年）周鍾瑄《諸羅縣志·風俗志》：「今官設塾師於社，熟番子地俱令從學，漸通漢文矣。」[111]《臺海使槎錄》中的〈番俗六考〉呈現世居臺灣的平埔族經外來政權的統治，為適應文化變遷所面臨的困境。「儒化」指的是各原住民族在被統治下，一齊接受漢字及儒家的道德倫理，禮儀教條的教育與制度的一套價值觀。[112]當黃叔璥巡視南北兩路時，發現能誦讀漢籍的學童，北路如：

東螺（今彰化埠頭鄉）、貓兒干（今雲林縣崙背鄉）

間，有讀書識字之番。能背頌《毛詩》者，口齒頗
眞；往來牌票，亦能句讀。阿束番（今彰化市）童舉
略讀《下論》，志大、諧栖俱讀《上論》，并能默寫。
蒙師謂諸同聰慧，日課可兩頁。但力役紛然，時作時
輟，不能底於有成耳。[113]

半線番童楚善讀《下孟》，大眉、盈之俱讀《下論》，
宗夏讀《上論》，商國讀《大學》。[114]

南路也有平埔族能讀《四書》、《毛詩》，甚至能默寫
《左傳》鄭伯克段于鄢全文。

南路番童習漢書者，曾令背誦默寫。上澹水（今屏東
萬丹鄉）施仔洛讀至離妻；人孕礁巴加貓讀《左傳》
鄭伯克段于鄢，竟能默寫全篇；下澹水（今屏東萬丹
鄉）加貓、礁加里文郎讀《四書》、《毛詩》，亦能摘
錄；加貓讀至〈先進〉，礁恭讀〈大學〉，放練社
（今屏東林邊鄉）呵里莫讀《中庸》，搭樓社（今屏東
里港鄉）山里貓老讀《論語》，皆能手書姓名；加貓
於紙尾書「字完呈上、指日榮陞」數字，尤爲番童中
善解事者。[115]

以上所舉各段，多是偏遠地區，北路東螺、阿束、半線
皆屬貓霧捒族；貓兒干，是洪安雅族。而南路澹水、下澹
水、放練、及搭樓則為西拉雅族的支族馬卡道族。從分佈

的地理位置看，可見北過濁水溪抵大肚溪畔，南臨屏東半
島，都有社學的據點[116]，可見當時社學對平埔族學童的衝
擊。由於社學多以《毛詩》、《論語》、《孟子》、《大學》、
《中庸》、《左傳》為主要教材，藉由四書、五經儒家典籍，
灌輸倫理綱常的思想，達到教化的目的。平日則以要求學童
背誦、默寫的傳統教法，以熟練典籍為目標。其結果是學童
不但能寫姓名，並改變內在價值觀。如：南路學童加貓所書
「指日榮陞」，顯現其所受到的影響。儒家重視綱常的倫理
觀，蘊含有「尊卑」的差序關係，統治者常利用來作為鞏固
政權的穩定性，以達到強化尊君的政治目的。

　　地方官以教化人民自任，如與黃叔璥同時的臺廈道陳大
輦更具體加以鼓勵，「有能讀四子書、習一經者，復其身，
給樂舞衣巾，以風厲之。」[117]「復其身」即免徭役，並能具
有樂舞生（即佾生）的資格。1723年（雍正元年）臺灣知
府高鐸亦傳達黃叔璥具體的鼓勵措施：「高太守鐸申送各社
讀書番童，余勞以酒食，各給《四書》一冊、《時憲書》一
帙。不惟令奉正朔，亦使知有寒暑春秋；番不記年，或可漸
易也。」[118]更欲使平埔族接受漢人的曆法節令，加深教化的
效果。

　　漢化教育因普遍在平埔族各社推廣，使得當時在臺的官
吏或文士，都可感受到琅琅的讀書聲。〈番俗雜詠〉第二十
四首「漢塾」，透露黃叔璥的文化優越感：「紅毛舊習篆成
蝸，漢塾今聞近社皆；謾說飛鴉難可化，泮林已見好音
懷。」[119]平埔族在荷治時期，曾自荷蘭傳教士學得以羅馬音
來標注的「新港文書」，這種以削鵝毛管沾墨橫向書寫，字

形與古蝸篆相彷，至清治時期仍為平埔族人所使用著。〈番
俗六考〉「北路諸羅番一」也提到：「習紅毛字者曰『教
冊』，用鵝毛管削尖，注墨汁於筒，湛而橫書，自左而右，
登記符檄、錢穀數目。」[120] 然由於荷蘭此時已失去政治勢
力，其文化影響力亦終究要被居於領導地位的漢文化所取
代，平埔族自十七世紀以來所面臨文化適應的頻繁，可想而
知。平埔族社學到嘉慶年間漸廢，因平埔族受漢文化影響已
深，無需再另設教育體制，迄道光時平埔族學童入漢民義學
或書塾讀書習字已成風氣，平埔族社學制度逐漸中絕。[121]

　　對母語的記憶是種族存亡的指標，平埔族各具特色的語
言，不幸漸淹沒於統一的官方語言中。1864年英人必麒麟
（W. A. Pickering）探訪新港社時，那裡曾是荷蘭人主要的傳
教據點，雖然仍有不少平埔族後裔在此地，「但他們早已遺
忘了自己的母語。」[122] 統治者一元化的教育政策，使當時
〈番俗六考〉所載各具語音特色的歌謠，漸不復傳唱於孩童
的口中，並消褪其文化薪傳的作用了。

　　據1659年十月荷蘭官員視察臺南至大肚溪二十個村社
教會學校的報告[123]，悉諳教理的男子（包括青年、少年、老
人）2592人，女子（包括年老、年輕婦女及少女）2746人，
而且一般說來，女子成績較男子為優。[124] 可看出這與平埔族
女子為主的社會傳統有關，婦女有求知及受教的機會，這與
女子在漢人社會的地位有顯著的差異。然而一旦受漢移民文
化的影響，以男性為主的特徵很快萌芽孳長，各種風俗圖的
社師或教讀圖，所描寫到社學讀漢籍的平埔兒童竟全都是男
孩，與荷蘭時期教會學校女重於男的情況截然不同。[125]

注 釋

[1] 如結構功能論者往往假定文化是為滿足社會生存，或個體的生物需要所必要的風俗習慣、制度、乃至反映社會結構的道德觀念等；而著名的人類學者李維史陀的神話研究，更在說明其結構論不只視文化為分類系統，也是人類由其分類系統與思考原則而來的制度性與知識性的產物。黃應貴編：《從周邊看漢人的社會與文化》，（臺北：中央研究院院民族研究所，1997年），頁15。

[2] 李亦園：〈從文獻資料看臺灣平埔族〉，《大陸雜誌》第10卷9期，1955年，頁24。

[3] 《臺海使槎錄》，頁103。

[4] 《臺海使槎錄》，頁103。

[5] 《臺海使槎錄》，頁110。

[6] 又臺灣平埔族與位於太平洋上的島嶼文化，有許多特質相同的地方。如從平臺屋的結構和分佈狀況來論，平埔族與菲律賓呂宋島、密克羅尼西亞（Micronesia）、玻利尼西亞（Polynesia）的平臺屋應有淵源關係。參見李亦園：〈臺灣南部平埔族平臺屋的比較研究〉，《中央研究院院民族學研究所集刊》第3期，1957年，頁117～122。

[7] 《臺海使槎錄》，頁103。臺灣省立博物館及臺灣大學藏有噶瑪蘭族家屋的柱子和牆板的標本，圖案包括幾何圖形與人與動物的寫實圖像。阮昌銳：《臺灣的原住民》，（臺北：臺灣省博物館，1996年），頁222。

[8] 《臺海使槎錄》，頁176。

[9] 《臺海使槎錄》，頁95。

[10] 英籍攝影家約翰‧湯姆生（John Thomson）曾於1871年拍攝臺灣南

部平埔族及其住屋。王雅倫：《法國珍藏早期臺灣影像》（1850～
1920），（臺北：雄獅圖書股份有限公司，1997年6月），頁54。

11 《臺海使槎錄》，頁96。

12 六十七：《使署閒情》（臺北：臺灣銀行經濟研究室，1961年），卷
二，頁40。

13 達戈紋是一種苧麻摻摻雜樹皮或狗毛織成。參看《番社采風圖題解》
第九圖，及《臺海使槎錄》頁96，104。

14 （日）國分直一著、邱夢蕾譯：《臺灣的歷史與民俗》，（臺北：
武陵出版有限公司，1998年9月），頁118。李亦園：《臺灣土著民
族的社會與文化》，（臺北：聯經出版事業公司，1982年），頁
15。

15 杜正勝：《番社采風圖題解》，（臺北：中央研究院歷史語言研究
所，1998年3月），頁21～22。

16 李亦園：〈本系所藏平埔族衣飾標本〉，《臺灣大學考古人類學刊》
第四期，1954年12月，頁46。

17 《臺海使槎錄》，頁144。

18 陳漢光編：《臺灣詩錄》，（南投：臺灣省文獻委員會，1971年），
卷五，頁248。

19 李亦園：〈平埔族衣飾〉，《臺灣大學考古人類學刊》，第四期，
1954年12月。

20 標本1999號，渡邊貴於埔里採集，1934年藏，為一對襟、圓領、
無袖、無扣短衣，係以兩幅深藍色粗麻布為面縫製而成。此標本夾
織之紅色麻線，或即用茜草染成的。李亦園：《臺灣土著民族的社
會與文化》，（臺北：聯經出版事業公司，1982年），頁15。

21 《臺海使槎錄》，頁104。又《諸羅縣志》言：「半線以上多採樹皮

為裙，白如苧。」以樹皮布，與麻枲或草裙一樣，都是南島民族的傳統文化。《諸羅縣志》，頁157。

22 《臺海使槎錄》，頁104。

23 《臺海使槎錄》，頁110。

24 《臺海使槎錄》，頁117、121、132、137。

25 C.E.S.：《被遺誤之臺灣》也提到平埔族「煮食物的鍋子，是用石頭或泥土燒成的。」收錄至《臺灣經濟史三集》，頁38。臺灣大學人類學系所藏一罐形器（2334號）之腹部及底部，留有灼燒之痕跡，亦可證明此種陶器用以煮物。李亦園：《臺灣土著民族的社會與文化》，（臺北：聯經出版事業公司，1982年），頁6。

26 《臺海使槎錄》，頁117。

27 390a用為原料之螺屬天狗螺科，全器除螺尾尖端或因應用時敲斷外，並無任何人工修飾痕跡，縱口徑18cm，容量330cc.；390b屬椰子貝，全器完整，未經人工修飾，縱口徑20.5cm，容量730cc.；390c屬夜光螺科，此標本外殼略受破損，螺孔外唇曾經人工磨平，縱口徑9.5cm，容量4.5cc.。

28 《諸羅縣志·雜記志·外紀》敘述北路雞籠等內港平埔族操獨木舟的情形言：「蟒甲以獨木為之，大者可容十三、四人，小者三、四人，划雙槳以濟，稍敧側即覆矣。番善水，故雖風濤洶湧，如同兒戲；漢人鮮不驚怖者。唯雞籠內海，蟒甲最大，可容二十五、六人；於獨木之外，另用藤束板，為幫於船之左右。蓋港面既寬，浪如山立，非獨木小舟所能濟也。」《諸羅縣志》，頁289。

29 《臺海使槎錄》，頁140。

30 Arnold van Geneep 並將生命禮俗分為三類：一為象徵分離的儀禮（rites of separation），如喪禮；二為象徵過渡的儀禮（rites of transi-

tion），如成年禮；三為象徵結合的儀禮（rites of incorporation），如
婚禮等，皆是生命禮俗。參考Loan M. Lewis，黃宣衛、劉容貴譯：
《社會人類學導論》，五南圖書出版公司，1985年1月），頁140～
141；黃有志：《社會變遷與傳統禮俗》，（臺北：幼獅文化事業公
司，1991年4月），頁79～80。

31 李亦園：《臺灣土著民族的社會與文化》，（臺北：聯經出版事業
公司，1982年），頁68。

32 《臺海使槎錄》，頁105、131。

33 《臺海使槎錄》，頁145。

34 《臺海使槎錄》，頁97、111。

35 《臺海使槎錄》，頁101、113。

36 《臺海使槎錄》，頁127。

37 《臺海使槎錄》，頁97。

38 《臺海使槎錄》，頁176。

39 《臺海使槎錄》，頁97。

40 《臺海使槎錄》，頁101。

41 平埔族以女子承家，盛行招贅婚，因而許多婚後住於妻家。可見招
贅婚頗為普遍。張耀錡：《臺灣省通志·同冑篇》，（南投：臺灣
省文獻會，1965年），頁593。

42 《臺海使槎錄》，頁111。

43 《臺海使槎錄》，頁116。

44 「北路諸羅番四」提到：「夫死一月服滿，婦告父母他適。」《臺
海使槎錄》，頁97、101。

45 《臺海使槎錄》，頁111、114、131。

46 據田野調查發現，具有祖靈祭的凱達格蘭、雷朗、噶瑪蘭三族分佈

於北，「賽跑型」祖靈祭的道卡斯、巴則海、貓霧三族居中，「祀
壺」的西拉雅族則在南部。賽跑型祖靈祭是祖先祭與成年禮的混合
祭儀。李亦園：〈臺灣平埔族的祖靈祭〉，收錄於《臺灣土著民族
的社會與文化》，（臺北：聯經出版事業公司，1982年），頁29～
47。

47 李亦園：《臺灣土著民族的社會與文化》，（臺北：聯經出版事業
公司，1982年），頁45～46。

48 《臺海使槎錄》，頁126。

49 《臺海使槎錄》，頁137。

50 阮昌銳：《臺灣土著族的社會與文化》，（臺灣省立博物館，1994
年），頁16～18。

51 黃叔璥：《臺海使槎錄》，頁98。

52 黃叔璥：《臺海使槎錄》，頁103。

53 黃叔璥：《臺海使槎錄》，頁112。

54 黃叔璥：《臺海使槎錄》，頁120。

55 周鍾瑄：《諸羅縣志》，頁174。

56 伊能嘉矩著，江慶林等譯：《臺灣文化志》，（南投：臺灣省文獻
委員會，1985年11月），下卷，頁443。

57 宇驥：〈從生產形態與聚落景觀看臺灣史上的平埔族〉，《臺灣文
獻》21卷1期，1970年3月，頁1。

58 《臺海使槎錄》，頁144。

59 《臺海使槎錄》，頁40～41。

60 （日）鈴木清一郎著，馮作民譯：《臺灣舊慣習俗信仰》，（臺
北：眾文圖書公司，1989年11月），頁458。

61 臺灣民間以為七夕是「七娘媽」生日，傳說七娘媽為兒童的保護

神。

62 《臺海使槎錄》，頁41。

63 臺灣有句俗語說：「插榕較勇龍，插艾較勇健。」即含有治病避邪
的用意。（日）鈴木清一郎著，馮作民譯：《臺灣舊慣習俗信
仰》，（臺北：眾文圖書公司，1989年11月），頁536～537。

64 《臺海使槎錄》，頁41。

65 連橫提到糊紙亭是為祝賀女子成年。所謂：「富厚之家，子女年達
十六歲者，糊一紙亭，祀織女，刑牲設醴，以祝成人，親友賀
之。」《臺灣通史》，（臺北：黎明文化事業公司，1985年1月），
修訂校正版，下冊，頁574。

66 《臺海使槎錄》，頁41。吳瀛濤：《臺灣民俗》（臺北：眾文圖書
公司，1987年）再版，頁18～19。

67 呂理政：《天、人、社會：試論中國傳統的宇宙認知模型》，臺
北：中央研究院民族學研究所，1990年3月），頁217～219。

68 吳瀛濤：《臺灣民俗》（臺北：眾文圖書公司，1987年），再版，
頁26～27。

69 臺灣還有吃「長年菜」的習俗，即把芥菜切碎加入肉丁煮熟，正月
間只要熱一熱就可以吃，有長壽的象徵意義，所以稱為「長年
菜」。（日）鈴木清一郎：《臺灣舊慣習俗信仰》，（臺北：眾文圖
書公司，1981年），再版，頁537。

70 《臺海使槎錄》，頁42。

71 黃有志：《社會變遷與傳統禮俗》，（臺北：幼獅文化事業公司，
1991年4月），頁79～80。

72 《臺海使槎錄》，頁40。

73 《禮記‧昏義》提到：「昏禮納采、問名、納吉、納徵、請期，皆

主人筵几於廟，而拜迎於門外，入，揖讓而升，聽命於廟，所以敬慎重正昏禮也。」鄭玄注，孔穎達疏：《禮記注疏》，（臺北：藝文印書館，1993年），頁999。「納采」即備好禮物到女家，到女方家商議可否結為親家的儀式；「問名」即得女方的同意，將欲娶女方的名字問回來，再卜於宗廟；「納吉」為占卜得吉，則回告女方；「納徵」為致送女方聘禮；決定結婚日期，到女方家徵求同意，而屆時男方去迎娶，就是「請期」與「親迎」。這些婚禮儀式，從一開始就須抱持敬重謹慎的態度而行事。

74 周鍾瑄：《諸羅縣志‧風俗志》，頁85；周璽：《彰化縣志‧風俗志》，（臺北：臺灣銀行經濟研究室，1962年），頁133；倪贊元：《雲林縣采訪冊》，（臺北：臺灣銀行經濟研究室，1959年），頁22。

75 莊金德：〈清代臺灣的婚姻禮俗〉，《臺灣文獻》十四卷三期，頁39。卓意雯：《清代臺灣婦女生活的研究》，（臺灣大學歷史研究所碩士論文，1991年），頁12～14。

76 《臺海使槎錄》，頁39。

77 《臺海使槎錄》，頁39。

78 「送日之儀，非十四、五金不可。在富豪之家，從俗無難；貧窮之子，其何以堪？故有年四旬餘而未授室者，大抵皆由於此也。」陳文達：《臺灣縣志‧輿地志》「風俗」，頁54。

79 《臺海使槎錄》，頁40。

80 《臺海使槎錄》，頁40。

81 民間曾有停柩時間越長的，就表示子孫越孝順的陋俗；而有些因下葬的吉日、墳地、及喪葬費等問題未解決，而將棺柩停靈數月甚或幾年，而將棺柩久放　（日）鈴木清一郎：《臺灣舊慣習俗信

仰》，（臺北：眾文圖書公司，1981 年），再版，頁311～312 。

82 《臺海使槎錄》，頁40 。

83 《臺海使槎錄》，頁40 。

84 （日）鈴木清一郎著，馮作民譯：《臺灣舊慣習俗信仰》，（臺
北：眾文圖書公司，1989 年11 月），頁336～341 。出生禮俗所舉
行的儀式，代表家族多了一個新成員；成年禮儀則代表個人將有別
於青少年時代不同的社會地位與角色；結婚對於男女而言，則表示
在家族中角色與社會地位再次改變；而人死亡後，成為祖先，又有
了新的社會地位，為子孫所奉祀。當社會關係發生重要的改變時，
儀式通常扮演區別、強調、確定、隆重化與安撫的角色。

85 《諸羅縣志》記載：「泉人日中而祭，漳人質明而祭。泉人禁以品
羞；漳、潮之人用三牲（雞、肉、魚）者，未免太簡。蓋沿海村落
間有此，故至臺亦相沿耳。……將斂，扶至中庭以斂；古禮所無，
泉人多有之。漳，朱紫陽故治，亦未見此。夫禮以義起，人子遇此
時，則面目形容永不可得見矣；當此死肉未冷，親奠一巵，不猶愈
於蓋棺之後、想像於虛無彷彿間乎！雖奉為不易之典可也。」周鍾
瑄：《諸羅縣志》，頁142～143 。

86 張勝彥等編著：《臺灣開發史》，（臺北：國立空中大學，1996
年），頁141～144 。

87 《臺海使槎錄》，頁45 。

88 陳文達：《臺灣縣志》，（臺北：臺灣銀行經濟研究室，1961
年），頁60～61 。

89 劉枝萬：《臺灣民間信仰論集》，（臺北：聯經出版社，1983
年），頁293 。

90 （日）鈴木清一郎著，馮作民譯：《臺灣舊慣習俗信仰》，（臺

北：眾文圖書公司，1989年11月），頁626。

91 郁永河：《裨海紀遊》，（臺北：臺灣銀行經濟研究室，1959年），
頁21。

92 （日）鈴木清一郎著，馮作民譯：《臺灣舊慣習俗信仰》，（臺
北：眾文圖書公司，1989年11月），頁553～554。

93 《臺海使槎錄》，頁45。

94 到了明、清，一些道士和住持根據孟昶與花蕊夫人的關係，將張仙
的男像，改以花蕊夫人為模特兒的送子娘娘塑像。馬書田：《華夏
諸神──俗神卷》，（臺北：雲龍出版社，1993年10月），頁92～
98。

95 馬書田：《華夏諸神─俗神卷》，（臺北：雲龍出版社，1993年10
月），頁72～74。

96 周鍾瑄：《諸羅縣志》，頁283；馬書田：《華夏諸神─俗神卷》，頁
138～139。

97 R. Keesing著，張恭啟、于嘉雲譯：《文化人類學》，（臺北：巨流
出版社，1987年），頁437。

98 R.Redfield R. Linton M. Herskovits於1936年共同提出以涵化作為研
究概念時，原是用來瞭解由個人所組成的不同文化的群體，因直接
的連續性接觸而導致單方或雙方原有「文化模式」的改變。黃應貴
編：《從周邊看漢人的社會與文化》，（臺北：中央研究院民族研
究所，1997年），頁17。

99 許俊雅：〈陳第與東番記〉，《中國學術年刊》13期，（臺北：臺
灣師範大學國文研究所，1992年3月），頁18～20。

100 《臺海使槎錄》，頁145。

101 《臺海使槎錄》，頁58。

102 《臺海使槎錄》，頁39。

103 簡炯仁：〈檳榔考〉，收錄於《臺灣開發與族群》，（臺北：前衛
出版社，1995年8月），頁439～440。

104 周鍾瑄：《諸羅縣志・風俗志》「漢俗」，頁150。

105 《臺海使槎錄・番俗六考》「北路諸羅番一」附載所錄，頁98～
99。此段資料亦見於周鍾瑄：《諸羅縣志・風俗志》，頁156。

106 《臺海使槎錄》，頁101。

107 《臺海使槎錄》，頁132。

108 李亦園：《臺灣土著民族的社會與文化》，（臺北：聯經出版事業
公司，1982年），頁45～46。

109 雖然社神「阿立祖」被尊稱為「太上老君」的道教神名，然而頭
社村的太上老君卻非道教的「天公」，而是位女神。至於關於祭禮
中對火的禁忌，則因受漢人影響，而使公廨旁側已設置有燒紙錢
的金爐；參加拜壺的人除手捧檳榔外，還加捧線香。而從新社村
的神主牌位安置上，可知他們對於漢人的牌位祭祀，基本上「只
追尋父系祖先的累積」這類想法極為淡薄。（日）清水純：〈平
埔族の漢化〉，東京：《文化人類學》第五卷，1988年，頁100～
109。

110 高拱乾：《臺灣府志》，（臺北：臺灣銀行經濟研究室，1960年2
月），頁189。

111 周鍾瑄：《諸羅縣志・風俗志》，頁100。

112 莊萬壽：〈平埔族的儒化〉，《第一屆國際儒學研討會論文集》，
（臺南：成功大學，1997年），頁155。

113 《臺海使槎錄》，頁109。

114 《臺海使槎錄》，頁117。

115 《臺海使槎錄》，頁149。

116 莊萬壽：〈臺灣平埔族的儒化〉，《第一屆臺灣儒學研究國際學術研討會》，（臺南：成功大學，1997年4月），頁163。

117 《臺海使槎錄》，頁171。

118 《臺海使槎錄》，頁171。

119 《臺海使槎錄》，頁177。

120 《臺海使槎錄》，頁96。

121 伊能嘉矩著，江慶林等譯：《臺灣文化志》，（南投：臺灣省文獻委員會，1985年11月），下卷，頁610。

122 W. A. Pickering（必麒麟）：Pioneering In Formosa（《發現老臺灣》），陳逸君譯，（臺北：臺原出版社，1994年），頁124。

123 〈臺灣基督教教化關係史料㈡〉，收錄於《巴達維亞城日記》第三冊，程大學譯，（臺中：臺灣省文獻會，1990年6月），頁368～359

124 中村孝志：〈荷蘭人對臺灣原住民的教化──以1659年中南部視察報告為中心而述〉，賴永祥、王瑞徵譯，《南瀛文獻》3卷3、4號，1956年。

125 杜正勝：《番社采風圖題解──以臺灣歷史初期平埔族之社會文化為中心》，（臺北：中央研究院歷史語言研究所，1998年3月），頁27。

第七章

《臺海使槎錄》的評價

第一節
《臺海使槎錄》所蘊含的歷史資料

　　早期以漢語文描述臺灣的文獻極少，並且在地理上無法明確定位臺灣，在描述上也極簡略。[1]至元代汪大淵《島夷誌略》裡的流求、明代陳第〈東番記〉對臺灣商業活動的記錄，地名的詳盡描述、與平埔族文化的內容，皆流露出實證風格。[2]而清代黃叔璥的《臺海使槎錄》，除了以自身的經歷為記錄的基礎外，亦包含眾多的歷史資料，以下即分類加以敘述。

一、廣蒐博采歷史資料

　　歷史文獻是對過去曾經存在過的人、事、地、物的一種時間上的駐留。《臺海使槎錄》，所蒐羅的歷史資料種類眾多，歸類分述如下[3]：

㈠遺物

　　歷史資料所指的遺物包括器皿、遺跡、服飾、繪畫、雕塑等。在〈番俗六考〉「器用」一目，記錄了當時平埔族各

社日常用具的特點。如西拉雅族吃飯用的椰椀、螺殼，炊飯用的木扣，捕鹿用的鑣箭；及受到漢人影響的牛車、犁耙、五綵瓷器、螺錢等。[4] 洪雅族以竹製成的弓箭及鏢，弓背以籐密纏，而以沾過鹿血的芋繩作成的弦，比絲革還堅韌。另外，還提及長五尺多的鏢桿，而以斜紋木作成的「挨牌」，箭穿不透，可在夜晚竹寮高望巡哨時，持以蔽身。又自製大葫蘆，因其具有「遇雨不濡，遇水則浮」的功能，所以為外出隨身攜帶的用具，大的可容數斗，內裝食物及毯衣等行李。〈番社雜詠〉曾描述「渡溪」的情景：「外沿大海內深溪，浮水葫蘆每自攜；惟有土官乘筏過，眾擎如蟻兩行齊。」[5] 可見葫蘆於日常生活中的應用情形。此外，平埔族各具特色的服飾，黃叔璥命人所繪的平埔族花果圖、風俗圖，及木柱或門扉上的雕刻，與荷治、鄭氏時的建築遺跡，都可在《臺海使槎錄》中找尋遺物的蛛絲馬跡。

㈡紀錄

歷史紀錄包括手稿、文書、信札、日記、書冊、碑銘等資料。《臺海使槎錄》除引用的專書外，還提及不少紀錄資料，如黃叔璥的〈論羅漢門書〉、〈請均田減賦疏〉、〈清臺地莫若先嚴海口疏〉、〈請勒緝餘孽、寬免株連疏〉及擢拔官員等奏疏。另外，1710年來臺的陳璸（湄川）〈重修文廟碑記〉、〈澹水各社紀程〉；及周鍾瑄對於禁止累派各社社民修船的詳稿、〈上滿總制書〉全文。至於有關鄭氏時期的記錄，曾題及延平王鄭克塽等人的降表。在朱一貴事件的敘述則錄有1721年（康熙六十年）六月三日康熙的招撫諭旨，及八月十三日臺灣發生颱風後的賑災諭令。在詩稿方

面，曾提及明末來臺的沈光文《東吟詩》(《福臺新詠》)與多位詩人的唱和。又如北路營參將阮蔡文〈詠大甲婦詩〉、〈後壠詩〉、〈竹塹詩〉等描寫各地風土民情，而陳夢林〈鹿耳門即事〉則記載有關朱一貴事件的始末及地震、颱風等災害情形。[6]這些紀錄，保存了官員及流寓文人觀察臺灣的文獻。

(三)傳說

傳說指包括對話、口述往事、口傳故事、戲劇、歌曲、諺語等。〈番俗雜記〉錄有黃叔璥巡視各社時與平埔族人的對話，如當平埔族人眼見黃叔璥與以前所遇過的官員，任意指使勞役、平白住宿的方式不太相同時，即言：「從來未有」，這樣的說法，也間接反映了平埔族人平日受多位官員欺凌的程度。黃叔璥又曾問平埔族人「何故跣足」？有人則答說：「非樂此，特無履耳。」[7]這種抽樣式問答對話，雖不能客觀代表所有平埔族人的心聲，但也呈現某些人的個別想法。而黃叔璥聆聽居民回憶發生在1721年（康熙六十年）十月的地震後記錄：「維時南路傀儡山裂，其石截然如刀劃狀，諸羅山頹，其巔噴沙如血；土人謂兩山相戰。」[8]此外，鄭成功被民間傳說為「東海長鯨」的故事，或記錄漢移民、平埔族在臺灣各地的戲劇活動，及平埔族各地母語傳唱的歌謠，都是黃叔璥所留心蒐集的傳說資料。

二、蘊含清治初期平埔族文化資料

臺灣原住民族的歷史縱深，可上溯至千年以前，而大量的文字記載則始於1624年荷蘭人、西班牙及清朝統治者相

繼來臺之後。[9]本節經由十七、十八世紀以漢語記錄的平埔族文獻作比較,可突顯〈番俗六考〉的時空意義及特色。

㈠〈番俗六考〉與平埔族歷史文獻的比較

1603年(萬曆三十一年)隨軍東渡的陳第,將親身所見有關平埔族的社會結構、居處環境、生活習性、外貌衣飾、婚喪禮儀、生產方式及器用等,於〈東番記〉作了扼要的描述,為十七世紀初觀察平埔族的作品。這篇不到兩千字的實地記錄,所描述的文化層面具有全面性,雖僅限於西南部沿海平原這一特定區域的觀察所得,然仍可說是漢人對臺灣平埔族初步認識的代表作。

而郁永河的《裨海紀遊》為《臺海使槎錄》引用最多的專著。郁永河於1697年(康熙三十六年)二月來臺,十月採硫事畢而回大陸。《裨海紀遊》以日記體遊記方式呈現所見所聞,全書多為實錄。如他在遊歷了新港社、嘉溜灣社、麻豆社後說:「雖皆番居,然嘉木陰森,屋宇完潔,不減內地村落。余曰:『孰為番人陋?人言寧足信乎?』」[10]這個場景立刻打破了過去對臺灣原住民半人半獸的描述,藉著兩句簡短的問句,郁永河質疑了過去臺灣論述刻板的形式及內容,改變了道聽塗說的描述風格,及野人怪物的意象。

〈東番記〉與《裨海紀遊》與一些輾轉鈔錄、浮光掠影的作品風格迥然不同,顯現出實地調查的文獻價值。而〈番俗六考〉延續了這種實證風格,並且更在體例上求其完備。不但以地緣關係將他們分為十三個聚落,每個聚落又依六個文化特色分類論述,並附上當地的歌謠。這種在寫作體例上的突破,與上述兩種文獻比較起來,呈現出刻意全面記錄當

時臺灣平埔族聚落的企圖心。而這種系統化的記錄模式，正
為後世多本方志所承襲，可見〈番俗六考〉實具承先啟後的
歷史文獻地位。而《裨海紀遊》曾透露郁永河的教化計劃：
「苟能化以禮義，風以詩書，教以蓄有備無之道，制以衣
服、飲食、冠婚、喪祭之禮，使咸知愛親、敬長、尊君、親
上，啟發樂生之心，潛消頑冥之性，遠則百年、近則三十
年，將見風俗改觀，率循禮教，寧與中國之民有以異乎？」
其中「衣服、飲食、冠婚、喪祭之禮」，為傳統士人所注重
的教化要項，而後黃叔璥〈番俗六考〉中的「飲食」、「衣
飾」、「婚嫁」、「喪葬」等項，亦為觀察平埔族風俗的重
點，這種寫作模式亦為史志作者所承襲。

(二)〈番俗六考〉與臺灣方志的比較

康熙年間提及有關平埔族風俗的臺灣志書，以周鍾瑄
《諸羅縣志》最具特色，由於當時諸羅縣範圍較廣泛，縣內
平埔族所占的人口多，使陳夢林等編纂群，將縣內所見風俗
分類記載。而成書於1720年（康熙五十九年）陳文達《臺
灣縣志》，則因居於府城附近多為移民來臺的漢人，故未將
平埔族文化單獨敘述。[11]以下將康熙年間臺灣方志有關平埔
族風俗的敘述，所佔全書比例列表比較如下（參見表九）：

由頁數統計大體可見康熙年間臺灣各方志，所述平埔族
風俗約只有三至四頁的篇幅，於全書中所佔份量並不多。只
有《諸羅縣志》有關平埔族風俗約有二十七頁的篇幅（約佔
全書9%的比例），可見此書在平埔族文獻史上的重要性。而
〈番俗六考〉約有近六十頁論及平埔族風俗，約佔全書的
32.2%，可見黃叔璥將觀察平埔族風俗所得列為全書的重

表九　康熙年間臺灣方志有關平埔族風俗所佔全書比例

成書年代	書名	主修者	全書頁數	平埔族風俗	約佔全書比例
1686年（康熙二十五年）	臺灣府志	蔣毓英	132頁	3頁	2.16%
1695年（康熙三十四年）	臺灣府志	高拱乾	302頁	3頁	1.01%
1712年（康熙五十一年）	重修臺灣府志	周元文	420頁	3頁	0.71%
1717年（康熙五十六年）	諸羅縣志	周鍾瑄	300頁	27頁	9%
1719年（康熙五十八年）	鳳山縣志	陳文達	166頁	4頁	0.24%

資料來源：除蔣毓英《臺灣府志》為臺灣省文獻會出版外，其餘方志皆據臺灣銀行經濟研究室出版的《臺灣文獻叢刊》本統計所得

點。再就體例而言，《諸羅縣志》首分「狀貌」、「服飾」、「飲食」、「廬舍」、「器物」、「雜俗」、「方言」七項記錄，並附有風俗圖多幅。此種體例的分類為黃叔璥所參考，如〈番俗六考〉六目中的「居處」、「飲食」、「衣飾」、「器用」，與《諸羅縣志》的四目名稱相同。至於《諸羅縣志》方言一目中，略舉日月星辰、山川溪流等自然景象、親屬關係的稱謂、及數字、物產等日常用語，記錄了平埔族特有的語言。然其缺失亦在縣內各社音多不同，書中卻皆將於各社采錄所得混合敘述，使後人無法分辨所錄語言是採自縣內的那一區域。

第二節 《臺海使槎錄》的成就與限制

一、《臺海使槎錄》的成就

㈠首創分區記錄原住民風俗文化

　　黃叔璥注意到平埔族或高山族各社的不同，故為人類學者視為研究平埔族社會的重要文獻，至今仍舊受到學術界的重視。人類學者李亦園曾評論〈番俗六考〉的分類成果時，詳細的說到：

> 黃叔璥依當時政治上南北兩路理番同知所轄，分爲北路諸羅番一至十、南路鳳山番、傀儡番、瑯嶠十八社等十三種，其中除去部份爲高山族外（北路諸羅番五及七，南路傀儡番及瑯嶠）。關於平埔族的部份，與今日的分類法有許多相合的地方，例如北路諸羅番九及北路諸羅番十正與道卡斯族及凱達格蘭族完全相合，其他如北路諸羅番一大致爲西拉雅族，北路諸羅番四大致爲四社番或Taivoran亞族。[12]

　　就人類學而言，黃叔璥在清初即具有將平埔族分類概念，這在傳統文獻中極為難得。〈番俗六考〉的特色正如黃叔璥自己所言：「番社不一，俗尚各殊，比而同之不可也。余撮其大要凡六：檄行南北兩令，於各社風俗、歌謠，分類詳註為《番俗六考》。」[13]這部作品不僅在形式上作了重大改變，內容上更試圖使臺灣平埔族開始有了一幅比較清晰的

圖象。

　　現代學科分類中所謂的社會人類學家，最起碼的要求便是必須寫下他所研究的社群的民族誌，所記錄的範圍就如生活一般地廣泛，包括：出生、結婚、死亡、爭吵、和解、修辭、宗教、種植、動物畜養、手工藝、政治等。當田野工作者熟悉一切資料後，他很快地會發現那些資料的背後有一些有趣的模式與原則，使資料變得有意義。這些模式與原則必須加以檢驗，同時展開新的調查。[14]黃叔璥不僅記錄下繁多且各具特色的原住民風俗，於〈番俗六考〉中以六目分類呈現；更錄有各社歌謠，使此書成為目前可見最早采錄平埔族歌謠的代表文獻。此外，在「附載」一項，作者並摘錄相關文獻中的敘述，以補充自己的觀察所得。這些包括《東寧政事集》、《裨海紀遊》、《諸羅縣志》等有關平埔族的資料，如未以人類學的觀念去重新檢視，則載於這些筆記文集、或方志的材料，則極易忽略其所蘊含的事實，及內在功能。除了平埔族文化的記載外，〈番俗六考〉也記錄高山族的語言。如鳳山縣的瑯嶠十八社，以親屬稱謂為例：「呼父曰『阿媽』，稱叔伯、母舅如之；呼母曰『惟那』，稱嬸母及妗亦如之。」[15]這些「A-ma」、「I-na」的稱謂，保存了排灣族的瑯嶠十八社的語言，可供語言學家相互比較與他族的語言的參考。[16]黃叔璥這種近乎人類學的眼光及方法，在文獻史上極具意義。

㈡反映巡臺御史對臺灣的觀察理路

　　首任巡臺御史的產生，起因於朱一貴事件後，統治者對臺灣各層面的訊息有迫切掌握的需要，於是派選御史擔負起

深入觀察臺灣的任務，《臺海使槎錄》即是黃叔璥巡臺期間的筆記文集及觀察成果。這本私家著作具有如方志包羅萬象的體例，正為統治者提供了多方面的實際資訊。《臺海使槎錄》的結構分成三大部分：〈赤嵌筆談〉四卷為首、〈番俗六考〉三卷居中、〈番俗雜記〉一卷為末。如此的結構安排，正透露出流寓官員以漢族為觀察的中心點，再分辨出各地文化的特殊性與差異處。以下即依次觀察此書的編排理路。

第一部分〈赤嵌筆談〉：黃叔璥以「原始」為首項條目，先從典籍的時空追溯中認識臺灣，可看出黃叔璥重視歷史文獻的為學風格。再從「星野」看臺灣於宇宙中的位置，呈現出傳統文人的空間觀。其次即落實到當時臺灣「形勢」的特殊性，更以「洋」、「潮」、「風信」、「氣候」等條目具體描繪出海島的氣象變化。從大陸渡過險惡的黑水溝，漂洋過海的景象，讓深居內地的黃叔璥有耳目一新的感受，所以書中海洋的意象鮮明，並與書名「臺海」相互輝映。再則因黃叔璥身負「御史」的任務，所以對來臺的水上交通、臺灣的各項建設、及海陸防備的得失等，都需進一步瞭解，並提出具體的看法，如「水程」、「海船」、「城堡」、「賦餉」、「武備」等條目的內容，即是具體觀察所得的成果。

接著，黃叔璥再以臺灣社會的變遷為觀察的焦點，從「習俗」、「祠廟」兩項內容反映來臺漢人過節方式、生命禮俗，及宗教信仰等面向。「商販」條目下顯現臺灣繁榮富有的景氣及重商性格。黃叔璥以百穀、花果、竹木、鳥獸、蟲魚、鹽、硫磺等「物產」細目，記載這塊土地上與民眾生活

息息相關的自然生態。此外,「雜著」為關懷臺灣文獻的保存情形,「紀異」一目記載在臺灣發生的災異傳說。而歷史事件的記錄則有「偽鄭附略」、「朱逆附略」,按年代的先後,先記載鄭氏時期的史事,再將朱一貴事件的發生原委、處理情形,及此事件後續的影響,具體而微的記載下來。

〈番俗六考〉的結構則摒棄以往泛泛的描寫方式,而改以地緣關係將原住民分為十三個聚落,包括北路諸羅十個聚落群,以及南路鳳山三個聚落群。聚落中又分成居處、飲食、衣飾、婚嫁、喪葬、器用六個部分加以敘述,先從社群的日常生活中擇取屋宇建築、飲食習慣、及衣服佩飾等顯現於外的差異,加以分項記錄;再依各族男女雙方的婚禮習俗、親人去世的喪葬禮儀等項,分析特有的生命禮儀;最後細加描繪飲食、耕獵等器物用具。在六考後並錄有各社歌謠,及平埔族受教化的情形,以及相關文獻的附載補充。至於最後一卷〈番俗雜記〉則雜記漢人對高山族與平埔族的治理態度,如從社會制度分析的有「生番」、「熟番」、「土官餽獻」等目;從經濟層面觀察的有「社商」、「社餉」、「捕鹿」等目;從勞役政策評論的有「番役」、「番界」、「吞霄淡水之亂」、「馭番」等目。除泛引摘錄史籍文獻,亦有黃叔璥巡臺觀察所得的政論。

由《臺海使槎錄》的結構分析,展現出作者所認知的臺灣文化。黃叔璥於〈赤嵌筆談〉先從外在客觀的地理條件的描述,到刻劃自己較熟悉的漢人文化,呈現出在臺漢人的生活圖象,及自然環境與歷史人文的互動。接著於〈番俗六考〉、〈番俗雜記〉整理原住民多元文化的觀察記錄,這兩

部分共占全書一半的篇幅，成為《臺海使槎錄》的一大特色。

㈢歷史研究者的重要參考文獻

《臺海使槎錄》不但可補充康熙年間志書的不足，更由於黃叔璥的廣蒐博采，使得這本書成為後世修志者的重要參考文獻。此書的觀察面不但涵蓋武備佈防、風俗習慣、宗教信仰與歷史事件的記錄；也包含描寫臺灣特殊的天文氣象、各種地理形勢，並記錄了島上繁多的動植物種類及物產狀況。展現歷史的文獻，需考慮其時空背景，方可顯現其實用價值。《臺海使槎錄》比郁永河的《裨海紀遊》晚出，這期間臺灣土地的開闢、原住民社會文化，已有明顯的變遷，正可用作歷史地理比較研究之用。

今日欲了解十八世紀平埔族文化，除可從近代學者的田野調查成果，或針對各種族群及主題所作的研究著手；亦可從清治時期的文獻資料中，重新加以爬梳整理。而各志書、采訪冊中有關平埔族風俗志的記載，年代愈早，內容愈詳細豐富，其真實度也較高；年代愈晚，內容益少，且直接從前人著作抄錄的情形也愈多，這點可能表示的意義是：編纂的人或許已經不太容易判斷、觀察平埔族人的存在與其獨特的文化了。[17] 這也是《臺海使槎錄》這部屬於清治初期的文獻，在學術史上顯得特別重要的原因。

尤其〈番俗六考〉系統性記載十八世紀初期的平埔族文化，藉此可探求當時文化活動的部分概況；而〈番俗雜記〉則呈現出平埔社會中的種種問題，更可作為了解住民處境的參考文獻。這些當時觸目可見的日常習俗記錄，如今卻成為

難得的歷史資料。書中不論是記載外在物質樣態、或采錄社
會風俗的特色；或是呈現世居臺灣的平埔族經外來政權的統
治，為適應文化變遷所面臨的困境，都是今日歷史研究者的
重要參考文獻。

㈣精鍊整飭的敘事風格

　　《臺海使槎錄》表現出精鍊整飭的形式，與早期文獻中
多傳說、寓言等內容比較起來，更能呈現重新定位臺灣在認
知和價值上的位置。黃叔璥於書中對臺灣的論述，常用第一
人稱「我在現場」的寫實方式，加強令人信服的效應。如記
載臺灣氣候與植物生長的關係時即說到：

> 余壬寅仲冬按部北路，至斗六門，見桃花方謝，菜花
> 初黃；回至笨港，見人擘荷花數枝；及回寓館，榴花
> 亦照眼。癸卯二月，桂正芳菲；八月，桃又花信；不
> 可以時序限之。[18]

　　而以巡行見聞所作的詩，如「余壬寅仲冬過斗六門作」
詩一首、「余晚次半線作」一首、及至沙轆社回郡後「余因
漫記六首」等，也都表現了親身參與的真實感。而「余巡視
南北兩路，概不令任諸力役。」等段落，更描繪出御史巡臺
時的情景，尤其當他到沙轆社（今臺中沙鹿）巡視後更有了
詳盡的描寫：

> 余北巡至沙轆，嗄即率各土官婦跪獻都都，番婦及貓
> 女為戲，衣錦紵、簪野花，一老嫗鳴金以為進退之

節。聚薪然火，光可燭天。番婦拱立，各給酒三大
椀，一吸而盡。朱顏酡者絕鮮，挽手合圍，歌唱跳
舞；繼復逐隊蹈地，先作退步，後則踴躍直前，齊聲
歌呼，惟聞得得之聲。次早將還郡治，土官遠送，婦
女咸跪道旁；俯首高唱，如誦佛聲。詢之通事，則云
祝願步步得好處。[19]

　　黃叔璥親身觀察了巴布拉族（Papora）這個歡迎賓客的
儀式，並留下深刻的印象，於是將那歷歷在目的場景及人物
動作，再加上宴飲熱鬧氣氛的烘托，生動描繪了平埔族能歌
善舞的藝術性格。

　　就文學層面而言，《臺海使槎錄》不論寫景、記事、詠
物多以流暢的文筆呈現，所以近人黃得時與葉石濤以文學史
的觀點，認為《裨海紀遊》與《臺海使槎錄》為描寫臺灣風
土的隨筆雙璧。[20]〈赤嵌筆談〉描繪羅漢門的景色：「入羅
漢內門，峰迴路轉，眼界頓開；沃衍平疇，極目數十里。…
…層巒疊巘，蒼翠欲滴，瞑色尤堪入畫。」[21]羅漢內門為今
高雄縣內門鄉，「羅漢」原為大傑巔社（Rohan）的音譯
[22]，漢人目睹二層行溪流到內門附近的山頭，折入內門鄉瑞
山村和內東村，將兩岸的粉泥岩丘陵，侵蝕成地勢巍峨重
疊，有如羅漢把守溪谷的兩側，而將此地音譯為「羅漢」。
[23]又敘述舊阿束社的景觀時，寫到：

今經其地，社寮就傾，而竹圍尚鬱然蔥蒨也。過此則
極目豐草，高沒人身；中有車路，荒榛埋輪。涉大肚

溪，行山麓間，竹樹蔽虧，遠岫若屏，幾不知文身之
鄉矣。[24]

舊阿束社，屬貓霧捒族，約在今彰化市附近。於1718
年（康熙五十七年）大肚溪高漲時，幾乎遭淹沒，後移居山
岡，《臺海使槎錄》所描寫即是四年後，翠竹依依、遠峰層
層的自然景象。

又黃叔璥的寫景詩也多能掌握各地的特色，如〈水沙連
社〉：

水沙連在萬山中，一嶼環湖映碧空；
員頂淨明傍作屋，渡頭煙火小舟通。[25]

呈現清麗可誦的風格。至於另一組〈番社雜詠〉二十四
首，皆一一標出題名，以呈現所欲描寫的對象，在短短的二
十八字簡要表達出對平埔文化的認知。如〈夜舂〉：

霜鐘雲磬韻彎清，何處村莊旋旋鳴；
北客初來聽不厭，那知此是夜舂聲。[26]

即是對平埔族舂米發出有節奏聲響的描寫。而〈讓路〉
後兩句：「長者途逢皆卻步，朋儕相見亦寒溫。」則刻劃平
埔族年輕人，如果在路上遇到比他年歲稍大一點的人，必讓
路等待長者走過的景象。[27]六十七《番社采風圖考》也敘述
遇到長者，就轉背讓退到路旁；而遇到同輩，也停車互相問

候及禮讓的風俗。[28]

　　黃叔璥所作〈番社雜詠〉二十四首可分成數類：一為人物狀貌，如「文身」；二為屋宇建築，如「作室」、「禾間」；三為生產活動，如「種園」、「畫織」、「夜舂」、「捉牛」、「射魚」、「捕鹿」、「揉採」、「社餉」、「互市」；四為社會生活，如「鬥捷」、「迎婦」、「浴兒」、「讓路」、「嘴琴」、「鼻簫」、「會飲」、「賽戲」、「樹宿」、「哨望」、「渡溪」、「漢塾」。這種從紛雜的對象中凝鍊出特點的風土詩，是以吟詠的方式引導人發揮文學的「想像力」，此即是以文人的觀點所寫的采風詩。

二、《臺海使槎錄》的限制

(一)徵引文獻的失當

　　作者將引用的文獻，用自己的話重新營構、整理，這能實顯出舊籍的關鍵要義及功用；然而如果對引文刪改太多，則在校勘原引書時，則作用就顯得極為有限。《臺海使槎錄》引用的文獻眾多，大部份皆以摘錄原文中的一個完整段落為主；但是對於多次引用的《裨海紀遊》一書，卻大加節刪並改動原文。方豪在校勘《裨海紀遊》時說到：以時代言，《臺海使槎錄》似是最早引用《裨海紀遊》的書，只是黃叔璥將引文作了很多刪改，幾乎完全失去了原書的面目。如郁永河乘笨車就道，是在四月初七日，經過新港社、嘉溜灣社、麻豆社、佳里興、倒咯國社、他里霧社、柴里社、大武郡社、半線社、啞束社、大肚社、沙轆社、牛罵社、大甲社、雙寮社、宛里社、吞霄社、新港仔社，而至後壠社。

《裨海紀遊》此段原文在二千字以上，《臺海使槎錄》只以「行十八日」四字代替，並未註明是節刪。而在〈赤嵌筆談〉的「海船」、「物產」等條目，〈番俗六考〉的附載，及〈番俗雜記〉的「生番」、「熟番」、「社商」等條，亦多遭刪改。其他尚有幾則註明出自〈海外紀略〉，實則出自〈裨海紀遊〉；黃叔璥又將〈海上紀略〉誤稱為〈海上事略〉。而註明出自〈番境補遺〉，實為出自〈番境補逸〉內的引文。[29]

而楊雲萍曾言，假如他作《裨海紀遊》合校本的話，一定以《臺海使槎錄》做為校勘的第一個底本。如〈番俗六考・北路諸羅番十〉的附載中，見於粵雅堂叢書本《採硫日記》中，方豪疑此節為後人所竄入，因此在為臺灣銀行經濟研究室刊行校勘本《裨海紀遊》時，逕行將此節刪去。[30]然而在《諸羅縣志》也見著此段文字，據《裨海紀遊》一書受到學者文人普遍注意與引錄來看，《諸羅縣志》此段文字應是引自郁永河的著作。[31]《臺海使槎錄》雖有這種參考的價值，然而少數段落未註明清楚到底是引用自何本書的缺失[32]，及部份刪節式引用的方式，則是閱讀此書需加以注意的地方。

(二)觀察立場的受限

在現代史學理論研究中，「歷史敘述」（historical narrative）日益受到學界的關注，史書作者如何通過對史料作出有判斷的選擇和安排，成為歷史敘述理論研究的核心。為何擁有同樣資料的兩個史家，可能撰寫出不同結論的文章來呢？這就要從歷史學家在敘述歷史時，已處於自身意識形態

的影響中來探討。歷史敘述涉及的都是歷史人物的行為，這些行為都暗含了一種文本結構，經過敘述化才能達到理解歷史意義的目的。[33]《臺海使槎錄》雖可作為理解早期來臺漢人移民與原住民生活風貌的輔助參考，但其反映作為直接史料的主要價值，應在於對清代官僚文人「臺灣觀」內涵與特徵的研究。[34]由於十七世紀航海技術的發達，使得長時間的冒險或遊歷成為可能，臺灣不再只是因海難或求道才會偶然來到的地方，它開始成為地圖上的確定一點，有正式的地名及確實的方位。尤其清政府既已將臺灣劃入版圖，自然須在皇朝澤被之下受統治，因此對版圖內各地風土人情、及山川資源的了解，是這個「征服」過程的第一步。

《臺海使槎錄》所記錄平埔族文化部份，可體察到所謂漢人面對異民族、異文化時的優越心態，而對平埔族的命定漢化有著樂觀的期待。[35]〈番俗六考〉的前言提到：「於以識我朝重熙累恰，光天之下，至於海隅蒼生；守土者凜遵謨訓，殫心拊循，毋謂異類而莫之恤。修教齊政，以昭中外同風之盛，實有厚望焉！」[36]黃叔璥在朝廷所托負的巡臺使命下，即使險渡黑水溝，遠離京城，到達漠生的海島，在其著作中卻未顯現出有壓抑、或掙扎不安的跡象。而其「修教齊政」的理念下，使他對平埔族的記載仍多偏重在明顯外在差異，與禮儀的特殊性上。今日所謂「文化」的概念極為廣泛，一方面指觀察現象的領域；另一方面亦可指觀念的領域。[37]要清晰地分辨一個社群，由信仰來著手是最好不過的了。而所謂信仰，關乎生命的意義、人在宇宙中的地位、以及不幸與苦難的終極內涵。由於人類學者發現部落社會的制

度與信仰，具有相當的複雜性與精巧性，對於部落民族的古
老形象才逐漸被剷除。部落民族不再是博物館的標本，不再
成為應受殖民主義保護的活見證。[38]然而在《臺海使槎錄》
書中所呈現對社會價值觀、宗教信仰與宗教儀式等觀念領
域，所論述的範圍較為有限。

　　十八世紀初期未有嚴格人類學的方法，〈番俗六考〉有
多處記載實仍待商榷，且作者的觀點亦待斟酌。就如美國學
者Thompson在〈番俗六考〉的英文譯本前言提到：「由書
中強調物質文化與優越的禮儀、習俗，可提醒我們對早期西
方旅行者的資料的處理。」[39]在殖民體制的剝削、掠奪特性
下，西方的想像、慾望馳騁於異己的軀體上，差異變成是高
低的層級，善惡美醜的二分機制，烙下了被殖民者難以磨滅
的卑下的印記。而漢人早期記載有關平埔族的私家著述，是
透過官員、知識份子或旅行家的視角，及個人心態而篩選挑
揀出來的資料。這類文獻所呈現、描畫的平埔族世界，偏重
在個人主觀的觀察、及治理上的意見，而不是從庶民的觀點
所呈現出來的社會真象。黃叔璥雖在《臺海使槎錄》顯現其
「悲天憫人」的胸懷，及關懷平民百姓的生活困境；然而仍
基於官方立場，在對臺治理意見的記錄上多所著墨。

(三)象徵式記錄的缺失

　　對原始族群的研究結果，並不僅僅得自對土著生活理性
的印象，而且來自它對觀察者做為人類的整個人格的衝擊。
人類學者的工作並不是攝影式的，他必須決定在他的觀察中
什麼是重要的，並且與他後來的經驗關聯起來，使重要的事
實顯露出來。不同的社會人類學者研究同一族群時，在他們

的筆記中會記錄大致相同的事實，但是他們寫出的書卻是不
同的。因他們所受的訓練與所調查的文化之限，人類學者在
選擇主題（theme），在選擇及安排事實來解釋他們，以及在
判斷何者重要何者不重要時，皆受他們不同的興趣所影響，
反映出他們的個性、教育、社會地位、政治觀點及宗教信仰
等等的不同。[40]當代哲學家卡西爾（Ernst Cassirer）於《人
論》一書中提到：人類文化可說是不斷自我解放的歷程，語
言、藝術、宗教、科學是歷程中的不同階段，人從中發現並
證實了"理想"世界的力量[41]。平埔族各社居民所積累的生活
經驗，與創造力的歷程，構成了平埔族的文化特色。黃叔璥
於十八世紀初巡臺期間，能觀察各族文化的特徵，並作成系
統性的記錄而流傳於世，也是對平埔族文化付出個人的關
懷。

　　然而，此書「采風」的客體是被視為「奇風異俗」的
「非漢異己」，是在創製過程中沉默無聲的被改造者，這也是
〈番社雜詠〉二十四首采風詩，在寫實之餘，難脫類型化、
象徵化的關鍵。平埔族、高山族文化差異極大的特性，在許
多清代文獻中，常遭或忽略、或簡化的記載，所反映的是外
來官員，對臺灣原住民多群與多元文化「異中求同」的思惟
習慣，是寫實與象徵兼具的類型化理解。[42]《臺海使槎錄》
雖然可以呈現平埔物質生活與部份生命禮俗的具體樣態，但
卻無法充分傳達較抽象的平埔社會結構與親屬組織，亦無法
觸及更深層的平埔宗教祭儀與神話信仰，更遑論對於土著語
彙及族群意識等重要面向的描述與認識。[43]

　　〈番俗六考〉在語言學上的價值，多在於一些單詞的語

料上,如「手圈,名曰龜老。」[44]可使後人認識該族語音特色。但作者在采錄平埔族各社的歌謠上,以相近漢字拼音的方式記錄,無法完全精確地記錄平埔族各社的語言;而作者又以整句翻譯大意的方式與歌詞對照,減低這些歌謠在語言學上的參考價值。如:〈上澹水力田歌〉第二句:「唭哖老唭描嘎咳」,譯詞曰:「天今下雨」[45],後人無法看出原句中哪個音、或哪些音,分別對等於「天」、「今」和「下雨」。因此詞彙的整理變得不太可能,句法的歸納(如動詞位於主詞之前或之後),也無從做起。

第三節　《臺海使槎錄》的影響

一、臺灣志書編修的取材

1764 年(乾隆二十九年)余文儀主修的《續修臺灣府志》提及《臺海使槎錄》的特色為:「採摭最富,後之修郡志者,率取資焉。」[46]乾隆年間的《四庫全書總目提要》亦曾評論《臺海使槎錄》的特色:

> 叔璥袞輯舊籍,參以目見,以成此書。於山川、風土、民俗、物產,言之頗詳,而於攻守險隘,控制機宜,及海道風信,亦皆一一究悉,於諸番情勢尤為賅備。雖所記止於一隅,而亙古以來,輿記之所不詳者,蒐羅編綴,源委燦然,固非無資於考證者矣。[47]

《四庫全書提要》的評論,扼要說出黃叔璥《臺海使槎

錄》蘊含豐富史料的學術價值。清初「多識即學」的觀念，使當時來臺的文士將對觀察這塊土地的風俗民情所得，以筆記文集或詩作的形式記錄下來。1745年范咸《重修臺灣府志》提到：「臺郡初闢，中土士大夫至此者，類各有著述以紀異，然多散在四方，島嶼固鮮藏書之府也。范侍御奉命巡方，自京師攜黃玉圃先生《使槎錄》以行。」[48] 由此可知，《臺海使槎錄》不僅具有匯集眾書菁華的功用，更成為清代來臺官員就任前重要的參考書籍。

尤其《臺海使槎錄》保存有關臺灣的史料，如《東寧政事集》、《平臺異同》、《諸羅雜識》等書，為記載有關鄭氏時期及清治初期的重要文獻，可惜這些書今多已亡佚。幸賴黃叔璥曾摘錄其中數段，而讓後人可窺知書的部份菁華，作為輯佚的參考。今若從中央研究院漢籍資料庫中搜尋這些亡佚書的蛛絲馬跡，即可發現在劉良璧《重修福建臺灣府志》、范咸《重修臺灣府志》、及余文儀《續修臺灣府志》、王瑛曾《重修鳳山縣志》，及陳淑均《噶瑪蘭廳志》、陳培桂《淡水廳志》、沈茂蔭《苗栗縣志》等後世志書，所錄有關《東寧政事集》、《平臺異同》、《諸羅雜識》等書的數段記載，皆為轉錄《臺海使槎錄》所得。可見此書所輯錄的資料，影響後世志書編修時的取材來源。

此外，1703年（康熙四十二年）任臺灣府同知的孫元衡，在臺任職期間所著的《赤嵌集》一書，收錄從1705年（康熙四十四年）到1708年（康熙四十七年）的作品，按創作的時間先後而分為四卷，共錄有詩歌三百六十篇。多為吟詠臺灣風物的詩作，詩集中的風土詩並附有作者自註，可供

采風修志的人參考。詩評家王漁洋曾論及《赤嵌集》中的
〈裸人叢笑篇〉、及詠禽魚花草的數首詩歌，足可獨自編彙為
臺灣圖經風土志一書。黃叔璥眼見各方志卻未採錄這些極具
特色的風土詩，於是自行摘錄此詩集而編成一帙，交給擔任
分巡臺廈道的陳大輦，以利日後續修府志時，可將這些遺珠
補入。[49]黃叔璥重視風土詩的實用文學觀，使得後世志書編
修者大量收錄孫元衡《赤嵌集》中的詩篇，更影響後世志書
藝文志的取材原則。

二、平埔族風俗記錄的模式

　　《臺海使槎錄》開啟平埔族文化分項敘述的寫作模式，
這本清治初期平埔族歷史文獻的經典之作，實為日後同類記
錄的濫觴。清代臺灣志書在平埔族風俗的編纂上，受《臺海
使槎錄》的影響頗深，茲以乾隆年間臺灣的志書傳鈔情形為
例作說明。（見表十）

表十　乾隆年間志書傳鈔《臺海使槎錄》有關平埔族文化一
　　　覽表

成書年代	書名	主編	承襲之處
1745年 （乾隆十年）	重修臺灣府志	范咸	卷十四～十五「番社風俗」及卷十六「番曲」承抄自〈番俗六考〉
1762年 （乾隆二十七年）	續修臺灣府志	余文儀	卷十四～十六抄自范志「番社風俗」
1764年 （乾隆二十九年）	重修鳳山縣志	王瑛曾	卷三抄自范志鳳山縣「番社風俗」

從上表可看出乾隆年間的府志、縣志，對有關平埔族風
俗部分傳抄的情形。范咸與六十七所編纂的《重修臺灣府志》
對平埔族的風俗較為重視，故成為傳抄的對象。然而，若再
以《臺海使槎錄》與范咸《重修臺灣府志》有關「番俗」體
例與內容作一比較，則可發現兩者的承襲關係：（見表十
一）

《重修臺灣府志》括弧後的名稱為〈番俗六考〉原有之
分類，經對照二書皆分十三類，且每類所載風俗六項目的內
容完全相疊；然其分類與〈番俗六考〉南、北各路所含之村
社卻不盡相同。顯示《重修臺灣府志》改依行政區為類別，
但風俗部分卻未見隨之稍加調整。於歌謠內容上，除少錄一

表十一　《臺海使槎錄》與《重修臺灣府志》比較一覽表

體例	《臺海使槎錄》	《重修臺灣府志》
1.分類	北路：「諸羅番一」至「諸羅番十」共十大類 南路：「鳳山番」、「鳳山傀儡番二」、「鳳山瑯嶠十八社三」三大類	臺灣縣（諸羅一） 鳳山縣一至三（鳳山一、二、三） 諸羅縣一至三（諸羅二、四、五） 彰化縣一至四（諸羅三、六、七、八） 淡水廳一、二（諸羅九、十）
2.風俗	每類又依居處、飲食、衣飾、婚嫁、喪葬、器用逐項陳述	分六項，每項內容全承自〈番俗六考〉
3.歌謠	附於每類之後，記錄34首各社歌謠	集中於「番曲」部份，抄錄〈番俗六考〉33首各社歌謠
4.附載	參考《裨海紀遊》、《諸羅縣志》、《鳳山縣志》等書，再加巡臺所見附載於各類之後	「附考」、「番社通考」則本《臺海使槎錄》，參考《番社采風圖》等書加以增損；並增錄《諸羅志》「番語」一節

首〈灣裏社誡婦歌〉，其餘全承鈔自〈番俗六考〉。上述志書與《臺海使槎錄》關係密切，而1840年（道光二十年）陳淑均《噶瑪蘭廳志》、1871年（同治十年）陳培桂《淡水廳志》，及1894年（光緒二十年）《雲林縣采訪冊》、《鳳山縣采訪冊》等，都曾引用《臺海使槎錄》的資料。《臺海使槎錄》所錄的各社歌謠，使此書成為目前可見最早采錄平埔族歌謠的代表文獻。在「附載」一項，作者並摘錄相關文獻中的敘述，以補充自己觀察所得的寫作模式，也為後世志書所參考。可見此書在平埔族風俗記錄的模式上，影響極為深遠。

注釋

1. 《臨海水土志》裡記載三國孫吳所征的夷州，或是《隋書·流求國傳》裡的流求，至《諸番志》、《文獻通考》裡的流求與毗舍耶，都被後來研究臺灣史的學者，認為可能是現在的臺灣，並因此引起辯論。曹永和：《臺灣早期歷史研究》，1979年，頁72～101。

2. 莊雅仲：〈裨海紀遊：徘迴於自我與異己之間〉，《新史學》四卷三期，1993年9月，頁61～66。

3. 歷史資料若依實質性質可大分為三類：一為遺物，二為紀錄，三為傳說。王爾敏：《史學方法》，（臺北：臺灣東華書局，1988年3月），五版，頁148。

4. 關於螺錢的記載，〈番俗六考〉提到：「螺錢皆漢人磨礱而成，圓約三寸，中一孔，以潔白者為上；每圓值銀四、五分，如古貝式；各社皆然。」頁97。

5. 《臺海使槎錄》，頁102、177。平埔族所用的葫蘆在「番社采風圖」

第五圖「耕種」，可看到族人於農田中享用裝在葫蘆內食物的情景；
第十一圖「渡溪」，則畫有土官坐在竹筏上，上面載有葫蘆等用具，
而在溪中的平埔族人也以一手勾住浮於水面上的葫蘆；第十二圖
「遊車」則見一葫蘆置於牛車上，隨行的男子也肩挑兩隻葫蘆。

[6] 阮蔡文的詩收錄於《臺海使槎錄》，頁134～135；陳夢林的詩收錄
於《臺海使槎錄》，頁90～91。

[7] 《臺海使槎錄》，頁166。

[8] 《臺海使槎錄》，頁78。

[9] 早期有關記錄平埔族的資料，除以漢語記錄的文獻外，亦有從世界
各地來臺的宣教師、航海家、船員、探險家，商人、官員等人所留
下的文字記錄。其中以荷蘭的檔案數量較多，如《巴達維亞城日
記》、C.E.S.（1675）《被遺誤之臺灣》等專著，多記載平埔族的經
濟、社會及文化。

[10] 郁永河：《裨海紀遊》，頁17。

[11] 臺灣方志所敘平埔族風俗主要集中於〈風俗志〉中的「番俗」一
目，本節所指所佔平埔族風俗的頁數，即以此為統計依據。而陳文
達《臺灣縣志》風俗志中則未列此一目。

[12] 李亦園：〈從文獻資料看臺灣平埔族〉，《大陸雜誌》十卷九期，
1955年，頁285。

[13] 《臺海使槎錄·番俗六考》前言，頁94。

[14] A. R. Radcliffe-Brown、夏建中譯：《社會人類學方法》（*Method in
Social Anthropology*），（臺北：桂冠圖書公司，1991年2月），頁
136。社會人類學範圍，多論及人類社會的混沌初開和初步發展時
期，為表示力求形貫穿於文化現象的一般規律的研究；民族學則為
描述歷史構擬方法對文化的研究。參見Loan M. Lewis，黃宣衛、劉

容貴譯：《社會人類學導論》，（臺北：五南圖書出版公司，1985年1月），頁14～21。

15 《臺海使槎錄》，頁157。

16 排灣族的瑯嶠十八社與阿美族、雅美族兩族，父母相關稱謂發音完全一樣，然而這三族卻是文化差異極大的族群。安倍明義：《蕃語研究》，（臺北：蕃語研究會，1930年），頁264。

17 詹素娟：〈從中文文獻資料談平埔族研究〉，收入《臺灣平埔族研究書目彙編》，（中央研究院民族所，1988年6月），頁7。

18 《臺海使槎錄》，頁53。

19 《臺海使槎錄》，頁129。

20 黃得時著、葉石濤譯：〈臺灣文學史序說〉，載於《文學臺灣》18卷，1996年，頁65。

21 《臺海使槎錄·赤嵌筆談》，頁7。

22 伊能嘉矩：《臺灣文化志》，下卷，臺灣省文獻會，頁141。

23 蕭燦輝：《內門鄉誌》，高雄：內門鄉公所，1993年，頁17。

24 《臺海使槎錄》，頁109。

25 《臺海使槎錄》，頁124。

26 《臺海使槎錄》，頁176。

27 十七世紀荷治時期，Candidus曾記錄西拉雅族新港社人，不但有讓路給長者的習俗，而且年紀大的人要求年輕人做事，即使到很遠的地方，他也不敢拒絕；在宴會上，年紀大者總最先得到服侍。杜正勝：《番社采風圖題解》，（臺北：中央研究院歷史語言研究所，1998年），頁26。

28 《諸羅縣志》曾提到：「途次鄉遇，少者側立，先問訊長者，俯以俟；長者既過，乃移足。」周鍾瑄：《諸羅縣志》，頁164。六十

七《番社采風圖考》：「卑幼遇尊長，卻步道旁，背面而立；俟其
過，始隨行。若駕車，則遠引以避。如遇同輩，亦停車通問，相讓
而行。」頁19。

29 方豪：《方豪六十自定稿》，1969 年，頁998～1003。

30 方豪：〈裨海紀遊版本之研究〉、〈臺海使槎錄與裨海紀遊〉，收於
《方豪六十自定稿》。頁978～988、及頁998～1003。楊雲萍：
〈關於臺海使槎錄與裨海紀遊〉，1954 年3 月15 日《公論報》六版，
臺灣風土164期；〈為臺海使槎錄申辯〉，1954 年3 月28 日，《公
論報》六版，臺灣風土166 期。

31 尹章義：《臺灣開發史研究》，（臺北：聯經出版事業公司，1989
年12 月），頁46～47。

32 許雪姬：〈首任巡臺御史黃叔璥研究〉，《臺北文獻》直字44 期，
1978 年，頁128。

33 有關西方歷史敘述理論的研究情況，可參考陳新：〈論二十世紀西
方歷史敘述研究的兩個階段〉，《思與言》第三十七卷一期（臺
北：中央研究院，1999 年3 月），頁1～25；周樑楷：〈歷史敘述
與近代英國史學傳統的轉變〉，《興大歷史學報》8 期，臺中：中興
大學歷史系，1998 年6 月，頁271～285。

34 張隆志：〈臺灣平埔族的歷史重建與文化理解──讀《景印解說番
社采風圖》〉，《古今論衡》第二期，1999 年，頁25。

35 詹素娟：〈從中文文獻資料談平埔族研究〉，收入《臺灣平埔族研
究書目彙編》，（中央研究院民族所，1988 年6 月），頁3。

36 《臺海使槎錄》，頁94。

37 前者如用來指涉一個社群內的生活模式，也就是該社群規則性一再
發生的活動，以及物質的佈局和社會的佈局，而且這些都是某特定

人類群體所特有的。另一方面，文化亦可用來指涉組織性的知識體系和信仰體系，一個民族藉著這種體系來建構他們的經驗和知覺，規約他們的行為，決定他們的選擇。R. Keesing，張恭啟、于嘉雲譯：《文化人類學》，（臺北：巨流出版社，1989年9月），頁37。

[38] Loan M. Lewis，黃宣衛、劉容貴譯：《社會人類學導論》，（臺北：五南圖書出版公司，1985年1月），《社會人類學導論》，頁24。

[39] Laurence G. Thompson, "Formosan Aborigines in the early Eighteenth Century: Huang Shu-Ching's FAN-SU LIU-K'Ao, "Monumenta Serica, no.28，（University of Southern oalifornia, 1969），p.46。見〈番俗六考〉英文譯本的前言。

[40] 伊凡·普里查（E. E. Evans-Pritchard）、陳奇祿、王崧興合譯：《社會人類學》，（臺北：唐山出版社，1997年5月），頁77～78。

[41] 卡西爾：《人論》，（臺北：桂冠圖書公司，1989年），頁353～354。

[42] 詹素娟：〈文化符碼與歷史圖像——再看《番社采風圖》〉，《古今論衡》第二期，1999年，頁16。

[43] 張隆志：〈臺灣平埔族的歷史重建與文化理解——讀《景印解說番社采風圖》〉，《古今論衡》第二期，1999年，頁26。

[44] 《臺海使槎錄》，頁96。

[45] 《臺海使槎錄》，頁145。

[46] 余文儀：《續修臺灣府志》，（臺北：臺灣銀行經濟研究室，1962年4月），頁184。

[47] 紀昀：《四庫全書總目提要》，（臺北：臺灣商務印書館，1983年），第二冊，頁528。

[48] 范咸:《重修臺灣府志》,(臺北:臺灣銀行經濟研究室,1961
年),序言。

[49] 《臺海使槎錄》頁74。

第八章

結　論

　　黃叔璥自幼在家人的關懷及兄弟手足互相激勵下，養成
負責盡職的處事態度；又在重視教育的環境裡成長，更奠定
日後在從政與治學上的紮實根柢。他曾擔任過掌管禮制、及
文官詮選等公職；亦在雲南司主事、湖廣道御史、浙江道監
察御史任內，實際了解地方事務。其不畏權貴、剛毅不阿的
行事風範，使他於1721年（康熙六十年）獲選為首任巡臺
御史。他又受到清初盛行的經世思潮所影響，對典章制度的
探索展現高度興趣，並在一生參政過程中將所學實際貢獻於
社會。至於他與友朋的論學交遊，亦拓展其視野見識，並彼
此激盪出著述的動力。因黃叔璥曾於中國大陸西南一帶任
官，與當地原住民已有過接觸，後來為朝廷指派來臺擔任御
史，可說是恰如其分、適得其職的安排。雖然筆者原計劃詳
盡了解黃叔璥的生平、經歷，但經過多方查詢、儘可能蒐集
相關資料的結果，發現相關的傳記文獻實為有限。還望將來
有識之士及同好，能提供其他資料，以作進一步探討。

　　就目前黃叔璥現存的著作，以綜觀其一生的學術成就，
可見其兼涉歷史、地理、義理、金石目錄學、文學等領域。
他孜孜不倦的治學態度，更使其著作蘊含學術價值。在記錄
遊宦見聞方面：所著《南征記程》保存了首任巡臺御史的產

生經過等相關史料、及來臺途中蒐集臺灣資料的情形；並詳錄北平到臺灣的路線，富有清代交通史的價值。《臺海使槎錄》則記載黃叔璥從北京抵達臺灣後，任職巡臺御史兩年間的見聞。當時巡臺的主要路徑是從臺南經笨港社（今雲林北港），至斗六門社（位於雲林斗六）、貓兒干社（今雲林崙背），過濁水溪後，到東螺社（今彰化埤頭），又到半線社（今彰化市附近），最後到達沙轆社（臺中沙鹿）後，才再打道回臺南府城。至於南路則主要巡視武洛社、搭樓社（皆於今屏東里港），上澹水社、下澹水社（皆於今屏東萬丹），於絲社（屏東林邊）等地。途中黃叔璥不但藉機瞭解漢人移民社會的情形，更由於經過不少平埔族居住地，使他觀察到臺灣西部平原一帶各族的特色。而《臺海使槎錄》亦多是他於臺灣田野觀察所得，與一些僅靠傳聞、未曾親臨當地的作品；或輾轉鈔錄的文獻比較起來，呈現出迥然不同的風格來。

在整理史料文獻的成就：如所著《南臺舊聞》為一部有關歷代御史的典制史。黃叔璥以為操守廉潔的歷代御史，所表現出來的公正風範，足可作為後世學習效法的對象；至於歷史上有些御史貪枉徇私的事實，更具有自我督促警惕的功能。此外，黃叔璥曾整理清初御史官員的名冊、簡歷，依照年代順序，編成《國朝御史題名錄》，以作為後人思齊內省的參考。至於《中州金石考》則是黃叔璥蒐羅從商周至明代，在今河南一帶「中州」的碑石，倘若能對這些原始史料加以考證其真偽、檢視其存佚情形，則更能以發揮考究文物制度與辨章學術源流的價值。

　　在編纂理學典籍方面：如《廣字義》選錄理學常見的一
四四個關鍵字彙，廣輯南宋陳淳《北溪字義》等書，加以逐
條增補字義。黃叔璥將宋明理學家所談的宇宙論問題，轉向
於自身日用人事，著重下學的功夫，其編纂目的主要期望此
書成為理學入門階梯。而另一部《近思錄集朱》，則依《近
思錄》每卷以周敦頤、二程、張載所言的次序作編排；不僅
匯萃朱熹理學言論菁華，更引導學者認識《近思錄》的內
涵，並宣揚學作聖賢的終極目標。清初康熙時期提倡理學，
表彰程朱，士人學子多以講求涵養在主敬，及篤行實踐的程
朱之學作為學習的對象。黃叔璥在此學術風潮下，也在晚年
編纂《近思錄集朱》八卷，這部著作正是為了提供後學實踐
履行的參考。

　　綜觀黃叔璥現存的學術著作看來，早期完成的著作如
《國朝御史題名錄》、《南征記程》、〈重修臺灣縣學碑記〉、
及《臺海使槎錄》等，多是於康熙末年到雍正初年期間所
作，而其內容或多與御史職務有關，或是親身的見聞記錄。
其後的《南臺舊聞》、《廣字義》、《中州金石考》及晚年始
定稿的《近思錄集朱》，則是於乾隆年間完成，可見後期的
著作較偏向對古籍的整理與補充。至於從書中記載的所見所
聞，正反映出作者的價值觀模式。如《臺海使槎錄》多處記
錄黃叔璥關懷平埔族居民、及漢移民的生活，實為傳統儒家
悲天憫人的表現。在巡臺御史任內，更以傳統儒家重視經世
的觀點，將臺灣經驗記錄在《臺海使槎錄》一書中。他不僅
提出實際數據，指出重稅制度不合理處；並觀察澎湖遇及天
災主糧不足的問題，建議以臺灣、諸羅二縣支援澎湖兵民日

常所需。至於對頂替虛冒兵制弊端的革除、奏請增設彰化縣
等整頓吏治管理的建議，及主張游巡海岸、平時整練軍隊等
改善沿海防備的措施，都可看出他在政治經濟層面的細微觀
察。另外，在習俗教化的觀察上，一方面記錄奢侈風俗、及
賭博、吸鴉片煙等陋習惡風；另一方面也積極提倡教化的重
要性。黃叔璥因長期受到漢文化的薰陶，亦不免像傳統儒家
士人一樣，將文化優越感表現於提倡平埔族的教化上。

　　黃叔璥與清初許多士人都意識到理學思想之痼疾在於脫
離社會現實，脫離活生生的「當代之務」，只是崇尚清談，
不事實學；所以他強調學、行並重，講究人倫日用、綱常關
係，期望透過倫理道德的教育，教化百姓、移風易俗。傳統
儒家哲學實質上是一種政治倫理哲學，極關注現實社會生
活，強調實用功能及實行的工夫。經世濟民的思想即是體認
到個人在整個社會中的地位，然後在自覺要求下，賦予個人
對社會的使命感，才是體用兼備人格的完成。考察黃叔璥的
學術思想特色，在崇實黜虛方面，強調作品的寫實功能，並
從日常人事中體驗道理，重視下學的紮實工夫。在著重教化
方面，則將褒善貶惡思想，及積極肯定教化影響力的理念，
貫穿於《南臺舊聞》、與《臺海使槎錄》等著作中。尤其在
經世濟民方面，其親身見聞的觀察記錄，表現出切中時弊的
見解，更與清初經世觀念盛行的時代思潮相映，這也正是
《臺海使槎錄》在此時代思潮中的文化意義。考察黃叔璥在
臺灣史上的地位，除了所著《臺海使槎錄》於史料上富有時
代價值外，更可從其巡臺期間於政經教化等層面的觀察，看
出他具有發掘吏政等諸多弊病的眼光。有些積習弊政，甚至

延續到十八世紀後期道光年間，仍舊繼續存在著。可見當年
這位首任巡臺御史所具的先見之明。

　　至於黃叔璥最著名的著作─《臺海使槎錄》所具的學術
價值，可從此書在學術史上的地位來探討。早期以漢語文記
錄臺灣的文獻，多簡略描述一些傳聞；至明清時期漸出現實
證風格的作品，而這部《臺海使槎錄》即是具有盛名的代表
作之一。不論從成書始末及取材來源作具體分析，或是從此
書所呈現的臺灣社會變遷與文化面貌，都可作為探究此書流
傳廣泛的多重因素。黃叔璥曾蒐羅散見典籍中有關臺灣的記
載，從《臺海使槎錄》所引用包括方志、地理、政論類等至
少約有四十多種典籍，可知作者平日涉獵的廣泛。此書除了
巡臺御史親自的觀察外，也得力於多位官吏、文士的協助訪
查；而一些俗諺、童謠、及平埔族各社歌謠的雛型也因此書
得以保存。從黃叔璥寫於1724年（雍正二年）二月的自序
看來，可知他在離臺前就已大略完成此書初稿；而今所見的
八卷本，有幾處是在離臺之後，在北京故居補入的。本文並
就臺灣所見《臺海使槎錄》各種版式、刊刻時間、蒐藏處
所、出版書局作一整理，並互相比對、校勘，以呈現此書於
臺灣普遍流傳的情形。

　　至於在《臺海使槎錄》所反映的臺灣社會變遷方面，可
從平埔族經濟生活及社會結構的轉變、與移民拓墾社會的特
質來探討。平埔族的生產方式原多從事狩獵活動、水產採
集、及從事小規模自給的原始耕作為主；而後漸轉變為灌溉
水稻種植業，並以犁耕、挽獸、開圳、及牛車運輸從事生
產。經濟政策對平埔居民的衝擊，則包含了荷治時期贌社

制的壟斷，控制各社狩獵的買賣專利，及對該社所需貨物的販賣特權。至清治時期，原住民面臨日益喪失土地所有權，及獵場開墾成農地的困境；而花紅的陋規及課餉範圍擴大，更加重居民的賦稅壓力。在平埔族社會結構的轉變方面：平埔族聚落組織原屬於小型集村，至荷治、鄭氏、清治時期，卻有通事擾民、雜役壓迫、及司法制度改變等情況發生。黃叔璥觀察到通事的舞弊實歸源於府縣陋規的現象後，即禁止府縣對通事的需索，並規定通事除非有應辦事件時才可前往各社，否則不許久留其地而擾累居民。此外，當他得知修繕船隻、修蓋倉廠等增加平埔族傜役的情況時，也曾具體提出改善的措施。至於平埔族原具有原始民主議會的制度，卻因外來政權而使這原無揖讓拜跪禮的社會制度，受迫遭到大幅改變。在清初移民拓墾社會的特質方面：黃叔璥觀察到來臺的閩粵移民有互助結盟的風氣，且呈現出男女比例不均的社會結構。在處理閩粵的衝突上，黃叔璥曾請官員調劑閩、粵關係，並查看武官是否有冒濫、擾民的情形，以減低粵人在臺灣的勢力。他並以為臺灣耕種條件頗佳，農作物以稻米、甘蔗為主，〈赤嵌筆談〉對物產的分析，更呈現出物種與環境因子間互動情形。

要了解一個文化或民族往往從三方面著手：即人與自然關係的經濟生活，人與人之間關係的社會生活，以及人與超自然之間的宗教信仰。《臺海使槎錄》所呈現的臺灣文化面貌，包含了平埔族的文化特色：如建築的種類、分佈區域、及平臺屋建屋過程等。平埔族在衣飾方面，早期的衣飾具有濃厚的南島民族風格；而日常器用如木扣等陶製用具，及螺

碗等螺製用具，多從自然環境取材。書中亦有關婚姻、喪葬等生命禮俗的評介，及祭祖等鬼魂崇拜的宗教信仰儀式。在漢人移墾社會習俗的記錄上，則描寫了歲時節慶、及婚姻禮俗。平埔族喪葬禮俗演變的過程，從收殮方式變為改用棺材，並由無服制而到有服制。此外，書中亦直接或間接反映了若干平埔族與漢語族文化接觸時的現象：

(1)在婚姻禮俗方面：漢人的婚禮程序較平埔族繁複許多，且重聘金、幣帛。此種族群間的通婚，即使以招贅方式進行，但原住民女性及其子女，最後仍然進入漢人的父系社會法則。

(2)在飲食方面：平埔族人以檳榔做為訂婚、談和時的社交禮物，漢移民亦受此種風俗的影響。

(3)在衣飾器用方面：新港、蕭壟、麻豆、目加溜灣等社，衣褲已多如漢人。至於崩山八社的耕種犁耙諸農器，與漢人所使用的器具相同。

(4)在宗教信仰方面：平埔族以祭祖為中心意的祭儀猶存，然其儀式多受漢人影響；而來臺漢人仍多是尚祖先崇拜的觀念。

(5)在教化方面：平埔族社學多分佈在偏遠地區，在統治者一元化的教育政策下，內在價值觀的改變、及對母語的記憶的喪失，可知當時平埔族受儒學教化的衝擊。

若從《臺海使槎錄》所蘊含的遺物、紀錄、傳說等歷史資料，可知黃叔璥廣蒐博采的用心。若再經由與平埔族歷史文獻、清治初期臺灣各方志作比較，可知〈番俗六考〉延續〈東番記〉、《裨海紀遊》、《諸羅縣志》的實證風格，並且

更在體例上求其完備,呈現出刻意全面記錄當時臺灣平埔族聚落的企圖心。綜觀《臺海使槎錄》在學術史上的地位,可從此書成就及其限制加以評價:

在《臺海使槎錄》的成就方面:

㈠首創分區記錄原住民風俗文化:對平埔各族的分類概念,突破傳統文獻忽略各族差異的視角,並能呈現平埔各族的文化圖像。

㈡反映巡臺御史對臺灣的觀察理路:先刻劃漢人移民生活概況,再整理原住民多元文化的觀察記錄,並呈現自然環境與歷史人文的互動情形。

㈢歷史研究者重要的參考文獻:因具有匯集眾書菁華的功用,臺灣史料保存十八世紀初期臺灣文化的記錄,故成為史學研究者常引用的典籍。

㈣精鍊整飭的敘事風格:常用第一人稱親臨現場的表現方式,加強令人信服的效應,流暢的文筆實為描寫臺灣風土的隨筆文佳作。

在《臺海使槎錄》的限制方面:

㈠徵引文獻的失當:引用許多臺灣文獻時,有幾處將原文刪改太多,且對引文出處有少數交待不夠清楚的地方。

㈡觀察立場的受限:反映清代文人「臺灣觀」內涵與特徵,多治理上的意見,而非從庶民的觀點所呈現出來的社會真象。

㈢象徵式記錄的缺失:無法充分傳達深層的平埔宗教祭儀、神話信仰,及族群意識等面向的描述;以整句意譯平埔歌謠的方式亦減低在語言學的價值。

　　《臺海使槎錄》的影響主要表現在臺灣方志的編纂上，
這種以主題統整習俗的記錄模式，正為後世多本臺灣方志所
承襲。以《臺海使槎錄》與范咸《重修臺灣府志》等書作比
較，可知乾隆年間臺灣志書普遍傳鈔平埔族風俗的情形。而
後的陳淑均《噶瑪蘭廳志》、陳培桂《淡水廳志》，及《雲林
縣采訪冊》、《鳳山縣采訪冊》等[1]，都曾引用《臺海使槎錄》
的資料。志書中藝文志的收錄，如乾隆年間劉良璧《重修臺
灣府志》、范咸《重修臺灣府志》、及余文儀《續修臺灣府志》
三書中的「藝文志」，都大量收錄了孫元衡《赤嵌集》的風
土詩，即受到黃叔璥推介所影響。

　　《臺海使槎錄》反映黃叔璥細心觀察臺灣當時實際狀
況，並已注意到原住民生活受到外來族群干擾的處境。經由
探究黃叔璥看待平埔族文化的視角，並與相關著作比較，可
突顯其關懷文化活動的層面來。除了從文獻中摘取參考資料
外，他也在巡行時將與官僚、文士論及臺灣的事蹟，記錄下
來；並曾親自訪談一些平埔族的居民，探究其普遍的內在心
理感受。尤其當他離開臺灣府城巡行時，觸目所及多是平埔
族，且各社大多保有語言、服飾、及風俗特色，所整理記錄
的〈番俗六考〉及〈番俗雜記〉成為今日研究十八世紀初期
平埔族社會的重要文獻。

　　由諸多臺灣史料可發現，原本世居於臺灣的平埔族人，
面對荷蘭、西班牙、鄭氏、滿清政權接踵而至，在武力的脅
迫與各文化衝擊下所面臨的困境。雖然現今從許多與平埔族
有關的地名，「牽手」等平埔族語彙的使用，及少數民間宗
教、習俗，可看出平埔族文化對臺灣的影響；但相對於平埔

族語言大量消失、原有的風俗習慣已漸隱沒，及社會制度徹底改變等現象，外來族群與平埔族的文化接觸可說是極不均衡的涵化關係。尤其外來者常以武力為後盾，將文化優越感表現在教化上。當年《臺海使槎錄》所記錄的各社平埔族語言與歌謠，今日已大量消失，這與當時官方掌握兒童教育之權，實有密不可分的關係。人類早年所學到的一切知識、觀念都是那個文化的核心、精華，將根深蒂固的深入人心。[2]這個重要的議題，足可供今日關心臺灣教育者再加深切的省思。《臺海使槎錄》若經仔細爬梳、整理，並與相關文獻互相參照、比較，可增加對當時臺灣社會文化面貌的了解。此書有關南島語族中的平埔族資料，若能以文化人類學的觀點重新加以考訂、詮釋，更可使古典文獻富有現代學術意義及論辯其內蘊價值。

注 釋

1 《噶瑪蘭廳志》修於1840年（道光二十年）、《淡水廳志》修於1871年（同治十年），《雲林縣采訪冊》、《鳳山縣采訪冊》則修於1894年（光緒二十年）。

2 宋光宇：《文化人類學導論》，（臺北：桂冠圖書公司，1984年），頁454。

附錄一

臺灣清治初期
古典散文的書寫策略
——以藍鼎元、黃叔璥的作品為例

一、前言

　　近幾年來臺灣文學的研究，如雨後春筍般蔚為風潮；然研究者的興趣多集中於新文學，對古典文學的關注較為有限。[1]且在古典文學的研究方面，亦多偏重於語言凝鍊的古典詩歌的探究，對於綜論史事、評議政策，或記錄風土民情的古典散文，卻較少見深入的探析。古典散文不僅具有實用的功能性價值，如公牘政論、碑文、傳、記，皆為官員收集各地資訊，以供為政者施政參考來源；且因編纂者多為官員或文士，故處處可見清廷治臺政策及實行教化之觀點。至於清治中、後期本土文人的散文作品，更呈現出知識份子對於這塊土地上的人物、史事的記載與評論，及對當時的政治、社會、及風俗的觀察。臺灣古典散文與文化關聯的研究，牽涉的議題廣闊，可說是一亟待開拓的學術領域。

　　目前對於臺灣古典散文的評析，大多以介紹性質的單篇論文為主，研究成果亦常見以探討個別作家的作品為論述主

軸。對於古典散文的發展與流變的論述，則可從施懿琳、許俊雅、楊翠《臺中縣文學發展史》，施懿琳、楊翠《彰化縣文學發展史》，江寶釵《嘉義地區古典文學發展史》，莫瑜、王幼華《苗栗縣文學史》等臺灣區域文學史的編纂，或黃美娥《清代臺灣竹塹地區傳統文學研究》等論文，窺見區域散文的發展概況。英文學位論文有關臺灣古典散文的論述，如 Teng, Emma Jinhua 於 1997 年哈佛大學東亞語言與文明系的博士論文 *"Travel Writing and Colonial Collecting: Chinese Travel Accounts of Taiwan from the Seventeenth through Nineteenth Centuries"*。作者分析從十七至十九世紀旅臺文本，以陳第等人的著作，與西方殖民帝國書寫作為比較與詮釋的參考。

　　歷史是人、時、空三個因素互動，交織形成的結構、事態和事件。臺灣這個島嶼上，在不同的時間段落內，因為國際情勢的變化、生產方式的相異、活動人群的複雜、經濟交流項目的替換，而呈現各時期不同的社會特徵。如果未考慮到臺灣是一個獨立的歷史舞臺，從史前時代起，便有許多不同種族、語言、文化的人群在其中活動，它們所創造的歷史，都是這個島的歷史，則臺灣歷史的研究便難以超越政治化的限制。[2] 故探討古典文集時，需發掘文本的時代背景，與其文化觀察的視角，如此方能闡釋其多元意義。藍鼎元與黃叔璥皆為處理朱一貴事件而抵臺，來臺的時間亦相近，兩人有關臺灣的著作，為清治初期的重要文獻。綜觀藍鼎元與黃叔璥的古典散文，多以敘事文為主，這些作品不僅具有史實與文學的特質，更可藉此觀察到作者的書寫策略。本文即以藍鼎元《東征集》、《平臺紀略》，及黃叔璥《南征記

程》、《臺海使槎錄》為探討的主軸，分析上述文本所透顯
的文學與文化意涵，以作為清治時期古典散文研究領域的基
礎。

二、作者的學養與來臺目的

　　文化產品多為兩組歷史交匯而成的：其一是文化場域中
某一特定「位置」的歷史；其二是造成創作者所呈現的「習
性、氣質、傾向」的生涯歷程。[3] 如藍鼎元與黃叔璥當時在
文化場域裡所佔的特殊位置，與臺灣清治初期的政策息息相
關。這些政策包括清政府如何處理朱一貴事件，如何檢討當
時的政治與經濟的諸多缺失，如何更進一步了解臺灣的民俗
風情。即作者所呈現的是維繫統治政權的種種機制下的文化
現象。從藍鼎元與黃叔璥來臺的經歷及臺灣論述，正可增進
對臺灣清治初期文化場域的了解。若探究兩人渡海來臺的目
的與任務，當更能對他們的寫作習性（habitus）有所掌握。

㈠生平經歷與學養

　　藍鼎元，字玉霖，號鹿洲，福建漳浦萇谿人。出生於
1680年（康熙十九年）八月十七日，卒於1733年（雍正十
一年）。十歲時其父文庵先生逝，多賴母親許氏日課女紅及
鬻賣蕃薯、種菜維持家族的生計。藍鼎元曾隨族伯唐民先
生，於閩南著名的灶山讀書，因家離此山頗遠，故每年只於
歸省及祭祀時回鄉一次。這段求學期間，他善用時間，充分
把握學習機會；不僅在書館中遍覽群書，並深究諸子百家之
書、禮樂名物、及韜略行陣等經世之學。雖因家貧，「月攜
白鹽一罐，無他蔬，同學或揶揄之，府君怡然，作白鹽賦以

自勵。」⁴刻苦勤學的情形可見一般。也由於這段紮實的求
學經歷，奠定藍鼎元日後為文論事的深厚基礎。

　　十七歲返鄉後，曾於廈門觀海，並乘舟遊歷全閩島嶼；
又至舟山群島，乘風南下，甚至到近廣東海面的南澳列島。
所以他對於東南沿海的島嶼、港灣和形勢，皆有相當的認
識，此趟遊歷也增長其識見。1703 年（康熙四十二年）漳
浦知縣陳汝咸廣集紳士講經，並月課學子有關制藝、詩歌、
及古文辭。藍鼎元本好經濟之學，又喜古文辭，藉此得以論
難請益，學問因而日有長進。陳汝咸極賞識藍鼎元，日後即
提拔他為縣試第一名。當年冬季藍鼎元又受知於督學歸安沈
公，再次幸獲提拔為第一名。1706 年（康熙四十五年），時
年二十八歲，藍鼎元曾於福州鰲峰書院參與纂訂先儒諸書，
福建巡撫張伯行對他的讚語為：「確然有守，毅然有為，經
世之良材，吾道之羽翼也。」⁵以後因親老需侍養，所以藍
鼎元即辭歸故里；並致力於宋先儒之書，常沉潛玩味於其
中。⁶

　　1721 年（康熙六十年）朱一貴事件時，其兄藍廷珍當
時為南澳總兵，奉命出師臺灣。藍鼎元跟隨其兄來臺，並參
與戎幕的籌畫，文移書札皆出其手。藍廷珍曾於〈東征集舊
序〉提到：「予胸中每有算畫，玉霖奮筆疾書，能達吾意。
又深諳全臺地理情形，調遣指揮，並中要害，決勝擒賊，手
到功成。當羽檄交馳，案牘山積，裁決如流，倚馬立辦。猶
且篝火，連宵不寐，而籌民瘼。」⁷呈現藍氏兄弟的默契，
及合作無間的情景。藍鼎元回到福建漳浦故家後，又於
1728 年（雍正六年）以條奏〈經理臺灣疏〉等六事，並作

〈陳治臺十事〉。其實早在1719年（康熙五十八年）所作
〈論鎮守南澳事宜書〉中，已反映藍鼎元曾思考海疆事務的
議題。他不僅至臺灣多處實地探查，更將見聞以文字紀錄下
來，輯成《平臺紀略》與《東征集》兩書。藍鼎元除上述兩
書外，尚有《鹿洲初集》、《女學》、《棉陽學準》、《鹿洲
公案》、《修史試筆》等著作。

　　另一位也因朱一貴事件而來臺的官員黃叔璥，則擔負
「首任巡臺御史」的任務。黃叔璥，字玉圃，晚號篤齋，生
於順天府大興縣（今河北省大興縣）。[8]其父任教職三十年，
逝時當黃叔璥二十六歲。母親吳麟龍，本為錢塘太學生。[9]
黃叔璥於十九歲時通過順天鄉試。黃家兄弟皆為舉人，並得
任公職。[10]黃叔璥於少時所立下為學及處世的根基，應與淵
源於手足間互相砥礪的家風有關。從二十九歲中進士後，先
擔任太常博士的職位，又任戶部雲南司主事。後調吏部文選
司，又經薦擢而成為湖廣道御史。[11]湖廣地區有苗族、侗
族、壯族、瑤族等不同種族散居各處[12]，這種經歷使黃叔璥
抵臺巡察各地原住民聚落時，能特別注意到各族風土民情的
特色。由黃叔璥擔任御史不懼權貴勢力，就事論事、客觀彈
劾的為政作風，可知其耿介剛直的個性。[13]又從其現存於世
的《南征記程》、《臺海使槎錄》、《廣字義》、《中州金石
考》、《近思錄集朱》等學術著作來看，多記錄親身見聞，
或廣為輯錄資料，呈現其學兼涉歷史、地理、義理、金石目
錄學、文學等領域。1721年（康熙六十年），叔璥四十二
歲，當時臺灣發生朱一貴事件，叔璥奉命前往臺灣的途中曾
訪謁福建分巡臺灣廈門道王素臣。王素臣於1722年（康熙

六十一年）三月二十六日將「臺灣、鳳山、諸羅三圖」贈予
黃叔璥[14]。可見黃叔璥赴臺前已著手蒐羅有關臺灣的資料，
而使他對臺灣地理形勢有概略的認識。

㈡來臺目的

藍鼎元、黃叔璥來臺時間點皆與朱一貴事件有關，然兩
人所負責職務的重心有別。藍鼎元隨軍來臺鎮壓朱一貴事
件，擔任其兄總兵藍廷珍的軍事機要參謀兼機要秘書。朱一
貴事件在大量清軍至臺鎮壓後，一個多月即已平定；然其後
續追捕與此事件相關人士的工作，卻持續超過一年的時間。
有關《平臺記略》的寫作因緣，作者曾於〈自序〉中明言：

> 藍子自東寧歸，見有市「靖臺實錄」者，喜之甚，讀
> 不終篇，而愀然起，喟然嘆也。曰：嗟乎！此有志著
> 述，惜未經身歷目，徒得之道路之傳聞者。其地、其
> 事，多謬誤舛錯。將天下後世以爲實然，而史氏據以
> 徵信，爲害可勝言哉！[15]

可見他不僅實際參與諸多軍事策劃，更期許自己能將於
臺灣所見所聞筆之於書，一方面可作為對經世濟民的實務參
考，另一方面亦可作為重要的歷史見證。至於藍鼎元書中一
再主張開發臺灣的論述，其考量點是基於安定人民生活、增
加國家財政收入、防止抗清集團再起等因素，顯現其來臺的
觀察，具有統治上的任務。

閩浙總督滿保等人曾於朱一貴事件後議請增添兵員，康
熙卻以為「添兵無用」；故後來經內閣研議後，而有巡臺御

史制度的設立。康熙諭旨提到：「每年自京城出御史一員，前往臺灣巡查。此御史往來行走，彼處一切信息可得速聞。凡有應條奏事宜亦可條奏，而彼處之人皆知畏懼。至地方事務，御史不必管理也。」[16]巡臺御史的職責本以監督行政、探訪民情為主，並有隨時條奏的權利。[17]一方面既要負責稽察官吏，監督朝廷政令的推行；另一方面，又需安撫百姓，反應地方虞情。巡臺御史設立之初，由於長年駐臺，以利朝廷直接、迅速掌握臺灣動態。藍鼎元曾提到：「朝廷以臺疆僻處天外，民間疾苦，無由上達，特命滿漢御史各一員，歲奉差到臺巡視」[18]，可見初期巡臺御史的設立，不僅具有對臺民心穩定的政治目的，亦增強統治者對臺灣訊息的掌握。

　　都察院派遣滿、漢御史各一員前往臺灣巡察，黃叔璥與吳達禮獲選為首任巡視臺灣御史，於1722年（康熙六十一年）六月初二抵達臺灣任職，兩人並於一年任期屆滿後，又多留任一年。在《宮中檔雍正朝奏摺》第二輯，雍正元年一月十六日，有一件巡視臺灣監察御史黃叔璥上書給雍正的奏摺，雍正的批文提到「爾等在海疆實心效力，上甚屬可嘉，今已另派人來更換，爾等候新任到來，可將爾等數年經歷民情土俗一切地方事務，皆備細令新任知曉。」[19]又據清史館所編纂的乾隆年間〈黃叔璥傳稿〉載：「雍正元年任滿，特旨留一年，命以所行事告代者，叔璥為列〈海疆十要〉。」[20]惜這篇〈海疆十要〉今已不得見，而未能與《臺海使槎錄》中的巡臺觀察所得作一對照。

　　《臺海使槎錄》內容除描寫地理形勢及物產的狀況外，也包含風俗習慣、宗教信仰與歷史事件的記錄；而其中〈番

俗六考〉、〈番俗雜記〉更是為記錄平埔族歷史文化的重要
典籍。正因黃叔璥身為巡臺御史的職責所在，所以常留心一
般民眾的生活狀況。此與藍鼎元所負職責有異，所以觀察的
重心亦有些許不同。例如兩人於著作中多提到評議吏治及軍
防、調節民生供需、土地開發論述、及鼓勵移風易俗等行政
改革，然而藍鼎元所存論述中，關於維持治安的層面較多；
黃叔璥則對於平埔族面臨的困境多所著墨。雖然兩人論述焦
點稍有差異，但因其來臺皆是為協助統治者能更確切掌握臺
灣的政治、教化，以鞏固清廷在臺勢力，並維護邊境安全為
主要目的，故其書中亦多以官方立場的位置發言。

三、藉文彰顯治臺理念

㈠評議吏治及軍防

　　藍鼎元於《平臺紀略》中揭露臺灣吏治的陋習，並直陳
官吏未關心政情的情形。他描繪當時情勢：「時承平日久，
守土恬熙，絕不以吏治民生為意，防範疏闊，一貴心易
之。」[21]且批評1720年（康熙五十九年）臺灣知府王珍攝理
鳳山縣事，將政事委任於次子，其子監禁人民，勒索無度，
多次騷擾民間，致使民心盡失的不當。[22]又提到多位官員未
理會粵人高永壽至官府通報朱一貴計畫起事的訊息，而屢屢
錯失防範的機會。藍鼎元也觀察到若干官兵販賣軍火以圖利
的陋習，壯大了朱一貴的勢力。[23]至於在班兵的管理方面，
當時由福建抽撥到臺灣的班兵，兵丁出缺必須立刻停薪，並
將此款充作公費；然而不法的官吏往往不申報，有的則以居
於臺灣的百姓頂補，可省補班的盤費。[24]黃叔璥不僅觀察在

臺武官於發放糧餉時，強加扣留這些故兵的軍餉，以飽個人私囊的惡習；又言「臺地招兵，換名頂替」為造成兵虛的主要原因。[25]當時武官即使有召募遞補新兵的舉動，然應募的多半為市井無賴之徒，有的甚至只是空名掛籍，含混欺蒙，黃叔璥以為這實為主帥大府的過錯。於是提出建議：要求督責總兵應時常清釐兵員，依照編制補足兵額，才得發以糧餉；不得隨意招募未具備兵籍的人，也禁止以頂替虛報隊伍中的士兵，如此虛冒的弊端才可望革除。

在軍事防備方面，藍鼎元因限於統治的立場，而強調臺灣對於中國大陸東南邊防的重要性；同時也以海洋交通的觀點來看臺灣地理位置。如《東征集・覆制軍臺疆經理書》所形容：「臺灣海外天險，治亂安危，關係國家東南甚鉅。其地高山百重，平原萬頃，舟楫往來，四通八達。外則日本、琉球、呂宋、噶囉吧（爪哇）、暹羅、安南、西洋、荷蘭諸番，一葦可航；內則福建、廣東、浙江、江南、山東、遼陽，不啻同室而居，比鄰而處，門戶相通，曾無藩籬之限，非若尋常島嶼郡邑介在可有可無間。」[26]以現代的眼光來看，臺灣島位於花綵列島的中央，歐亞板塊與太平洋板塊所交會之處，居東西海陸交通的心臟地帶，在地理位置上極富海島空間的特殊性。而藍鼎元以為臺灣：「非若尋常島嶼郡邑介在可有可無間。」所以當1721年（康熙六十年）兵部奏准澎湖為臺灣咽喉、緊要適中之地，故有擬將臺灣總兵移駐澎湖，陸路改設副將之舉時，藍鼎元在得知此訊息後，即代藍廷珍草擬〈論臺鎮不可移澎書〉一文，以陳述其看法。巡臺御史黃叔璥亦反對兵部的作法，也在奏摺上分析臺灣與

澎湖的地理形勢與居民分佈情形，藉以點出臺灣軍事地位的重要。並詳言臺灣總兵若改以水、陸副將，則與南北參將官階相當，無法發揮從前總兵指揮調度的功效；若將總兵移置澎湖，則遇有緊急情況，礙於颱風等天候因素，難以立即妥善處理現況。[27]再加上當時提督姚堂亦為此事陳請[28]，所以清廷仍照舊制駐劄，未將總兵調離臺灣。此皆為官員藉由對現實政策的論述，以傳達對臺灣吏政管理及軍事防備上的看法。

㈡民生與社會救濟的觀察

在民生經濟的觀察方面，藍鼎元曾於1724年（雍正二年）〈吳觀察論治臺灣事宜書〉中，提到澎湖無田地，需仰賴臺灣米糧接濟的情形。如果遇及颱風連綿來襲，兩個月米船不至，則有斷糧的可能；所以必須於澎湖建倉積穀，或就臺、鳳、諸三縣倉粟估定價值，撥載萬餘石，積於澎倉。當米船因天候而接應不暇時，副將、巡檢便可加以運用調節。[29]黃叔璥亦觀察到因澎湖的地質、氣候特殊，耕種較不易，尤其遇到天災，主糧更加不足，故以臺灣、諸羅二縣支援當地的居民日常所需，及兵糧的發放。[30]

《臺海使槎錄・赤嵌筆談》又提到：「安平七鯤身，環郡治左臂；東風起波浪衝擊，聲如雷殷。諺云：『鯤身響、米價漲』；謂海湧米船難於進港。」[31]可知當時如因大風浪，則船無法前行，一旦臺米來源中斷，隨即影響全閩的米價。黃叔璥引用臺灣的俗諺「鯤身響、米價漲」，生動勾勒出自然環境與氣象天候，對於百姓日常生活的影響。

臺灣清治初期即因地利的優厚，表現出產米的潛力。通

常在未遇到天災的情形下，幾乎年年豐收而有餘。故在政府的禁令下，民間私運仍不斷發生，更何況福建泉、漳兩府，確實糧食不夠，向賴臺米為接濟。[32]此外，臺地存倉舊糧的充裕，累年積貯，若不想法出售，恐將遭到霉爛。而一般出售的方式，係經由來臺的福、興、漳、泉內地四府的商人，在當地販賣後，運回內地糶賣。一方面所賣的價格，可比在臺地賣時略高，同時亦解決了內地的缺糧問題。[33]黃叔璥以為若任臺灣米氾濫糶運，可能致使米價高漲；而且採買米穀之商船，如果將米糧接濟海盜，那對臺灣的安危影響更大。所以嚴禁臺米大量出口，除饑歲不得已時才特許運米補給。儒家治術的基本要求是以保民養民為施政目的，尤其當時因朱一貴事件後，為確保民食的來源穩定，如任意讓臺米無限制移出搬賣將影響臺灣米價，這可說是當時一種權宜之計。

臺灣清治初期社會救濟措施，包括倉儲制度的建立及實際救濟等。如災害救濟，除消極地減免錢糧，以減輕人民的負擔外，更及時採取救助措施，尤其以風災的救助次數最多，此為臺灣自然環境與人為因素所致。至於震災及水旱災的救助，亦視情況來補助民眾的損失。[34]1721 年（康熙六十年）八月十三日發生嚴重颱風，導致臺灣、鳳山、及諸羅三縣的居民遭到莫大損失。這次颱風造成農作物受到相當大的損害，導致糧食的供應不足，因此必須由政府來發放儲糧，以賑災民，即所謂的「發賑」。黃叔璥於《臺海使槎錄》載有此次風災、水災賑恤的內容及受災情形。其中「賑穀」的目的是官方為使居民免於饑餓，於是對臺灣縣民、鳳山縣民、諸羅縣民災民發放大口給粟二斗，小口給粟一斗。[35]對

於壓斃人口則給予葬銀，倒厝則給與修費銀。這種以銀錢賑
恤災民，是最通行的救災措施。[36]《臺海使槎錄》除以官方
立場略述此次颶災救濟的情況，亦記錄受災人數，如書中提
到壓斃人口共七十五名，各營兵丁一二〇名；然與倒屋之多
相比較，此處所記人數似乎偏少。若從當時親身遇及此次天
災的藍鼎元，曾於《平臺紀略》記載「壓溺死者數千人，浮
屍蔽江，瓦桷充路」[37]，所記應較近實情。又《臺海使槎
錄・赤嵌筆談》引《諸羅縣誌》纂修者陳夢林〈詠鹿耳門即
事〉八首，其中「刀劫火輪萬象凋，黑風紅雨又漂搖」即是
描寫此次風災的情形，並自註云：「八月十三夜，颶風發屋
拔木，大雨如注……民居倒塌無數，營帳船隻十無一存，死
傷者千有餘人」[38]。故《臺海使槎錄》所列為受賑恤之名
額，人民兵丁的實際遭難者，當不止此數。傳統地方政府的
統計調查技術落後，對於災害的規模和損害程度的評估仍不
精確，因此實際災情顯然應比這些報告數據還更嚴重。

㈢土地開發論述

1721 年（康熙六十年）閩浙總督覺羅滿保曾以「臺灣
經理事宜」十二條，命駐臺統帥藍廷珍付諸實施。藍鼎元力
馳不可，並以藍廷珍的名義寫出〈覆制軍臺疆經理書〉，對
覺羅滿保說明此檄的執行有六可慮之處：一為慮被遷之民，
流為盜賊；二為慮棄地便於奸宄出沒；三為慮賞罰不公，鄰
賊之罪重於作賊；四為慮匪類聚眾棄地出沒，無人可為報
信；五為慮軍需民生之供給斷絕；六為慮現成村舍廢為坵
墟，厲禁不能。[39]藍鼎元的書寫策略是先強調臺灣戰略及經
濟地位的重要，再主張開發的必要性，並積極鼓勵於荒闊的

地區拓墾。最後則以安撫與嚴懲並施的方式，呈現出帝國的統治手段。

　　清廷對臺灣的行政劃分，原沿襲鄭氏時期的一府三縣；然而，不斷湧入的移民，使行政區無法和開拓地並行發展。半縣（今彰化市）添設新縣之議，最先始於《諸羅縣志》總纂陳夢林，他在此書〈兵防志〉敘述控制北路的方策。[40]藍鼎元也以地方治安的維持為理由，建議若將虎尾溪以上至淡水、大雞籠，山後七八百里歸新縣管轄，則北路不致於造成因地方廣闊，而兵卻單薄空虛的情況。[41]黃叔璥與吳達禮對這些提議亦覺可採，故上奏朝廷以促成此事。[42]建議在諸羅縣半線分設知縣一員、典史一員；並因淡水為海岸要口，形勢遼闊，故奏請增設捕盜同知一員。1723年（雍正元年）此項奏請經兵部覆議，終於獲准將新縣定名為彰化，以南至虎尾，北至大甲為主要區域範圍。[43]此舉可說將臺灣的行政區劃分作了一次大幅度的調整，新增設彰化縣及淡水廳，另將澎湖也升格為廳。

　　此外，黃叔璥又形容當時的淡水：「在諸羅極北，中有崇山大川，深林曠野；南連南嵌，北接雞籠，西通大海，東今倚層巒。計一隅可二百餘里，洵扼要險區也。」[44]其範圍約包括今日臺北盆地及周圍淺山地區，至於淡水以南的林口臺地和桃園臺地西北部即稱為南崁，北部沿海地區則稱為雞籠。南嵌社離港二十里、滬水社則直臨大海、與附近的雞籠社皆分別設有通事，並向官方繳納社餉。[45]淡水設防的原始動機是防止淡水成為海盜淵藪，但是因緣際會卻吸引了大批拓墾者北上，為日後臺北平原的拓墾奠定了基礎。

㈣鼓勵移風易俗

　　作者對於如何撰寫，著重於情思、景物與體裁、語言策略互相配合運作的技巧層面；而應該寫什麼，則較著重於素材（內容）的選擇。雖然在實際創作時，他們也可能因應不同的文學體裁及情境的需要，提出相應的創作方式。[46]如藍鼎元於〈覆制軍臺疆經理書〉中提到，「臺灣之患，又不在富而在教。興學校，重師儒，自郡邑以至鄉村，多設義學，延有品行者為師，朔望宣講聖諭十六條，多方開導，家喻戶曉，以孝弟忠信禮義廉恥八字轉移士習民風，斯又今日之急務也。」[47]即是以書信體的方式，宣揚教化的推行是治臺的迫切的要務，並藉提倡儒家尊君及倫常觀，以作為強化統治的基石。綜觀藍鼎元所作散文以經世文章為主，只有少數遊記表現作者對自然景物的感受。如〈紀虎尾溪〉為藍鼎元於秋天巡視斗六門及其北部，將到彰化虎尾溪岸時所作。其他如〈紀竹塹埔〉、〈紀荷包嶼〉等亦是記風土的遊記。而〈紀水沙連〉遊記結尾時提到：「武陵人悮入桃源，余曩者嘗疑其誕；以水沙連觀之，信彭澤之非欺我也。但番人服教未深，必時挾軍士以來遊，於情弗暢，且恐山靈笑我。所望當局諸君子，修德化以淪浹其肌膚，使人人皆得宴遊焉，則不獨余知幸也已。」[48]可見即使是抒情、繪景的數篇遊記，藍鼎元於文末總不免藉當地景物來表達其經世濟民、移風易俗的冀望。

　　此外，藍鼎元《東征集·復呂府軍論生番書》提對於原住民的治理手段：

生番殺人，臺中常事。此輩雖有人形，全無人理，穿林飛箐，如鳥獸猿猴，撫之不能，剿之不忍，則亦未如之何矣。……然則將何以治之？曰：以殺止殺，以番和番；征之使畏，撫之使順。闢其土而聚我民焉，害將自息。久之生番化熟，又久之為戶口貢賦之區矣。但畫界避番之議方起，此說且存而勿論可也。[49]

此段論述，透顯出藍鼎元以試圖改變文化差異的現況，欲合理化其對臺灣原住民統治權力的正當性。Teng, Emma Jinhua 以為此種開發論或擴張論的想法，其實是賦予某種特定意義與價值評斷的過程。意義與價值在這個建構過程中，強加於被統治的原住民之上，即脫去其原有的脈絡。[50]統治階層文化優越論的陳述，在臺灣清治時期古典散文中時常可見。

臺灣土壤肥沃，氣候溫和，物產豐饒，使得漢移民耕種多有所獲。[51]然《東征集》與《臺海使槎錄》皆曾對漢移民社會充滿華靡的風氣提出批評。亦提到臺灣的鴉片館常有群眾聚集，許多人吸一、二次後便上癮。所謂：「暖氣直注丹田，可竟夜不眠。土人服此為導淫具；肢體萎縮，臟腑潰出，不殺身不止。官弁每為嚴禁。常有身被逮繫，猶求緩須臾，再吸一筩者。」[52]生動描繪了吸鴉片煙的慘痛後果，以作為世人的警戒。此外，黃叔璥也曾提到設立學校的宗旨為「建學明倫，所以正人心、厚風俗。」[53]他強調在學校教育當中，應重視「明人倫」的觀念，便是希望能夠深入人心，成為內化的價值規範，進而有助於人倫關係的穩定，與社會

風俗的良善，這就是所謂的「明人倫以善風俗」的旨意。[54]
這種重視綱常的倫理觀，實蘊含有「尊卑」的差序關係，易
受統治者利用作為鞏固政權的穩定性，以達到強化尊君的政
治目的。臺灣縣、鳳山縣、諸羅縣及彰化縣皆有社學，為使
教化能落實，亦於平埔各社建立「社學」，而教材多以儒家
經典為主。清治初期來臺官員多抱持著重「實學」的理念，
並具有以教化來同化異族的文化觀。

清政府在平埔族聚居地所普遍設立的社學，使得當時在
臺的官吏或文士，都可感受到琅琅的讀書聲。[55]平埔族在荷
治時期，即自荷蘭傳教士習得以羅馬音來標注的「新港文
書」，這種以削鵝毛管沾墨橫向書寫，字形與古蝸篆相彷，
至清治時期仍於民間流傳著。然由於荷蘭已失去政治勢力，
其文化影響力又為漢文化所取代，平埔族自十七世紀以來所
面臨文化適應的頻繁可想而知。《熱蘭遮城日記》記載
1629 年 11 月 23 日荷蘭派兩百三十個武裝的士兵和水手，以
火和刀毀滅目加溜灣社。結果不僅殺死了幾個人，並放火燒
毀了該社的大部分。11 月 28 日又記載麻豆人及目加溜灣人
請求和議的情形：「目加溜灣人也已經請新港人帶他們最好
的武器來交給我們，作為我們已經戰勝他們、制服他們的表
徵。因此，將來也願意承認我們是他們的主人，願意服從我
們的統治。」[56]以武力壓制平埔族，並焚毀其所居住的聚落
村社，為殖民者慣用的手段。而武力處於弱勢的一方，更常
被迫成為帝國統治下的順民。

四、藍鼎元與黃叔璥古典散文的敘事特性

在現代史學理論研究中，「歷史敘述」（historical narra-tive）日益受到學界的關注，史書作者如何通過對史料作出有判斷的選擇和安排，成為歷史敘述理論研究的核心。為何擁有同樣資料的兩個史家，可能撰寫出不同結論的文章來呢？這就要從歷史學家在敘述歷史時，已處於自身意識形態的影響中來探討。歷史敘述涉及的都是歷史人物的行為，這些行為都暗含了一種文本結構，經過敘述化才能達到理解歷史意義的目的。[57] 綜觀藍鼎元與黃叔璥的古典散文，多以敘事文為主。敘事文所蘊含的四種特性，可概括為情節、人物、觀點和意義。以下即就此四點分項詮釋作品的敘事特性。

㈠情節的安排

情節為敘述事件發生順序的安排，不論是內心的還是外在的，它都具有「連貫性」。作為事件的順序，情節必定包含著一個變化的過程；此外，構成情節有關事件的順序，必須用連貫性的方式來安排。藍鼎元《平臺紀略》提到清治時期臺灣民間起事的一大案件－朱一貴事件發生的原因、經過、與影響。就情節的安排而言，通常讀者渴望閱讀到事件發展的訊息：如某個人物將會遭遇到何種情境，某一事件的結局又將如何，危機是否將獲得解決，又是用什麼方法解決。此書主要以順敘的方式，分析事件的起因背景、及描繪清軍節節敗退、官兵棄地奔逃的景象；另一方面則褒揚許雲、李茂吉、游崇功等將領陣亡的事蹟，及林亮等人獨排眾議的謀略。又記錄溝尾莊、下淡水客家「義民」協助清軍的經過。結尾以擒殺此事件的諸多相關人士的後續處理，並極

力鼓勵開發拓墾荒地，作為控制臺灣治安的手段。文中插敘當時癘疫盛行、官兵水土不服而亡故，及居民遭受風災襲擊的苦境。就文學形式而言，此篇敘事文可說是以簡潔凝鍊的手法，來描述複雜而重大的事件。

若就歷史事件的發展來看，朱一貴事件並非偶發，而是浮現康熙末年以來長期累積的臺灣吏政缺失問題。如那些平時孳孳以為利藪，欺壓百姓；有事則推諉逃避，缺乏擔當負責等的官僚作為。[58]至於在臺兵員多是倉皇招募市井無賴，又因大半都有換名頂替的現象，所以使得兵員管理問題層出不窮[59]。至於在天然災害方面：1714（康熙五十三年）秋大旱，1715、1716、1717年皆有地震，尤其在1720年冬十月，地大震，房屋傾倒，居民死傷無數。1721年又遭颱風及水災的肆虐，山崩川溢，田園沙壓；漁船盡碎，兵民溺死甚多。[60]如此連續重大的天災，再加上重稅、游民結盟，及對平埔族的過度需索，與各族群的衝突等[61]，皆是清廷統治臺灣初期所遭遇到的問題，也是造成朱一貴事件的複雜動機。

藍鼎元則認為朱一貴與杜君英利用知府王珍父子苛徵糧稅為導火線，得以鼓動民氣，聚集同黨起事。他並分析造成「全郡陷沒」是由於：「太平日久，文恬武嬉，兵有名而無人，民逸居而無教，官吏孳孳以為利藪，沉湎樗蒲，連宵達曙。本實先撥，賊未至而眾心已離，雖欲無敗，弗可得已。」[62]當時軍紀未加以整頓管理，又因官員的無理措施，都是引起民怨的潛在危機，也是造成此一事件擴大的原因。朱一貴原為漳州長泰人，於1713年（康熙五十二年）來

臺,以養鴨為業。來臺後廣交朋友,而後友朋藉明朝朱姓後
裔的名義,公推朱一貴為領袖,並利用臺灣結盟的習俗,招
集千餘民眾,於1721年(康熙六十年)五月十八日(陰曆
四月二十三日)在阿公店(今高雄縣岡山)一帶起事。當時
南路下淡水(今屏東平原一帶)的杜君英,被告濫伐林木而
受通緝,立刻在下淡水檳榔林(今屏東縣內埔鄉義亭村),
招集粵東種地傭工客民聯合響應。在臺總兵歐陽凱令右營游
擊周應龍率四百兵員,以及新港、目加溜灣、蕭壟、麻豆四
社社民前往征討。當時周應龍傳諭:「殺賊一名賞銀三兩,
殺賊目一名賞銀五兩。」在重賞的誘導下,枉殺平民百姓四
人,又縱火燒民居,使八人無辜死亡,而導致更多人投入抗
爭行列。[63]

　　謀篇布局是散文的骨骼,又是散文內部組織形式,更是
文學、思想、情愫的有形媒介。[64]時空順序即隨著時間的推
移,或空間的轉換為順序而展開的敘寫。時間發展的順序又
稱為縱式結構,這類篇章常按時間先後,或事情的發生、發
展、結尾的規律,來安排文章結構,這是最常用的布局方
式。空間順序又稱橫式結構,這類篇章主要根據空間變換,
使之結構井然的敘寫。觀《平臺紀略》所載內容,就時空發
展的順序而言,作者採依月份詳細紀錄事件的發展,並具體
描繪空間地點轉換的情景。1721年(康熙六十年)三月,
朱一貴與數位友朋於羅漢門黃殿宅共議起事。從此,羅漢門
在臺灣社會文化空間上,於是具有民間起事原發地的歷史意
義。四月十九日,朱一貴率領多人聚集於羅漢門「焚表結盟」
正式舉事;當夜他並率眾襲劫岡山塘汛。事變的空間性由羅

漢門原發點而形成線與面，再蔓延擴及於岡山。

四月二十一日，府城方面得知岡山遭襲擊的訊息，於是總兵歐陽凱遣使右營游擊周應龍南下圍攻；然而當時倉皇調集的班兵多顫慄不前、難以應戰。四月二十二日杜君英派人與朱一貴約定在下淡水檳榔林招集客籍傭工，及時趕往臺灣府庫。因杜君英等人的加入，事變的空間範圍擴大到下淡水地區。接連數天，隨著抗清集團的移動，事變的空間從二濫、赤山、春牛埔等臺灣中、南二路，直抵下淡水溪，最後鳳山縣、臺灣縣、諸羅縣多以成為朱一貴集團掌控的空間範域。朱一貴佔領臺灣府城後，在五月二十九日（陰曆五月四日）自稱為「義王」，建號「永和」，以道署為王府，並大封諸將。佔領府治不久後，因杜君英日益擾民的行為，並欲立其子為王，使得兩人產生決裂。六月四日下淡水南岸的粵莊居民擁護杜君英，而與朱一貴軍相抗衡。清廷聽聞閩粵對峙的局面，於是由閩浙總督覺羅滿保坐鎮廈門，七月初先派兵丁前往淡水，又令南澳總兵藍廷珍、水師提督施世驃率軍前往臺灣。[65] 數日後朱一貴等人所率的軍隊多遭瓦解俘獲。事件的結尾即隨清廷調派大量軍兵來臺，王忠等人被捕後始告一段落。從上述分析可知《平臺紀略》為作者通過結構的安排，呈現出朱一貴事件的時空內涵與作者所建構的意義。

至於首任巡臺御史的設立，即為協助事件的後續處理。黃叔璥與滿人吳達禮獲選為首任巡臺御史後，於1722年（康熙六十一年）元月自北平出發，六月二日抵達臺灣鹿耳門。[66] 他們從廈門經澎湖到鹿耳門這條渡海路線，波濤洶湧、暗潮激鬥，充滿不可預知的危機，黃叔璥將這段經歷按

照行旅的日期，依次記載於《南征記程》中。此書提到當時
祭品除了羊、豬之外，還以麥麵作成大龜的形狀來祭祀。這
種渡海前祭拜媽祖的習俗信仰，正反映了祈求海神庇佑的心
理需求。他並描繪俗稱「黑水溝」瞬息萬狀的天候，也記載
了一行人在渡海時的驚險經過。如：「（五月）二十二日，
晴。過黑水溝，色如墨，一名黑洋。二鼓時，東南風大發，
驟雨疾至，驚濤鼎沸。二十三日，風行三日矣。不見山嶼，
約過澎湖東流，漫瀾無可停泊，轉棹放回。晚值暴風怪雨，
舟中人瀕危，幾無生氣矣。」[67] 可看出這是身歷其境所寫出
形象逼真的景象。此外，黃叔璥於《臺海使槎錄》記載巡臺
所見、所聞，從初抵鹿耳門所見的特殊地理形勢，到巡視臺
灣各地所見的風土民情，可說是一部自然與人文的調查報
告。如在自然地理方面，黃叔璥描寫鹿耳門附近，為沙崗組
成的天險門戶的特殊景觀。[68]《臺海使槎錄》記載此段表現
出當時船稍有不慎，極易誤觸沙線，而舟底立碎沉沒的情
況，正可與《南征記程》六月二日的記載相呼應：「（六月）
初二日，晴。午進鹿耳門。沙線暗伏，左右縈紆，中可行
舟，兩旁插標，名曰盪纓。兼有小舟前導，進口淺處，易杉
板哨船進岸。」[69] 當時的安平城旁的小島都是由沙崗組成。
鐵板沙性重，遇水則堅硬如石。港口僅容小船出入，兩旁多
峰稜的巨石。於是在港道迂迴的地方，駕舟的人須探視潮水
深淺而後曲折行進，因為沙水相互激盪，深淺常有變化，所
以必須插竹標來識別，稱為「盪纓」。不但將具有「臺灣咽
喉」稱號的鹿耳門的天險形勢，以簡練的文字描繪出來，並
流露出居民因應自然環境的生活智慧。這種遊記式的寫作方

式，不僅表現出作者於時間流動中的種種經歷，亦呈現他於空間轉換中的心情感受。

㈡人物的塑造

　　人物是敘事文中的行動者。人物的刻畫包含福斯特《小說面面觀》所說的扁平人物及圓形人物，或是韋勒克與沃倫所說的「靜止的」和「發展的」人物。描寫人物最普遍的方法，是通過人物的對話和行動，間或通過其他人物的評論，或從心理學的角度直接展示人物的內心世界。[70]藍鼎元與黃叔璥皆曾描繪朱一貴等人的形象，如《東征集·檄臺灣民人》一文中，提到：「朱一貴內地莠民，為鄉閭所不齒，遁逃海外，鑽沖隸役。又以犯科責革，流落草地，飼鴨為生。至愚至賤之夫，謂可與圖大事乎？……況此小盜賤役，智能不及中人，輒感公然造孽，欲作夜郎于海外，冀腰領之苟全，無是理也。」[71]這樣的人物刻畫筆法，可說極盡醜化之能事。朱一貴於1721年（康熙六十年）五月佔領府治後，封諸侯將領，而多取戲班的戲服充為官服。《平臺紀略》提到：「是時偽職填街，摩肩觸額，優伶服飾，搜括靡遺。或戴頭，衣小袖，紗帽金冠，被甲騎牛；或以色綾裹其首，方巾朝服，炫黃于道。民間為之謠曰：『頭戴明朝帽，身穿清朝衣；五月稱永和，六月還康熙。』蓋童孺婦女皆知其旦暮可滅而擒也。」[72]殆其被執後，「一貴尚自尊大，欲與提軍抗禮，昂然而立。廷珍至，叱之跪，一貴猶妄稱『孤家』，詞甚不遜。廷珍怒，命捶其足。」[73]最後終使得朱一貴與同伴皆跪在地上，受脅被迫聆聽領罪。《臺海使槎錄·赤嵌筆談》亦提到朱--貴在建號後分封將領時，因無朝服可穿，於是劫

取戲場的服飾，炫耀於街市。並出現「戲衣不足，或將桌圍、椅背有綵色者披之；冠不足，或以紅綠綢紵色布裹頭，以書籍絮甲。」[74]作者藉由這種以花布為衣、以書籍當盔甲的動作，表現出草根人物匆促成軍的形象。

　　藍鼎元於《平臺紀略》中，對於值得記錄其事蹟的將領，皆以人物對話的手法，增加臨場感與生動性；並藉話語來塑造人物的性格，使讀者加深印象。如朱一貴事件發生時，從臺灣逃到澎湖的文武官員，其家屬紛紛登舟渡廈門，當時「群情洶洶」、「百姓婦女，爭舟雜杳，哀聲震海岸。」面對此種情景，澎協將領的反應是「倉皇不知所措」，而右營守備林亮則表現出大將之風。茲舉其中一段為例，林亮請協營主將召回各家屬，準備死守澎湖。諸將猶豫不決，林亮則厲聲說道：「朝廷以海外封疆付我等，正為緩急倚賴，非徒昇平食祿廩、營身加已也。今鋒刃未血而相率委去，他日駢首市曹，寧能免乎？丈夫不死則已，死則死忠義耳！請整兵配船，守禦要害，俟賊至決一死戰。戰不捷而亮死，公等歸意未遲。」[75]後來林亮拔其配刀，發出號令，驅回官民家屬各登岸，始凝聚守備的集體意識。此外，如副將許雲身受重傷，仍下馬步行奮力抵抗，並言：「生不能殺盡逆奴，死必來殲滅汝等」。把總李茂吉被縛時，戴穆告知他：「把總微官耳。若壯士降，當以汝為將軍」。茂吉嗔目厲聲罵說：「我朝廷命官，豈從汝作賊。」重傷後仍對痛罵不已，直到氣絕始止。[76]可見此書在描述許雲、李茂吉等軍官陣亡的事蹟時，亦透過若干動作的描寫、人物的對話等筆法來深化其剛烈的性格。

此外，又記載藍廷珍招撫朱一貴餘黨，首先有陳福壽來
歸，廷珍待之寬厚，因此多人風聞來歸，杜君英、杜會三也
因此受網羅。書中特別描寫藍廷珍對一班餘黨從不設防，因
此才會得到眾人信服。[77] 從文中所刻劃的藍廷珍性格，是心
思縝密，處事鎮定，作風大膽；對賊眾則以德服眾，故一班
餘黨都願歸降。如此以襯托的手法，或藉由人物對話、氣氛
的渲染，來塑造人物的形象，實為作者刻意以文學表現技巧
所營造的效果。

(三)觀點的檢驗

　　作者挑選什麼樣的敘述者，通過誰的眼睛和感覺把故事
敘述出來，會對作者想要傳達給讀者和聽眾的作品意義，和
文學效果發生很大影響，此即是藝術中的觀點問題。當歷史
敘述筆法已從分析性的文字組織轉變為描述性的，史家功能
的概念亦從科學的轉變為文學的。[78] 這種轉變已注意到歷史
的意義是史書透過作者的意識，而流露出史家的敘述觀點；
同時也因著重在歷史以何種方式呈現，所以歷史書寫活動更
成為討論重點，而與文學的關係甚為密切。

　　黃叔璥《臺海使槎錄》不論寫景、記事、詠物多以流暢
的文筆呈現，所以近人黃得時與葉石濤以臺灣文學史的觀
點，認為《臺海使槎錄》為描寫臺灣風土的隨筆代表作之
一。[79] 作者於《臺海使槎錄》中對臺灣的論述，常用第一人
稱「我在現場」的寫實方式，加強令人信服的效應。使得此
書與其他早期文獻中多傳說、寓言等內容比較起來，更能呈
現作者對臺灣在認知和價值上的位置。如記載臺灣氣候與植
物生長的關係時即說到：「余壬寅仲冬按部北路，至斗六

門，見桃花方謝，菜花初黃；……不可以時序限之。」[80]而
以巡行見聞所作的詩，如「余壬寅仲冬過斗六門作」詩一
首、「余晚次半線作」一首、及至沙轆社回郡後「余因漫記
六首」等，也都表現了親身參與的真實感。而「余巡視南北
兩路，概不令任諸力役。」等段落，更描繪出御史巡臺時的
情景。尤其當他到沙轆社（今臺中沙鹿）巡視後更有了詳盡
的描寫。[81]

　　黃叔璥親身觀察了巴布拉族（Papora）這個歡迎賓客的
儀式，並留下深刻的印象，於是將那歷歷在目的場景及人物
動作，再加上宴飲熱鬧氣氛的烘托，生動描繪了平埔族能歌
善舞的藝術性格。又此迎接御史的排場極大，婦人及貓女
（未嫁之少女）表演歌舞戲曲，尤其當嘎即（土官名）率各
土官婦跪獻「都都」（一種平埔族食品）時，可見平埔族
「無揖讓拜跪禮」[82]的社會風俗已大幅改變。

　　至於敘述舊阿束社的景觀時，則寫到：「今經其地，社
寮就傾，而竹圍尚鬱然蔥蒨也。」[83]舊阿束社，屬貓霧捒
族，約在今彰化市附近。於1718年（康熙五十七年）大肚
溪高漲時，幾乎遭淹沒，後移居山岡，《臺海使槎錄》所描
寫即是四年後，翠竹依依、遠峰層層的自然景象。嘉慶年間
印行的瞿灝撰《臺陽筆記》，篇首載有吳錫麒撰的序，亦提
到《平臺紀略》、《臺海使槎錄》的特色：

　　　　臺灣自本朝康熙間始入版圖，又孤懸海外，詞人學
　　　　士，涉歷者少；間有著爲書者，如季麒光《臺灣紀
　　　　略》、徐懷祖《臺灣隨筆》，往往傳聞不實，簡略失

> 詳。唯藍鹿洲太守《平臺紀略》、黃崑圃先生《臺海
> 使槎錄》，實皆親歷其地，故於山川、風土、民俗、
> 物產言之爲可徵信。[84]

《臺海使槎錄》雖可作為理解早期來臺漢人移民與原住民生活風貌的輔助參考，但其反映作為直接史料的主要價值，應在於對清代官僚文人「臺灣觀」內涵與特徵的研究。[85]由於十七世紀航海技術的發達，使得長時間的冒險或遊歷成為可能，臺灣不再只是因海難或求道才會偶然來到的地方，它開始成為地圖上的確定一點，有正式的地名及確實的方位。尤其清政府既已將臺灣劃入版圖，自然被迫在皇朝澤被之下受統治，因此對版圖內各地風土人情、及山川資源的了解，是這個「征服」過程的第一步。

十八世紀初期未有嚴格人類學的方法，〈番俗六考〉有多處記載實仍待商榷，且作者的觀點亦待斟酌。就如美國Thompson在〈番俗六考〉的英文譯本前言提到：「由書中強調物質文化與優越的禮儀、習俗，可提醒我們對早期西方旅行者的資料的處理。」[86]在帝國體制的剝削、掠奪特性下，西方的想像、慾望馳騁於異己的軀體上，差異變成是高低的層級，善惡美醜的二分機制，烙下了被統治者難以磨滅的卑下的印記。而漢人早期記載有關平埔族的私家著述，是透過官員、知識份子或旅行家的視角，及個人心態而篩選挑揀出來的資料。這類文獻所呈現、描畫的平埔族世界，偏重在個人主觀的觀察、及治理上的意見，而不是從庶民的觀點所呈現出來的社會真象。黃叔璥雖在《臺海使槎錄》顯現其

「悲天憫人」的胸懷，及關懷平民百姓的生活困境；然而仍基於官方立場，常以帝國之眼在對臺治理意見的記錄上多所著墨。

㈣意義的傳達

　　意義指的是作品中實際體現的總體涵義。就作者來說，意義問題主要是藝術創作問題；就讀者來說，則主要是詮釋問題。歷史不僅羅列一系列事件，並嘗試將種種孤立事件聯繫起來，從混亂而不連貫的往事中，尋覓出某些意義。文學的實用觀是基於為達到政治、社會、道德，或教育目的而形成的概念。[87]藍鼎元對有助於教化的作品，作了高度的評價，認為藉由寫實的文體，對後世能產生垂警訓誡的作用。從書名《東征集》、《平臺紀略》即可知作者立於所謂「征討」、「平亂」的觀點，為鞏固統治政權而寫，題目即明白概括了主旨。《平臺紀略》為清治時期首部紀錄臺灣戰亂的史傳文學作品，繼之者有楊廷理與金門人林豪的《東瀛紀事》，及臺灣在地文人吳德功的《戴案紀略》、《施案紀略》。《平臺紀略》要旨在儆勵地方文武官員，當刻刻以吏治、民生為念，當起忠孝仁讓之心，而消其「犯上作亂」之氣。

　　散文風格不僅與作家的才、氣、學、習有關，與作品體裁尤為密切。論辯文著重析論事理，並要求為文條理清晰。以藍鼎元〈論臺鎮不可移澎書〉為例，此文為致閩浙總督覺羅滿保，清廷「移臺鎮於澎」之議，基於臺灣「患自內生」而疏於「患自外來」的考慮，藍鼎元提出異議，則是基於臺灣在海疆防衛上舉足輕重的地位。倘若忽略了臺灣在東南沿

海地理空間上的特殊性，則易遭受到外患。此文中說到：
「臺灣一去，則泉漳先為糜爛，而閩、浙、江、廣四省俱各
寢食不寧，山左、遼寧皆有邊患。」[88] 在稍早代擬的〈與制
軍再論築城書〉即已提到：「統計宇內全局，則臺灣為海外
彈丸黑子，似在無足重輕之數；然沃野千里，糧須足食，舟
楫之利通天下，萬一為盜賊所有，或荷蘭、日本所據，則沿
海六七省皆不得安枕而臥，關係東南半壁治亂，非淺也。」[89]
藍鼎元《東征集》受到統治者的青睞，不但作為官吏施政的
借鑑，甚至成為來臺文士寫作時的參考資料，並廣為臺灣各
方志藝文志所採擇選錄，可說是臺灣古典文學上的典律作
品。乾隆五十二年（1787）五月林爽文事件發生後，乾隆命
閩浙總督李侍堯等人參考藍鼎元的〈治臺條陳〉時提到：

> 朕披閱藍鼎元所著《東征集》，係康熙年間臺灣逆匪
> 朱一貴滋事、官兵攻剿時，伊在其兄藍廷珍幕中，所
> 論臺灣形勢及經理事宜，其言大有可採。……藍鼎元
> 之語，適與朕意相合。常青於整齊兵力進勦時，不妨
> 先將此意出示曉諭，使被脅良民，即從賊夥黨，得以
> 畏罪投誠，亦解散賊黨。先聲奪人之一法。此外書內
> 所列各條尚多可採者。藍鼎元籍隸漳浦，所著《東征
> 集》，閩省通行者必多；著常青、李侍堯即行購取詳
> 閱，於辦理善後時將該處情形細加察覈；如其書內所
> 論各條與現在事宜確中利弊竅要者，不妨參酌採擇，
> 俾經理海疆，事事悉歸盡善，以為一勞永逸之計。[90]

　　典律作品本規範著典律化的詮釋，典律與典律化的閱讀
成為一體的兩面：作品因其「典律性」（canonicity）夠資
格納入典律的價值而納入典律；閱讀則因作品典律作品而認
定其具有典律性並闡明之。這種存在於典律作品與典律化閱
讀的循環關係（circularity）最清楚的呈現了典律的權威性與
規範性。[91]

　　至於《臺海使槎錄》所記錄平埔族文化部份，則可體察
到漢人面對異民族、異文化時的優越心態，而對平埔族的命
定漢化有著樂觀的期待。[92]〈番俗六考〉的前言提到：「於
以識我朝重熙累恰，光天之下，至於海隅蒼生；守土者凜遵
謨訓，殫心拊循，毋謂異類而莫之恤。修教齊政，以昭中外
同風之盛，實有厚望焉！」[93]黃叔璥在朝廷所托負的巡臺使
命下，即使險渡黑水溝，遠離京城，到達漠生的海島，在其
著作中卻未顯現出有壓抑、或掙扎不安的跡象。而其「修教
齊政」的理念下，使他對平埔族的記載仍多偏重在明顯外在
差異，與禮儀的特殊性上。今日所謂「文化」的概念極為廣
泛，一方面指觀察現象的領域；另一方面亦可指觀念的領
域。[94]要清晰地分辨一個社群，由信仰來著手是最好不過的
了。而所謂信仰，關乎生命的意義、人在宇宙中的地位、以
及不幸與苦難的終極內涵。由於人類學者發現部落社會的制
度與信仰，具有相當的複雜性與精巧性，對於部落民族的古
老形象才逐漸被刬除。部落民族不再是博物館的標本，不再
成為應受殖民主義保護的活見證。[95]若以近代民族誌或人類
學誌的寫作手法來看，《臺海使槎錄》書中所呈現對社會價
值觀、宗教信仰與宗教儀式等觀念領域，所論述的範圍較為

有限。

　　黃叔璥於十八世紀初巡臺期間所著《臺海使槎錄》，將「采風」的客體被視為「奇風異俗」的「非漢異己」，是在創製過程中沉默無聲的被改造者。平埔族、高山族文化差異極大的特性，在許多清代文獻中，常遭或忽略、或簡化的記載，所反映的是外來官員，對臺灣原住民多群與多元文化「異中求同」的思惟習慣，是寫實與象徵兼具的類型化理解。[96]《臺海使槎錄》雖然可以呈現平埔物質生活與部份生命禮俗的具體樣態，但卻無法充分傳達較抽象的平埔社會結構與親屬組織，亦無法觸及更深層的平埔宗教祭儀與神話信仰，更遑論對於土著語彙及族群意識等重要面向的描述與認識。[97]

五、結論

　　語言習性包含作者的性情傾向、語言能力、與社會能力。在性情傾向方面因文字風格與作者性格時有相關，所以常可見顯現出不同作品的特性。語言能力為後天琢磨、學習模仿、有意識寫作而呈現的風格。從藍鼎元與黃叔璥的學術養成過程，及平日的寫作習性看來，可知兩人的文學觀皆以經世致用為要旨；且在其文集中，更透顯出其觀察臺灣的視角與治臺理念的內涵意義。而兩人所論述的範疇有些許不同：藍鼎元數篇政論文呈現其多方位的治臺策略，除維持水陸及地方治安的提議外，亦論及去惡訟之法、論賭風之禁、論禁械鬥之風、論鴉片之害、論改婚娶之俗等社會風俗的看法。至於黃叔璥除論及治臺政策及漢人社會問題外，更著重

平埔族風俗的描寫，關懷其面臨日益喪失土地所有權，及獵場開墾成農地的困境；對於解決其所遭遇花紅的陋規及課餉範圍擴大，居民的賦稅加重等生活壓力問題，也多有所著墨。他觀察到通事的舞弊實歸源於府縣陋規的現象後，即禁止府縣對通事的需索，並規定通事除非有應辦事件時才可前往各社，否則不許久留其地而擾累居民。此外，當他得知修繕船隻、修蓋倉廠等增加平埔族徭役的情況時，也曾具體提出改善的措施。

藍鼎元與黃叔璥在文本中，不僅指出重稅制度不合理處，並觀察澎湖遇及天災主糧不足的問題，所以建議以臺灣、諸羅二縣支援澎湖兵民日常所需。至於對頂替虛冒兵制弊端的革除、奏請增設彰化縣等整頓吏治管理的建議，及主張游巡海岸、平時整練軍隊等改善沿海防備的措施，都可看出他們在政治經濟層面的觀察。另外，在習俗教化的觀察上，一方面記錄奢侈風俗、及賭博、吸鴉片煙等陋習惡風；另一方面也積極提倡教化的重要性。然因長期受到漢文化的薰陶，亦不免像傳統儒家士人一樣，將文化優越感表現於提倡平埔族的教化上。平埔族聚落組織原屬於小型集村，至荷治、鄭氏、清治初期，卻有通事擾民、雜役壓迫、及司法制度改變等情況發生。從後殖民的角度來看，外來統治的影響可說是對平埔族文化的莫大衝擊。

綜觀藍鼎元與黃叔璥的古典散文，多以敘事文為主。敘事文所蘊含的四種特性，可概括為情節、人物、觀點和意義。此四個因素常融合一起，構成富有生氣的藝術整體。本文從藍鼎元《東征集》、《平臺紀略》，及黃叔璥《南征記

程》、《臺海使槎錄》等文本切入，分析他們欲藉由評議吏
治及軍防、民生與社會救濟的觀察、土地開發論述、及鼓勵
移風易俗等行政改革，以彰顯其治臺理念的內涵。並從兩人
的著作中，析論情節的安排、人物的塑造、觀點的檢驗、及
意義的傳達等敘事特質及所透顯的霸權心態。期望藉以呈現
臺灣清治初期古典散文代表作的書寫策略，並發掘文本所蘊
藏的文學與文化意涵。

參考文獻

一、專書、譯著

中央研究院歷史語言研究所　1972《明清史料》戊編，第一
　　本，臺北：中央研究院

王必昌　1961《重修臺灣縣志》，臺北：臺灣銀行經濟研究
　　室

王靖宇　1999《中國早期敘事文論集》，中央研究院中國文
　　哲研究所籌備處

尹健餘編　1997《北學編》，收錄於《續修四庫全書・史
　　部・傳記類》，上海：上海古籍出版社

尹章義　1989《臺灣開發史研究》，臺北：聯經出版公司

江樹生譯註　1999《熱蘭遮城日誌》第一冊，臺南：臺南市
　　政府

江寶釵　1998《嘉義地區文學發展史》，嘉義：嘉義市立文
　　化中心

李元度　1985《清朝先正事略・名臣》，臺北：明文書局。

李垣　1966《國朝耆獻類徵初編》，臺北：文海書局

周鍾瑄　1962《諸羅縣志》，臺北：臺灣銀行經濟研究室

周元文　1960《重修福建臺灣府志》，臺灣銀行經濟研究室

林保淳　1991《經世思想與文學經世：明末清初經世文論研
　　究》，臺北：文津出版社

郁永河　1959《裨海紀遊》，臺北：臺灣銀行經濟研究室

故宮博物院　1977《宮中檔雍正朝奏摺》，臺北：國立故宮
　　博物院，第二輯

施懿琳　1997《彰化地區文學發展史》，彰化：彰化縣立文
　　化中心

　　2000《從沈光文到賴和－臺灣古典文學的發展與特
　　色》，高雄：春暉出版社

高拱乾　1960《臺灣府志》，臺北：臺灣銀行經濟研究室

許經田　1995〈典律、共同論述與多元社會〉，收於陳東
　　榮、陳長房主編：《典律與文學教學》，臺北：書林出
　　版有限公司

徐世昌　1968《大清畿輔先哲傳・名臣傳》，臺北：大通書局

曹永和　1985《臺灣早期歷史研究》，臺北：聯經出版事業
　　公司

　　2000《臺灣早期歷史研究續集》，臺北：聯經出版事業
　　公司

黃叔璥　1996《南征記程》，臺南：莊嚴出版社影印清華大
　　學圖書館藏清乾隆刻本，收錄於《四庫全書存目叢書》
　　史部傳記類第128冊

程紹剛譯註　2000《荷蘭人在福爾摩莎》，臺北：聯經出版

事業公司

韋勒克、華倫著，王夢鷗、許國衡譯　1976《文學論》，臺北：志文出版社

莫渝、王幼華　2000《苗栗縣文學史》，苗栗：苗栗縣立文化中心

馮永敏　1997《散文鑑賞藝術探微》，臺北：文史哲出版社

張京媛編　1995《後殖民主義與文化認同》，臺北：麥田出版社

張雙英、黃景進譯編　1991《當代文學理論》，臺北：合森文化事業有限公司

陳文達　1961《鳳山縣志》，臺北：臺灣銀行經濟研究室
　　　　1961《臺灣縣志》，臺北：臺灣銀行經濟研究室

陳其南　1987《臺灣的傳統中國社會》，臺北：允晨文化實業股份有限公司

葉石濤　1993《臺灣文學史綱》，高雄：文學界雜誌社

蔣毓英　1993《臺灣府志》，南投：臺灣省文獻會

劉良璧　1961《重修福建臺灣府志》，臺北：臺灣銀行經濟研究室

劉若愚著，杜國清譯　1981《中國文學理論》，臺北：聯經出版事業公司

盧建榮主編　2001《性別、政治與集體心態：中國新文化史》，臺北：麥田出版

藍鼎元　1958《東征集》，臺灣文獻叢刊第12種，臺北：臺灣銀行經濟研究室

藍鼎元　1958《平臺紀略》，臺灣文獻叢刊第14種，臺北：

臺灣銀行經濟研究室

伊能嘉矩、江慶林等譯 1985《臺灣文化志》，南投：臺灣省文獻委員會

Benedict Richard O'Gorman Anderson，吳叡人譯 1999《想像的共同體：民族主義的起源與散布》，臺北：時報文化出版社

Edward W. Said，蔡源林譯 2001《文化與帝國主義》，臺北：立緒文化事業有限公司

Habermas，曹東衛等譯 2000《公共領域的結構轉型》，臺北：聯經出版事業有限公司

Loan M. Lewis，黃宣衛、劉容貴譯 1985《社會人類學導論》，臺北：五南圖書出版公司

R. Keesing，張恭啟、于嘉雲譯 1989《文化人類學》，臺北：巨流出版社

Terry Eagleton，吳新發譯 1994《文學理論導讀》，臺北：書林出版社

Shepherd, John R. 1993 *Statecraft and Political Economy on the Taiwan Frontier, 1600～1800*. Stanford California: Stanford University Press.

Pierre Bourdieu 1993 *The Field of Cultural Production*，Columbia University Press.

Teng, Emma Jinhua 1997 *Travel Writing and Colonial Collecting: Chinese Travel Accounts of Taiwan from the Seventeenth through Nineteenth Centuries*, a thesis presented to the Department of East Asia Languages and Civilizations of Harvard University for the degree of doctor of philosophy, Massachusetts: Harvard University.

二、學位論文

王文顏　1979《臺灣詩社之研究》，政治大學中國文學研究所碩士論文。

林淑慧　2000《黃叔璥及其《臺海使槎錄》研究》，臺灣師範大學國文研究所碩士論文。

蔡淵洯　1980《清代臺灣的社會領導階層》，臺灣師範大學歷史研究所碩士論文。

許雪姬　1982《清代臺灣武備制度的研究—臺灣的綠營》，臺灣大學歷史學研究所博士論文。

劉妮玲　1982《清代臺灣民變研究》，臺灣師範大學歷史研究所碩士論文。

詹素娟　1986《清代臺灣平埔族與漢人關係之研究》，臺灣師範大學歷史研究所碩士論文。

施懿琳　1991《清代臺灣詩所反映的漢人社會》，臺灣師範大學國文研究所博士論文。

黃美娥　1998《清代臺灣竹塹地區傳統文學研究》，輔仁大學中文研究所博士論文。

三、期刊論文

方美芬　2001〈有關臺灣文學研究的博碩士論文分類目錄（1960～2000）〉，《文訊月刊》185：53～66。

王怡方 2001〈朱一貴事件之背景分析〉,《地理教育》
　　27：17～32。

李伯壎 1976〈朱一貴事件淺探〉,《臺北文獻》38：269
　　～281。

周樑楷 1998〈歷史敘述與近代英國史學傳統的轉變〉,
　　《興大歷史學報》8：271～285。

莊金德 1966〈藍鼎元的治臺讜論〉,《臺灣文獻》17
　　（2）：1～27。

莊吉發 1996〈故宮檔案與清代臺灣史研究－諭旨檔臺灣史
　　料的價值〉,《臺灣文獻》48（4）：49～53。
　　2000〈鴨母王朱一貴事變的性質〉,《歷史月刊》
　　153：64～70。

曾子良 1997〈與朱一貴抗清事件有關的俗文學作品〉,
　　《國文天地》13（4）：34～39。
　　1999〈「臺灣朱一貴歌」考釋〉,《臺灣文獻》50
　　（3）：87～123。

陳新 1999〈論二十世紀西方歷史敘述研究的兩個階段〉,
　　《思與言》37（1）：1～25。

張明雄 1969〈康熙年間清廷治臺政策及其檢討〉,《臺北
　　文獻》直74：68～77。

張隆志 1999〈臺灣平埔族的歷史重建與文化理解－讀《景
　　印解說番社采風圖》〉,《古今論衡》2：25～26。

郭伶芬 1993〈清代臺灣知識份子在社會公益活動中的角
　　色〉,《靜宜人文學報》5：109～139。

黃得時著、葉石濤譯 1996〈臺灣文學史序說〉,載於《文

學臺灣》18：65。

黃秀政　1975〈清初臺灣的社會救濟措施〉，《臺北文獻》
　　33：143～154。

　　1975〈朱一貴的傳說與歌謠〉，《臺灣文獻》26（3）：
　　149～151。

　　1977〈論藍鼎元的積極治臺主張〉，《臺灣文獻》28
　　（2）：109～120。

詹素娟　1988〈從中文文獻資料談平埔族研究〉，收入《臺
　　灣平埔族研究書目彙編》，中央研究院民族所。

　　1999〈文化符碼與歷史圖像─再看《番社采風圖》〉，
　　《古今論衡》2：16。

島田謹二、葉笛譯　1998〈臺灣文學的過去、現在和未來〉
　　（上）《文學臺灣》22：159～169。

　　1999〈臺灣文學的過去、現在和未來〉（下）《文學臺灣》
　　23：174～192。

Thompson, Laurence G. 1969 Formosan Aborigines in the early
　　Eighteenth Century：Huang Shu-Ching's FAN-SU LIU-
　　K'AO"，*Monumenta Serica*，no. 28，University of
　　Southern California.

注 釋

[1] 方美芬，〈有關臺灣文學研究的博碩士論文分類目錄（1960～
　　2000）〉，《文訊月刊》185（2001年3月），頁53～66。

[2] 曹永和，〈臺灣史研究的另一個途徑「臺灣島史」概念〉，《臺灣

　　早期歷史研究續集》，臺北：聯經，2000年10月，頁445～447。

[3] Bourdieu Pierre（1993），*The Field of Cultural Production*，Columbia University Press. pp.1～8.

[4] 藍鼎元，〈行述〉，錄於《平臺紀略》，臺北：臺灣經濟研究室，1958年4月，頁5。

[5] 藍鼎元，《平臺紀略·行述》，頁6。

[6] 藍鼎元，《平臺紀略·行述》，頁7。

[7] 藍廷珍，《東征集·舊序》，臺灣文獻叢刊第12種，（臺北：臺灣銀行經濟研究室，1951年2月）頁4。

[8] 李元度：《清朝先正事略·名臣》，（臺北：明文書局，1985年），頁381～383。

[9] 黃叔璥家族的相關事蹟，可參見顧鎮：《清初黃崑圃先生叔琳年譜》，頁1～6，76～77；徐世昌：《大清畿輔先哲傳·名臣傳》（臺北：大通書局，1968年），頁291。

[10] 叔璥與二兄叔琬，兩人於一七〇九年（康熙四十八年）同登進士。朱保炯、謝沛霖編：《明清進士題名碑錄索引》（臺北：文海出版社，1981年2月），頁2679。其長兄黃叔琳亦為進士，曾著《文心雕龍輯註》等書。

[11] 魏一鰲輯、尹會一等續補：《北學編》，收錄於《續修四庫全書·史部·傳記類》（上海：上海古籍出版社，1997年）515冊，頁113。又可參見周家楣、繆荃孫編纂：《光緒順天府志》，收錄於《續修四庫全書·史部·職官類》（上海：上海古籍出版社，1997年）751冊，頁316。

[12] 樊開印：《中國境內各民族細說》，（臺北：唐山出版社，1993年1月），頁591～593。

13 至於他任御史期間巡視東城時的事蹟,最為人所稱道。唐鑑:《學
   案小識》,收錄於周駿富輯:《清代傳記叢刊》第二冊,(臺北:
   明文書局,1985年),頁604。

14 黃叔璥:《南征記程》(臺南:莊嚴出版社,影印清華大學圖書館
   藏清乾隆刻本,1996年)。收錄於四庫全書存目叢書》,史部傳記類
   128冊,頁559。

15 藍鼎元:《東征集·自序》,頁3。

16 《清聖祖實錄選輯》,康熙六十年十月初五條,(臺北:大通書
   局,1987年),頁175。

17 清監察御史的職掌本具有:「巡省風俗,釐察行弊,考覈稽違,凡
   地方興革事宜,及吏治民情,皆以實採訪而入。」的功能,參見
   《清朝通典》,(臺北:華文書局,1963年),頁2178。

18 藍鼎元:《平臺紀略》,頁26。

19 《宮中檔雍正朝奏摺》,(臺北:國立故宮博物院,1977年12
   月),第二輯,頁59。

20 《清史館乾隆年間傳稿》,6860(1)號、6892(1)號,及《成興
   齋傳稿》8040號(2)卷20,皆有記載。上述傳稿典藏於臺北:國
   立故宮博物院善本書室。

21 藍鼎元:《平臺紀略》,頁1。

22 中央研究院歷史語言研究所(1972):明清史料(戊編,第一
   本),頁21。藍鼎元:《平臺紀略》,頁1。

23 藍鼎元:《平臺紀略》,頁5～6。

24 當時班兵除了作戰外,平時還須兼差役、防汛和巡防等任務。這些
   班兵有的因遭遇天災而喪命,有的因水土不服而亡,有的以為一被
   派往臺灣,即難以回鄉;所以往往找人替代冒名,也使得在臺兵員

時有缺額。許雪姬：《清代臺灣武備制度的研究—臺灣的綠營》，
（臺灣大學歷史學研究所博士論文，1982 年），頁317～320；
342。

[25] 黃叔璥：《臺海使槎錄》頁37。

[26] 藍鼎元：《東征集》，《臺灣文獻叢刊第12種》，頁32～33。

[27] 黃叔璥：《臺海使槎錄》，頁30～31。周元文：《重修福建臺灣府
志》，（臺灣銀行經濟研究室，1960 年），卷十「兵制」，頁315。

[28] 藍鼎元：《東征集》，《臺灣文獻叢刊第12種》，頁46～47。

[29] 藍鼎元：《平臺紀略》，頁55。

[30] 《臺海使槎錄》，頁23。

[31] 《臺海使槎錄》，頁7。

[32] 《臺海使槎錄》，頁23。

[33] 《宮中檔》康熙朝奏摺第九輯，（國立故宮博物院，1977 年），頁
303～306。

[34] 黃秀政：《清初臺灣的社會救濟措施》，《臺北文獻》33 期，1975
年9月，頁143～154。

[35] 黃叔璥：《臺海使槎錄》，頁89～90。

[36] 曹永和：《臺灣早期歷史研究》，（臺北：聯經出版社，1997 年10
月初版6刷），頁413～414，442～443。

[37] 藍鼎元：《平臺紀略》，頁21。

[38] 黃叔璥：《臺海使槎錄》，頁89～90。

[39] 藍鼎元：《東征集》，頁33～34。

[40] 陳夢林提到：「宜割半線以上別為一縣，聽民開墾自如，而半線即
今安營之地，周原肥美，居中扼要。宜改置為縣治，張官吏，立學
校，以聲明文物之盛，徐化鄙陋頑梗之習；嚴保甲之法，以驅雞鳴

狗盜之徒。」周鍾瑄：《諸羅縣志・兵防志・總論》，（臺北：臺
灣銀行經濟研究室，1962），頁112。

41 藍鼎元：《東征集》，頁84。

42 「雍正元年，巡察吳達禮，黃叔璥摺奏:割諸羅虎尾溪以北增設縣
一;奉旨應允，賜名曰彰化。」劉良璧：《重修福建臺灣府志》，
（臺灣銀行經濟研究室，1961年3月），頁40。

43 《清實錄—臺灣史資料專輯》，（福建人民出版社，1993年），頁
96。

44 黃叔璥：《臺海使槎錄》，頁8。

45 黃叔璥：〈番俗六考〉，頁134～135。

46 林保淳，《經世思想與文學經世：明末清初經世文論研究》，臺
北：文津出版社，1991年12月，頁139。

47 藍鼎元：《東征集》，頁39。

48 藍鼎元：《東征集》，頁86。

49 藍鼎元：《東征集》，頁59～60。

50 Teng, Emma Jinhua, *Travel Writing and Colonial Collecting: Chinese Travel
Accounts of Taiwan from the Seventeenth through Nineteenth Centuries*, 1997,
pp. 219～220。

51 《裨海紀遊》載：「近者海內恆苦貧，斗米百錢，民多饑色；賈人
責負聲，日沸闤闠。臺郡獨似富庶，市中百物價倍，購者無吝色，
貿易之肆，期約不愆；傭人計日百錢，趑趄不應召；屠兒牧豎，腰
纏常數十金，每遇樗蒲，浪棄一擲間，意不甚惜。」 郁永河：
《裨海紀遊》，頁30。成書於康熙三十五年的高拱乾《臺灣府志・風
土志》描述當時臺灣民風漸趨奢華侈靡的現象：「間或侈靡成風，
如居山不以鹿豕為禮，居海不以魚為禮，家無餘貯而衣服麗都，女

鮮擇婿而婚姻論財。人情之厭常喜新，交誼之有出鮮終，與夫信鬼神或浮屠，好喜劇、競賭博，為世道人心之玷。」高拱乾：《臺灣府志》，（臺北：臺灣銀行經濟研究室，1960 年 2 月），頁 186 ～187。

52 黃叔璥：《臺海使槎錄》，頁 43。

53 黃叔璥：《臺海使槎錄》頁 44。

54 如〈番俗雜詠〉第二十四首「漢塾」，透露黃叔璥的文化優越感：「紅毛舊習篆成蝸，漢塾今聞近社皆；謾說飛鴞難可化，泮林已見好音懷。」

55 黃叔璥：《臺海使槎錄》，頁 177。

56 江樹生譯註，《熱蘭遮城日誌》第一冊。（臺南：臺南市政府，1999），頁 3 ～6。

57 有關西方歷史敘述理論的研究情況，可參考陳新：〈論二十世紀西方歷史敘述研究的兩個階段〉，《思與言》第三十七卷一期（臺北：中央研究院，1999 年 3 月），頁 1 ～25；周樑楷：〈歷史敘述與近代英國史學傳統的轉變〉，《興大歷史學報》8 期，臺中：中興大學歷史系，1998 年 6 月，頁 271 ～285。

58 藍鼎元：《平臺紀略》，頁 5。

59 黃叔璥：《臺海使槎錄‧赤嵌筆談》，頁 37 ～38。

60 王必昌：《重修臺灣縣志》，（臺北：臺灣銀行經濟研究室，1961 年），頁 546 ～547。

61 張明雄：〈康熙年間清廷治臺政策及其檢討〉，《臺北文獻》直字第 74 期，1969 年，頁 68 ～77。

62 藍鼎元：《東征集》，頁 6；《平臺紀略》，頁 29。

63 藍鼎元：《平臺紀略》，頁 1 ～3。

64 散文布局的順序可分：時空順序、邏輯順序、心境順序。邏輯順序
即安排材料不受時空限制，而以材料內容為準，依據事務內部聯繫
關係，如總分、並列、遞進、對照等來安排順序。心境順序即側重
作者直接主觀感受、心理變化、情緒波動、認識順序等來組織內
容。馮永敏，《散文鑑賞藝術探微》，臺北：文史哲出版社，
1998，頁181～204。

65 藍鼎元：《平臺紀略》，頁1～19。。

66 《南征記程》康熙六十一年正月二十一日記載：殷達里、莫爾洪、
柴謙、叔璥四名列入巡臺御史考慮名單中，錄於《四庫全書存目叢
書》，頁528。

67 黃叔璥：《南征記程》（臺南：莊嚴出版社影印清華大學圖書館藏
清乾隆刻本，1996年），收錄於《四庫全書存目叢書》史部傳記類
第128冊，頁564～565。

68 黃叔璥：《臺海使槎錄》，頁6。

69 黃叔璥：《南征記程》，頁565。

70 韋勒克、華倫著，王夢鷗、許國衡譯，1976，《文學論》，臺北：
志文出版社，頁56～63。

71 藍鼎元：《東征集》，頁4。

72 藍鼎元：《平臺紀略》，頁7。

73 藍鼎元：《平臺紀略》，頁19。

74 黃叔璥：《臺海使槎錄》頁87。

75 藍鼎元：《平臺紀略》，頁7～8。

76 藍鼎元：《平臺紀略》，頁4～5。

77 藍鼎元：《平臺紀略》，頁23。

78 陳新：〈論二十世紀西方歷史敘述研究的兩個階段〉，《思與言》

第三十七卷一期（臺北：中央研究院，1999年3月），頁1～22；
周樑楷：〈歷史敘述與近代英國史學傳統的轉變〉，《興大歷史學報》8期，臺中：中興大學歷史系，1998年6月，頁271～285。

[79] 黃得時著、葉石濤譯：〈臺灣文學史序說〉，載於《文學臺灣》18卷，1996年，頁65。

[80] 黃叔璥：《臺海使槎錄》，頁53。

[81] 黃叔璥：《臺海使槎錄》，頁129。

[82] 陳第：〈東番記〉錄於沈有容：《閩海贈言》（臺北：臺灣銀行經濟研究室，1959年），頁25。

[83] 黃叔璥：《臺海使槎錄》，頁109。

[84] 翟灝，《臺陽筆記》，臺北：臺灣銀行經濟研究室。1958年，吳序，頁1。

[85] 張隆志：〈臺灣平埔族的歷史重建與文化理解—讀《景印解說番社采風圖》〉，《古今論衡》第二期，1999年，頁25。

[86] Laurence G. Thompson，Formosan Aborigines in the early Eighteenth Century: Huang Shu-Ching's FAN-SU LIU-K'AO，*Monumenta Serica*, no. 28，（University of Southern California，1969），p.46。見〈番俗六考〉英文譯本的前言。

[87] 「實用理論」為探討讀者和宇宙之間的關係。參見劉若愚著，杜國清譯，《中國文學理論》（*Chinese Theories of Literature*），（臺北：聯經出版事業公司，1981年），頁227。

[88] 藍鼎元，《東征集》，頁47。

[89] 藍鼎元，《東征集》，頁29～30。

[90] 《大清高宗純皇帝實錄》第七冊，（北京：中華書局，1986），卷1281，頁172～174。

91 許經田：〈典律、共同論述與多元社會〉，收於陳東榮、陳長房主
編：《典律與文學教學》（臺北：書林出版有限公司，1995），頁23
～25。

92 詹素娟：〈從中文文獻資料談平埔族研究〉，收入《臺灣平埔族研
究書目彙編》，（中央研究院民族所，1988年6月），頁3。

93 黃叔璥：《臺海使槎錄》，頁94。

94 前者如用來指涉一個社群內的生活模式，也就是該社群規則性一再
發生的活動，以及物質的佈局和社會的佈局，而且這些都是某特定
人類群體所特有的。另一方面，文化亦可用來指涉組織性的知識體
系和信仰體系，一個民族藉著這種體系來建構他們的經驗和知覺，
規約他們的行為，決定他們的選擇。R. Keesing，張恭啟、于嘉雲
譯：《文化人類學》，（臺北：巨流出版社，1989年9月），頁37。

95 Loan M. Lewis，黃宣衛、劉容貴譯：《社會人類學導論》，（臺
北：五南圖書出版公司，1985年1月），《社會人類學導論》，頁
24。

96 詹素娟：〈文化符碼與歷史圖像—再看《番社采風圖》〉，《古今論
衡》第二期，1999年，頁16。

97 張隆志：〈臺灣平埔族的歷史重建與文化理解—讀《景印解說番社
采風圖》〉，《古今論衡》第二期，1999年，頁26。

附錄二

黃叔璥生平簡表

時代	年齡	有關黃叔璥生平	主要資料出處
1681年 （康熙19年）	1歲	生於順天府大興縣（今河北省大興縣）。父程華蕃，後改姓黃，母吳氏	《大清畿輔先哲傳·名臣傳》頁291
1685年 （康熙24年）	6歲	父華蕃原於鄉里學舍講學，後轉任大城縣學教諭	《清初黃崑圃先生叔琳年譜》頁6
1691年 （康熙30年）	12歲	長兄黃叔琳中第三名進士	《清史列傳》頁581
1699年 （康熙38年）	20歲	黃叔璥中順天鄉試	《清初黃崑圃先生叔琳年譜》頁14
1700年 （康熙39年）	21歲	十二月繼母舅公黃爾悟去世	《清初黃崑圃先生叔琳年譜》頁16
1705年 （康熙44年）	26歲	十月父華蕃逝，享年六十一	《國朝耆獻類徵初編》頁3653
1709年 （康熙48年）	30歲	三月與二兄叔琬同中進士。	《北學編》頁113、《清儒學案》，頁19
1718年 （康熙57年）	39歲	十一月任浙江道監察御史，長兄叔琳為都察院左僉都御史。因叔琳不久即陞遷，所以未迴避。	《清初黃崑圃先生叔琳年譜》頁31

1721年 （康熙60年）	42歲	五月十八日朱一貴在今高雄縣岡山一帶起事	《平臺紀略》頁1～8
1622年 （康熙61年）	43歲	1. 一月二十一日自北京起程，前往臺灣擔任巡察臺灣御史一職，六月二日抵鹿耳門 2. 《南征記程》初稿完成 3. 七月作〈請勒緝餘孽、寬免株連疏〉 4. 豎石立碑界 5. 十一月北巡至斗六門	《南征記程》頁553 《臺海使槎錄》頁91、167、53
1723年 （雍正元年）	44歲	1. 與吳達禮奏請增設彰化縣 2. 四月作「擢升何勉任北路參將疏」	《臺海使槎錄》頁92
1724年 （雍正2年）	45歲	1. 題〈重修臺灣縣學碑記〉 2. 二月作《臺海使槎錄》自序，此書初稿完成 3. 六月為徐任師《有涯文集》題序 4. 八月在臺任職期滿，回京過杭州時，受誣告任家人與鋪戶爭毆，拘責鋪戶至死，遂遭罷職。此案後由卓將軍安泰、佟吉圖審理。	《重修福建臺灣府志》頁555～556 《有涯文集》「黃敘」 《清史列傳》頁583
1725年 （雍正3年）	46歲	五月在浙冤案結，奉旨回大興縣老家閒居。	《清初黃崑圃先生叔琳年譜》頁50
1729年 （雍正7年）	50歲	二月叔琳兄於蘇州寄詩給叔璥。	《清初黃崑圃先生叔琳年譜》頁53～54
1731年 （雍正9年）	52歲	正月，至蘇州問視叔琳兄	《清初黃崑圃先生叔琳年譜》頁55

1734年 （雍正12年）	55歲	與兄叔琳、叔琬、叔琪，庶母弟叔瑄於京城團聚	《清初黃崐圃先生叔琳年譜》頁60
1736年 （乾隆元年）	57歲	叔璥補河南開歸道。調督糧道，豫大水，撫恤災民甚周。至濬永城河口開儀封引河築虞城堤岸，惠民良多	《大清畿輔先哲傳・名臣傳》頁296
1738年 （乾隆3年）	59歲	二月三兄叔琪病逝 四月時為糧道，與尹健餘論政	《清初黃崐圃先生叔琳年譜》頁68 《尹健餘先生年譜》頁65～66
1739年 （乾隆4年）	60歲	1. 題《南臺舊聞》自序 2. 題《廣字義》自序 3. 除夕母吳太夫人卒，享年九十二歲	《四庫全書存目叢書》史部261冊，頁2；子部27冊，頁103。 《清初黃崐圃先生叔琳年譜》頁77
1740年 （乾隆5年）	61歲	回京城老家守孝三年。	《北學編》頁113
1741年 （乾隆6年）	62歲	作《中州金石考》自序	《四庫全書存目叢書》史部278冊，頁662
1743年 （乾隆8年）	64歲	四月服母喪期滿後，補授江蘇常鎮道一職	《清初黃崐圃先生叔琳年譜》頁81
1744年 （乾隆9年）	65歲	秋天請方苞題〈夢歸圖〉	《方望溪先生全集》頁104
1747年 （乾隆12年）	68歲	因病暫離職務，尹會一至蘇州探視	《方望溪先生全集・祭文》

			頁234
1748年 （乾隆13年）	69歲	病癒復江蘇鎮江常鎮道，續任三年。任內並接管揚州關稅務	《北學編》，頁114
1751年 （乾隆16年）	72歲	去職回鄉家居七年	《北學編》，頁114
1754年 （乾隆19年）	74歲	題《近思錄集朱》自序	《近思錄集朱》前序
1755年 （乾隆20年）	75歲	六月二兄叔琬病逝	《清初黃崑圃先生叔琳年譜》頁94
1757年 （乾隆22年）	77歲	正月初七長兄叔琳病逝，享年八十五歲。叔璥亦於同年在家中逝，享年七十七歲	《北學編》，頁114

主要參考文獻

一、黃叔璥著作及《臺海使槎錄》版本

《國朝御史題名錄》　清·黃叔璥原編，清·蘇樹蕃續編、
　　瑞霖再續　京畿道刊本藏於中央研究院傅斯年圖書館線
　　裝書室

《臺海使槎錄》　傳刻本　1736年（乾隆元年）藏於中央研
　　究院傅斯年圖書館線裝書室

《臺海使槎錄》　南海孔氏嶽雪樓鈔本　藏於臺北國家圖書
　　館善本書室

《臺海使槎錄》　文淵閣四庫全書本　乾隆年間　藏於臺北
　　故宮博物院

《臺海使槎錄》　畿輔叢書謙德堂藏本　1879年（光緒五年）

《臺海使槎錄》　臺灣總督府圖書館傳刻本　日治時期

《臺海使槎錄》　伊能文庫鈔本《臺海使槎錄》　日治時期

《臺海使槎錄》　上海商務印書館標點本　1936年

《臺海使槎錄》　臺灣文獻叢刊第4種　臺灣銀行經濟研究
　　室　1957年

《臺灣使槎錄》　《舟車所至》叢書本　鄭光祖輯刻　1843
　　年（道光二十三年）

《臺灣使槎錄》　晒藍景印琴川鄭氏青玉山房刊本　1843年
　　（道光二十三年）

《臺灣使槎錄》　小方壺齋輿地叢鈔本　王錫祺輯1880年
　　（光緒六年）「上海易堂排印本」南清河王氏鑄版本
《臺灣使槎錄》　雅堂叢刊㈡　南投：臺灣省文獻會　1975年
《南征記程》　四庫全書存目叢書㈡128冊　臺南：莊嚴出
　　版社據清華大學圖書館藏清乾隆四年黃氏刻本　1996年
《南臺舊聞》　四庫全書存目叢書㈡261冊　臺南：莊嚴出
　　版社影印清華大學圖書館藏清乾隆刻本　1996年
《廣字義》　四庫全書存目叢書㈢27冊　臺南：莊嚴出版社
　　影印清乾隆四年黃氏刻本　1996年
《中州金石考》　四庫全書存目叢書㈡278冊　臺南：莊嚴
　　出版社影印清乾隆六年刻本　1996年
《近思錄集朱》　藏於北京圖書館善本書室　1755年（乾隆
　　十九年）刊本

二、傳記資料

《北學編》　清・尹健餘編　上海：上海古籍出版社　1997年
《尹健餘先生年譜》　清・呂熾編　臺北：藝文印書館影印
　　畿輔叢書　1985年
《清初黃崑圃先生叔琳年譜》　清・顧鎮編　臺北：臺灣商
　　務印書館影印畿輔叢書　1978年
《清史館乾隆年間傳稿》　6860⑴號、6892⑴號　臺北：故
　　宮博物院藏
《成興齋傳稿》　8040⑵號　臺北：故宮博物院藏
《清儒學案》第三冊　清・唐敬楷編　臺北：世界書局
　　1966年

《國朝耆獻類徵初編》　清・李桓編　臺北：文海書局　1966年

《清朝先正事略》　清・李元度編　臺北：明文書局　1985年

《學案小識》　清・唐鑑編　臺北：明文書局　1985年

《碑傳集》正編110冊　清・錢儀吉編　臺北：大化書局　1984年

《光緒順天府志》　清・周家楣、繆荃孫編纂　上海：上海古籍出版社　1997年

《清史稿》第十三冊　趙爾巽等編　臺北：鼎文書局　1981年

《明清歷科進士題名碑錄》　朱保炯、謝沛霖編　臺北：文海出版社　1981年

《大清畿輔先哲傳》　徐世昌編　臺北：大通書局　1968年

《大清畿輔書徵》　徐世昌編　臺北：廣文書局　1969年

三、古籍與史料

㈠古籍

《禮記注疏》　漢・鄭玄注、唐・孔穎達疏　臺北：藝文印書館十三經注疏本　1993年

《論語注疏》　魏・何晏集解、宋・邢昺疏　臺北：藝文印書館十三經注疏本　1993年

《博物志》　晉・張華　臺北：藝文印書館　1958年

《史通》　唐・劉知幾　臺北：臺灣商務影印明萬曆刊本（四部叢刊本）　1966年

《朱子語類》　宋・黎靖德編　臺北：文津出版社　1986年

《植物名實圖考》　明・吳其濬　臺灣商務印書館　1968年

《樵書》　明・來集之　上海：商務印書館　1914年

《圖書編》 明‧章潢、岳元聲訂 臺北：成文出版社 1971年

《存學編》 清‧顏元 上海：商務印書館 1936年

《原鈔本日知錄》 清‧顧炎武 臺北：明倫出版社（三版）
　　1970年

《方望溪先生全集》 清‧方苞 臺北：臺灣商務印書館影
　　印四部叢刊正編 1965年

《有涯文集》 清‧徐任師 藏於中央研究院傅斯年圖書館
　　善本書室1724年（雍正二年）黃叔璥序本

《清朝文獻通考》 清‧嵇璜 上海：商務印書館 1936年

《閩小紀》 清‧周亮工 福州：福建人民出版社 1985年

《居易錄》 清‧孫承澤 上海：上海古籍出版社 1993年

《閩書》 清‧何喬遠 福州：福建人民出版社 1995年

《池北偶談》 清‧王士禎 臺北：漢京出版社 1984年

《香祖筆記》 清‧王士禎 上海：上海古籍出版社 1993年

《文史通義》 清‧章學誠 臺北：漢聲出版社影印吳興劉
　　氏嘉業堂刊本 1973年

㈡臺灣文獻、史料選輯

《閩海贈言》 明‧沈有容 臺北：臺灣銀行經濟研究室文
　　叢第56種 1959年

《裨海紀遊》 清‧郁永河 臺北：臺灣銀行經濟研究室文
　　叢44種 1959年

《赤嵌集》 清‧孫元衡 臺北：臺灣銀行經濟研究室文叢
　　第10種 1958年

《陳清端公文選》 清‧陳璸 臺北：臺灣銀行經濟研究室

文叢116種　1961年

《東征集》　清・藍鼎元　臺北：臺灣銀行經濟研究室臺灣
　　文獻叢刊（簡稱文叢）第12種　1951年

《平臺紀略》　清・藍鼎元　臺北：臺灣銀行經濟研究室文
　　叢第14種　1951年

《欽定大清會典事例》　清・崑崗　臺北：啟文出版社　1953年

《番社采風圖考》　清・六十七　臺北：臺灣銀行經濟研究
　　室文叢90種　1961年

《使署閒情》　清・六十七　臺北：臺灣銀行經濟研究室文
　　叢122種　1961年

《臺灣紀略》　清・林謙光　臺北：臺灣商務印書館　1966年

《清朝通典》　臺北：華文書局　1963年

《明清史料戊編》第一冊 中央研究院歷史語言研究所　臺
　　北：維新書局（再版）　1972年

《宮中檔雍正朝奏摺》第二輯　臺北：國立故宮博物院
　　1977年

《清世宗實錄選輯》　臺北：大通書局　1987年

《清實錄—臺灣史資料專輯》　福建：福建人民出版社
　　1993年

㈢臺灣方志

《臺灣府志》　清・蔣毓英　南投：臺灣省文獻會　1993年

《臺灣府志》　清・高拱乾　臺北：臺灣銀行經濟研究室
　　1960年

《鳳山縣志》　清・陳文達　臺北：臺灣銀行經濟研究室

1961年

《臺灣縣志》　清・陳文達　臺北：臺灣銀行經濟研究室
　　　1961年

《重修臺灣府志》　清・周元文　臺北：臺灣銀行經濟研究
　　　室　1960年

《諸羅縣志》　清・周鍾瑄　臺北：臺灣銀行經濟研究室
　　　1962年

《重修福建通志臺灣府》　清・劉良璧　臺北：臺灣銀行經
　　　濟研究室　1961年

《重修臺灣府志》　清・范咸　臺北：臺灣銀行經濟研究室
　　　1961年

《重修臺灣府志》　清・王必昌　臺北：臺灣銀行經濟研究
　　　室　1961年

《續修臺灣府志》　清・余文儀　臺北：臺灣銀行經濟研究
　　　室　1962年

《重修鳳山縣志》　清・王瑛曾　臺北：臺灣銀行經濟研究
　　　室　1962年

《續修臺灣縣志》　清・謝金鑾　臺北：臺灣銀行經濟研究
　　　室　1962年

《淡水廳誌》　清・陳培桂　臺北：臺灣銀行經濟研究室
　　　1963年

《彰化縣志》清・周璽　臺北：臺灣銀行經濟研究室 1962年

《雲林縣采訪冊》　清・倪贊元　臺北：臺灣銀行經濟研究
　　　室　1959年

《臺灣通史》　連橫　臺北：黎明文化事業公司（修訂校正

版）　　1978年

四、目錄提要

《三十三種清代傳記綜合引得》　　房兆楹等編　　燕京大學圖
　　書館編纂處出版　　1932年

《國立中央圖書館善本書目》　　臺北：中央圖書館　　1967年

《國立故宮博物院善本舊籍總目》　　臺北：故宮博物院
　　1968年

《北京圖書館古籍善本書目》　　北京圖書館　　北京：書目文
　　獻出版社

《四庫全書總目提要》　　清・永瑢、紀昀主編　　臺北：臺灣
　　商務印書館　　1983年

《中華民國臺灣地區公藏方志目錄》　　王德毅主編　　臺北：
　　漢學研究資料及服務中心　　1985年

《臺灣平埔族研究書目彙編》　　莊英章主編　　臺北：中央研
　　究院民族學研究所　　1988年

《臺灣漢人移民史研究書目》　　中央研究院臺灣史田野研究
　　室出版　　1989年

《臺灣民間信仰研究書目》　　中央研究院臺灣史田野研究室
　　出版　　1991年

《國立中央圖書館臺灣分館線裝書目錄》　　臺北：中央圖書
　　館臺灣分館　　1991年

《臺灣史檔案文書目錄》　　黃富三主編　　臺北：臺灣大學
　　1997年

《臺灣漢語傳統文學書目》　　吳福助主編　　臺北：文津出版

社　1999年

五、社會、文化專著

《中國御史制度的沿革》　高一涵　上海：商務印書館
　　1930年

《臺灣經濟史初集》　周憲文　臺北：臺灣銀行經濟研究室
　　臺灣文獻叢刊第25種　1954年

《臺灣史事概說》　郭廷以　臺北：正中書局　1954年

《臺灣中部碑文集成》　臺灣銀行經濟研究室　1962年

《清代通史》　蕭一山　臺北：臺灣商務印書館　1962年

《臺灣省通志稿》　林熊祥等修　南投：臺灣省文獻會
　　1964年

《中國歷史研究法》　梁啟超　臺北：臺灣商務印書館
　　1966年

《臺灣早期歷史研究》　曹永和　臺北：聯經出版事業公司
　　1979年

《平埔族社名對照表》　張耀錡　南投：臺灣省文獻會
　　1979年

《清代臺灣之鄉治》　戴炎輝　臺北：聯經出版社　1979年

《臺灣省通志》　李汝和主修　臺北：眾文圖書公司　1980年

《臺灣歷史上的人物》　楊雲萍　臺北：成文出版社　1981年

《中國金石學》　陸和九　臺北：明文書局　1981年

《臺灣的人口變遷與社會變遷》　陳紹馨　臺北：聯經出版
　　事業公司　1981年

《臺灣土著民族的社會與文化》　李亦園　臺北：聯經出版

事業公司　1982年

《清代臺灣：政策與社會變遷》　楊熙　臺北：天工書局
　　1983年

《人類學導論》　宋光宇　臺北：桂冠圖書公司（四版）
　　1984年

《臺灣民俗》　吳瀛濤　臺北：眾文圖書公司（再版）1987年

《史學方法》　王爾敏　臺北：臺灣東華書局（五版）1988年

《臺灣開發史研究》　尹章義。臺北：聯經出版事業公司
　　1989年

《臺灣土地傳》　劉還月　臺北：臺原出版社　1989年

《社會變遷與傳統禮俗》　黃有志　臺北：幼獅文化事業公
　　司　1991年

《臺灣地區重要考古遺址初步評估第一階段研究報告》　宋
　　文薰等編　行政院文化建設委員會　1992年

《中國境內各民族細說》　礬開印　臺北：唐山出版社
　　1993年

《內門鄉誌》　蕭燦輝　高雄：內門鄉公所　1993年

《臺灣早期史綱》　方豪　臺北：學生書局　1994年

《臺灣土著族的社會與文化》　阮昌銳　臺北：臺灣省博物
　　館　1994年

《臺灣開發與族群》　簡炯仁　臺北：前衛出版社　1995年

《宜蘭縣南島民族語言》（宜蘭縣史系列語言類1）　李壬癸
　　宜蘭：宜蘭縣政府　1996年

《臺灣的原住民》　阮昌銳　臺北：臺灣省博物館　1996年

《臺灣史論文精選》　張炎憲等編　臺北：玉山社出版事業

1996年

《臺灣開發史》　張勝彥　臺北：國立空中大學　1996年

《臺灣平埔族史》　潘英　臺北：南天書局　1996年

《臺灣平埔族的歷史與互動》　李壬癸　臺北：常民文化
　　1997年

《從周邊看漢人的社會與文化》　黃應貴編　臺北：中央研
　　究院民族研究所　1997年

《番社采風圖題解-以臺灣歷史初期平埔族之社會文化為中
　　心》　杜正勝　臺北：中央研究院歷史語言研究所
　　1998年

《清代官制研究》　古鴻廷　臺北：五南圖書公司　1999年

《田野圖像—我的人類學生涯》　李亦園　臺北：立緒文化
　　1999年

六、文學、哲學專著

《臺灣詩錄》　陳漢光　南投：臺灣省文獻會　1971年

《歷史與思想》　余英時　臺北：聯經出版事業公司　1976年

《中國文學理論》　劉若愚、杜國清譯　臺北：聯經出版事
　　業公司　1981年

《朱學論集》　陳榮捷　臺北：學生書局　1982年

《臺灣民間信仰論集》　劉枝萬　臺北：聯經出版社　1983年

《近世中國經世思想研討會論文集》　王爾敏等　臺北：中
　　央研究院近代史研究所編　1984年

《清代學術史研究》　胡楚生　臺北：臺灣學生書局　1988年

《天、人、社會：試論中國傳統的宇宙認知模型》　呂理政

臺北：中央研究院民族學研究所　1990年

《明末清初學術思想研究》　何冠彪　臺北：臺灣學生書局
　　1991年

《清初學術論文集》　詹海雲　臺北：文津出版社　1992年

《臺灣文學史綱》　葉石濤　高雄：文學界雜誌社　1993年

《華夏諸神—俗神卷》　馬書田　臺北：雲龍出版社　1993年

《中國近三百年學術史》　梁啟超　臺北：里仁書局　1995年

《臺灣古典文學與文獻》　東海大學中國文學系　臺北：文
　　津出版社　1999年

《中國文學批評史》　郭紹虞　臺北：明倫（七版）　1972年

《中國文學批評通史》（清代卷）　鄔國平、王鎮遠　上海：
　　上海古籍　1996年

《臺灣古典文學與文獻》　東海大學中國文學系編　臺北：
　　文津出版社　1999年

七、譯著

《臺灣地名研究》　（日）安倍明義　臺北：武陵出版社編譯

《巴達維亞城日記》　村上直次郎（日譯）　郭輝（中譯）
　　南投：臺灣省文獻委員會　1970年

《臺灣文化誌》　（日）伊能嘉矩、江慶林等譯　南投：臺
　　灣省文獻委員會　1985年

《臺灣舊慣習俗信仰》　（日）鈴木清一郎、馮作民譯
　　臺北：眾文圖書公司　1989年

《荷蘭時代臺灣史研究》　（日）中村孝志、翁佳音編譯
　　臺北：稻鄉出版社　1997年

《臺灣的歷史與民俗》 （日）國分直一、邱夢蕾譯　臺
　　北：武陵出版有限公司　1998年

《重塑臺灣平埔族圖像—日本時代平埔族資料彙編》　陳柔
　　森編、葉婉奇譯　臺北：原民文化　1999年

Verwarrloosde Formosa　C.E.S.（Coyett et Socii）　1956年

（《被遺誤之臺灣》）　周學普譯　臺北：臺灣銀行經濟研究
　　室

《文學論》　韋勒克、華倫　王夢鷗、許國衡譯　臺北：藝
　　文　1976年

《社會人類學導論》　Loan M. Lewis　黃宣衛、劉容貴譯
　　臺北：五南圖書出版公司　1985年

Cultural anthropology　R. Keesing　臺北：巨流出版社　1989年

（《文化人類學》）　張恭啟、于嘉雲譯

An essay on man　Ernst Cassire　臺北：結構群出版社　1989年

（《人論》）　結構群出版社譯

Method in Social Anthropology　R. Radcliffe-Brown

（《社會人類學方法》）　夏建中譯　臺北：桂冠圖書公司
　　1991年

Formosa under the Dutch　Campbell, W.M.　臺北：南天出版社
　　1992年

（《荷蘭統治下的臺灣》）

The Myth of the State　Ernst Cassire　臺北：桂冠圖書公司
　　1992年

（《國家的神話》）　范進、楊君游、柯錦華譯

Pioneering In Formosa　W. A. Pickering

（《發現老臺灣》） 陳逸君譯　臺北：臺原出版社　1994年

Social Anthropology　E. E. Evans-Pritchard

（《社會人類學》） 陳奇祿、王崧興合譯　臺北：唐山出版
　　　社　1997年

八、學位論文

《清代臺灣的社會領導階層》　蔡淵絜　臺灣師範大學歷史
　　　研究所　碩士論文　1980年

《清代臺灣武備制度的研究－臺灣的綠營》　許雪姬　臺灣
　　　大學歷史學研究所　博士論文　1982年

《清代臺灣民變研究》　劉妮玲　臺灣師範大學歷史研究所
　　　碩士論文　1982年

《清代臺灣方志之研究》　盧胡彬　中國文化大學史學研究
　　　所　碩士論文　1985年

《清代臺灣平埔族與漢人關係之研究》　詹素娟　臺灣師範
　　　大學歷史研究所　碩士論文　1986年

《清代臺灣平埔族群史的重建和理解》　張隆志　臺灣大學
　　　歷史學研究所　碩士論文　1989年

《清代臺灣中部漢番關係之研究》　卓淑娟　東海大學歷史
　　　研究所　碩士論文　1988年

《清代御史制度之研究》　何孟興　東海大學歷史研究所
　　　碩士論文　1989年

《清代臺灣詩所反映的漢人社會》　施懿琳　臺灣師範大學
　　　國文研究所　博士論文　1991年

《清代臺灣婦女生活的研究》　卓意雯　臺灣大學歷史研究

所　碩士論文　1991年

《清康熙年間臺灣土地利用的研究》　陳雯宜　成功大學歷
　　史語言研究所　碩士論文　1994年

《清代臺灣知府之研究》　黃昭仁　東海歷史研究所　碩士
　　論文　1995年

九、期刊論文、報紙（按作者姓氏筆劃排列）

方豪：〈陳第東番記考證〉，臺灣大學《文史哲學報》七
　　期，1956年

方豪：〈臺海使槎錄與裨海紀遊〉，收錄於《方豪六十自定
　　稿》，1969年

方延豪：〈試數巡臺御史〉，《建設》第28卷5期，1979年
　　10月

毛一波：〈臺灣的文學簡介〉，《臺灣文獻》27卷1期，
　　1976年3月

古清美：〈清初經世之學與東林學派的關係〉，《孔孟月刊》
　　24卷3期，1985年11月

安僧：〈漫談遜清之監察御史〉，《湖北文獻》84期，1987
　　年7月

宇驥：〈從生產形態與聚落景觀看臺灣史上的平埔族〉，《臺
　　灣文獻》21卷1期，1970年3月

李亦園：〈平埔族衣飾〉，《臺灣大學考古人類學刊》，第四
　　期，1954年12月

李亦園：從文獻資料看臺灣平埔族，《大陸雜誌》第10卷9
　　期，1955年

李亦園：臺灣南部平埔族平臺屋的比較研究，《中央研究院民族學研究所集刊》第3期，1957年

李亦園：〈臺灣平埔族的祖靈祭〉，收錄於《臺灣土著民族的社會與文化》，（臺北：聯經出版事業公司，1982年

李伯墉：〈朱一貴事件淺探〉，《臺北文獻》38期，1976年12月

宋文薰：《史前時期的臺灣》，《歷史月刊》第21期，1989年10月

宋文薰、劉枝萬：〈貓霧捒社番曲〉，《文獻專刊》（《臺灣文獻》）3卷1期，1952年5月27日

何素花：清初旅臺文人之臺灣社會觀察—以郁永河的「裨海紀遊」為例，《聯合學報》十三期，1995年

余英時：〈清代思想史的一個新解釋〉，《中華文化復興月刊》第九卷第一期，1976年1月

余光貴：〈二程與明清之際的實學思想〉，《中州學刊》1988年第6期，1988年11月

林慶元：〈《南征記程》、《臺海使槎錄》及其他關於首任巡臺御史黃叔璥的幾個問題〉，香港：亞洲研究，珠海書院亞洲研究中心，1997年7月

林保淳：〈舊命題的全新架構—明清之際的經世思想〉，《幼獅學誌》十九卷四期，1987年10月

林孟輝：〈清代臺灣「儒學」的教育宗旨析論〉，《孔孟月刊》37卷8期，1999年4月

周樑楷：〈歷史敘述與近代英國史學傳統的轉變〉，《興大歷史學報》8期，臺中：中興大學歷史系，1998年6月

吳密察：〈臺灣大學藏「伊能文庫」〉，《大學圖書館》1卷
　　3期，1997年7月

施添福：〈清代臺灣「番黎不諳耕作」的緣由〉，《中央研
　　究院民族研究所集刊》69期，1990年6月

唐一飛：〈清代巡臺御史傳略及詩錄〉，《史聯雜誌》十三
　　期，臺灣史蹟研究中心，1988年12月

書目季刊編輯社：〈臺灣文獻叢刊簡介〉，《書目季刊》4
　　卷1期，1969年9月。

耿心：〈監察委員與御史職權之異同〉，《中國論壇》第五
　　卷第四期，1977年11月

莊萬壽：〈明代華夏民族主義與王陽明〉，《國文學報》25
　　期，臺北：臺灣師範大學，1996年6月

莊萬壽：〈臺灣海洋文化之初探〉，《中國學術年刊》十八
　　期，臺北：臺灣師範大學，1997年3月

莊萬壽：〈臺灣平埔族的儒化〉，第一屆臺灣儒學研究國際
　　學術研討會，1997年

莊萬壽：〈人性尊嚴的規範與臺灣原住民族進路之歷史觀
　　察〉，臺灣原住民的民族權與人權學術研討會，1998年

莊金德：〈清初旅臺學人著作的評介〉，《臺灣文獻》15卷
　　1期，1964年3月

莊金德：〈巡臺御史的設立與廢止〉，《臺灣文獻》16卷1
　　期，1965年3月

莊金德：〈清代臺灣的婚姻禮俗〉，《臺灣文獻》十四卷三
　　期

莊雅仲：〈裨海紀遊：徘迴於自我與異己之間〉，新史學四

卷三期，1993年9月

曹永和：〈簡介臺灣開發史資料―荷蘭東印度公司檔案〉，
　　收錄《臺灣地區開闢史料學術論文集》，臺北：聯經出
　　版事業公司，1996年6月

張炎憲：〈對臺灣史研究的期待〉，《臺灣史田野研究通訊》
　　十二期，臺北：中央研究院，1989年12月

張明雄：〈康熙年間清廷治臺政策及其檢討〉，《臺北文獻》
　　直字第74期，1985年

張明雄：〈明清之際臺灣移墾社會的原型〉，《臺灣文獻》
　　40卷4期，1989年1月

張隆志：〈臺灣平埔族的歷史重建與文化理解―讀《景印解
　　說番社采風圖》〉，《古今論衡》第二期，1999年

許雪姬：首任巡臺御史黃叔璥研究，臺北文獻（直44期），
　　1978年

許俊雅：〈陳第與東番記〉，《中國學術年刊》13期，（臺
　　灣師範大學國文研究所，1992年3月

梁嘉彬：〈宋代毗舍耶國確在臺灣非在菲律賓考〉，收錄於
　　《琉球及東南諸海島與中國》，臺中：東海大學，1965
　　年

陳正祥：〈諸羅縣志的地理學評價〉，《臺灣文獻》9卷4
　　期，1958年12月

陳學文：〈明清臺灣的蔗糖工業領先全國〉，《歷史月刊》
　　四十七期

陳新：〈論二十世紀西方歷史敘述研究的兩個階段〉，《思與
　　言》第三十七卷一期，臺北：中央研究院，1999年3月

黃得時著、葉石濤譯：〈臺灣文學史序說〉，載於《文學臺灣》18卷，1996年

黃秀政：〈清初臺灣的社會救濟措施〉，《臺北文獻》33期，1975年9月

黃克武：〈理學與經世—清初「切問齋文鈔」學術立場之分析〉，《中央研究院近代史研究所集刊》16期，臺北：中央研究院近代史研究所，1987年6月

黃書光：〈論明末清初實學思想家對理學教育思想的批判與改造〉（上），《鵝湖月刊》第一九卷第一二期，1994年6月

黃富三：〈清代臺灣之移民的耕地取得問題及其對土著的影響〉，《食貨月刊》1981年4月

賀嗣章、廖漢臣：〈內地旅臺文人及其作品〉，《臺灣文獻》10卷3期，1959年6月

張雄潮：〈清循吏姚瑩治臺事蹟及其經世文章〉，《臺灣文獻》15卷1期，1964年3月

湯熙勇：〈論清康熙時期的納臺爭議與臺灣的開發政策〉，原發表於中央研究院臺灣史田野研究室主辦之「臺灣歷史上的土地問題國際研討會」，1991年12月），《臺北文獻》直字114期，1995年12月

湯熙勇：〈清代臺灣文官的任用方法及其相關問題〉，中央研究院三民主義研究所專題選刊80，南港：中央研究院，1988年3月

楊雲萍：〈關於臺海使槎錄與裨海紀遊〉，《公論報》六版，臺灣風土164期，1954年3月15日

楊雲萍：〈為臺海使槎錄申辯〉，《公論報》六版，臺灣風
　　土166期，1954年3月28日

費海璣：〈《裨海紀遊》研究〉，《書目季刊》6卷2期，
　　1971年9月

葛榮晉：〈實學是什麼〉，《國文天地》第6卷5期，1990年
　　10月

溫振華：〈清代臺灣漢人的企業精神〉，收錄於《臺灣使論
　　文精選》上冊，（臺北：玉山社出版事業公司，1996
　　年9月

詹素娟：〈從中文文獻資料談平埔族研究〉，收入《臺灣平
　　埔族研究書目彙編》，中央研究院民族所，1988年6月

劉又銘：〈《近思錄》的編纂〉，《中華學苑》43期，臺
　　北：政治大學，1993年3月

鍾華操：〈臺灣使槎錄與臺海使槎錄之辨〉，《臺灣文獻》27
　　卷2期，1976年

薛順雄：〈試探臺灣明清時期漢語舊詩所反映本島原住民的
　　風土及習俗〉，《傳統文學的現代詮釋》學術研討會論
　　文，東海大學中國文學系，1997年5月

薛順雄：〈從清代臺灣漢語舊詩看本島漢人社會及習俗〉，
　　《臺灣古典文學與文獻》學術研討會論文，東海大學中
　　國文學系，1998年5月

傅榮珂：〈秦司法官吏之探索〉，《中國學術年刊》十九
　　期，臺北：臺灣師範大學，1998年3月

簡炯仁：〈「三年一小反，五年一大亂」—清據與日據臺灣
　　社會發展模式互異之探討〉，《臺灣風物》43卷4期，

1993年12月

山中樵：〈關於黃叔璥の臺灣番社圖〉，《南方土俗》1卷3
　　期，1931年。

山中樵：〈臺灣蕃俗の圖譜〉，《南方土俗》第3卷第4號

中村孝志：〈蘭人時代の蕃社戶口表（1）〉，《南方土俗》
　　第4卷第1號，1936年

中村孝志：〈蘭人時代の蕃社戶口表（2），《南方土俗》第
　　4卷第3號，1937年

中村孝志：〈荷蘭人對臺灣原住民的教化—以1659年中南
　　部視察報告為中心而述〉，賴永祥、王瑞徵譯，《南瀛
　　文獻》3卷3、4號，1956年。原題〈オランタ人の臺灣
　　蕃人教育—1659年巡視報告を中心として〉，《天理大
　　學學報》第4卷第1號，1952年

清水純：〈平埔族の漢化〉，東京：《文化人類學》第5
　　期，1988年

黃得時著、葉石濤譯：〈臺灣文學史序說〉，載於《文學臺
　　灣》18卷，1996年

奧田彧、陳茂詩、三浦敦史：〈荷領時代之臺灣農業〉，收
　　錄於《臺灣經濟史初集》

Laurence G. Thompson：Formosan Aborigines in the early
　　Eighteenth Century：Huang Shu-Ching's FAN-SU LIU-
　　K'AO，*Monumenta Serica*，no. 28，University of
　　Southern California，1969

Steere J.B.：The Aborigines of Formosa，*The China Review*，

vol.Ⅲ，pp. 181 - 184

Taylor G.：Aborigines of Formosa，*The China Review*，

vol.XIV，pp. 121 - 126

國家圖書館出版品預行編目資料

臺灣文化采風：黃叔璥及其《臺海使槎錄》研
究／林淑慧著. -- 初版. -- 臺北市：萬卷
樓，2004[民93]
面；　　公分
參考書目：面

ISBN 957－739－484－1(平裝)

1.（清）黃叔璥－學術思想 2.文化史－臺
灣－清領時期(1683-1895)　3.臺灣－社會生
活與風俗

673.24　　　　　　　　　　93005272

臺灣文化采風
——黃叔璥及其《臺海使槎錄》研究

著　　　者：林淑慧

發　行　人：許素真

出　版　者：萬卷樓圖書股份有限公司

臺北市羅斯福路二段 41 號 6 樓之 3

電話(02)23216565・23952992

傳真(02)23944113

劃撥帳號 15624015

出版登記證：新聞局局版臺業字第 5655 號

網　　　址：http://www.wanjuan.com.tw

E－mail　：wanjuan@tpts5.seed.net.tw

承印廠商：晟齊實業有限公司

定　　　價：300 元

出版日期：2004 年 5 月初版

2006 年 12 月初版二刷